Zum Buch:

Captain Edward Rokesby weiß nicht, wie er in das Lazarett gekommen ist, indem er aufwacht und auch nicht, wann er die Ehefrau an seinem Bett geheiratet hat. Was er weiß, ist, dass es sich um Cecilia, die Schwester seines Kameraden und Freundes Thomas Harcourt handeln muss. Cecilia, die den Briefen an ihren Bruder immer auch ein paar geistreiche und herzerwärmende Zeilen für ihn beigefügt hat, über die sich Edward stets freute. Als er erfährt, dass Thomas verschwunden ist, will Edward Cecilia unbedingt bei der Suche helfen – egal wie es dazu kam, dass sie seine Frau geworden ist. Dieser Frage wird er auf den Grund gehen, sobald das Schicksal von Thomas geklärt ist …

Zum Autor:

Julia Quinn wird als zeitgenössische Jane Austen bezeichnet. Sie studierte zunächst Kunstgeschichte an der Harvard Universität, ehe sie die Liebe zum Schreiben entdeckte. Ihre überaus erfolgreichen historischen Romane präsentieren den Zauber einer vergangenen Epoche und begeistern durch ihre warmherzigen, humorvollen Schilderungen.

Lieferbare Titel:

Rokesby – Der Earl mit den eisblauen Augen (Rokesby 1)
Rokesby – Tollkühne Lügen, sinnliche Leidenschaft (Rokesby 2)

Bridgerton – Der Duke und ich (Bridgerton 1)
Bridgerton – Wie bezaubert man einen Viscount? (Bridgerton 2)
Bridgerton – Wie verführt man einen Lord? (Bridgerton 3)
Bridgerton – Penelopes pikantes Geheimnis (Bridgerton 4)
Bridgerton – In Liebe, Ihre Eloise (Bridgerton 5)
Bridgerton – Ein hinreißend verruchter Gentleman (Bridgerton 6)
Bridgerton – Mitternachtsdiamanten (Bridgerton 7)
Bridgerton – Hochzeitsglocken für Lady Lucy (Bridgerton 8)

JULIA QUINN

ROKESBY
TOLLKÜHNE LÜGEN, SINNLICHE LEIDENSCHAFT

ROMAN

Aus dem amerikanischen Englisch von
Petra Lingsminat

HarperCollins

Die Originalausgabe erschien 2017 unter dem Titel
The Girl with the Make-Believe Husband bei AVON BOOKS,
an imprint of HarperCollins *Publishers*, L.L.C., New York.

1. Auflage 2022
© 2017 by Julie Cotler Pottinger
Neuausgabe
© 2021 für die deutschsprachige Ausgabe
by HarperCollins
in der Verlagsgruppe HarperCollins Deutschland GmbH, Hamburg
Published by arrangement with
HarperCollins *Publishers* L.L.C., New York
Umschlaggestaltung von Favoritbuero, München
Umschlagabbildung von Lee Avison / Trevillion Images
Gesetzt aus der Sabon
von GGP Media GmbH, Pößneck
Druck und Bindung von GGP Media GmbH, Pößneck
Printed in Germany
ISBN 978-3-365-00137-0
www.harpercollins.de

Für Nana Vaz de Castro,
die eine Bewegung ins Leben rief.
Ist wohl ganz gut, dass ich Bob's Ovomaltine-
Shakes in den Vereinigten Staaten nicht
bekomme.

Und für Paul.
Irgendetwas muss ironisch sein an der Tatsache,
dass ich über einen Schein-Ehemann schreibe,
während du drei Monate unterwegs bist,
um den Mount Everest zu erklimmen.
Aber der Berg ist echt. Genau wie du.
Und wir.

1. KAPITEL

Ihm tat der Kopf weh.

Berichtigung. Ihm tat der Kopf *sehr* weh.

Allerdings konnte er nicht recht sagen, woher die Schmerzen rührten. Möglich, dass man ihm eine Musketenkugel in den Kopf geschossen hatte. Das kam ihm angesichts der Tatsache, dass er sich momentan als Captain der Königlichen Armee in New York (oder war es Connecticut?) aufhielt, durchaus plausibel vor.

Sie befanden sich gerade im Krieg, falls es noch keinem aufgefallen sein sollte.

Doch dieses spezielle Dröhnen – das sich eher so anfühlte, als schlüge jemand mit einer Kanone (wohlgemerkt mit einer Kanone, nicht mit einer Kanonen*kugel*) auf seinen Schädel ein – schien eher darauf hinzudeuten, dass er mit einem stumpferen Gegenstand angegriffen worden war als mit einer Kugel.

Vielleicht mit einem Amboss. Heruntergeschleudert aus dem ersten Stock.

Wenn man es jedoch einmal von der positiven Seite betrachtete, schien ein derartiger Schmerz immerhin ein Hinweis darauf zu sein, dass er nicht tot war.

Dieser Krieg, den er erwähnt hatte ... da starben durchaus Menschen.

Mit erschreckender Regelmäßigkeit.

Dann war er also nicht gestorben. Das war gut. Aber er war sich auch nicht sicher, wo genau er sich befand. Der naheliegende nächste Schritt wäre gewesen, nun die Augen zu öffnen, doch das Licht, das durch seine geschlossenen Lider drang, war hell genug, um ihm zu verraten, dass helllichter Tag war, und auch wenn er die Dinge gern von der metaphorischen Sonnenseite betrachtete, war er sich doch ziemlich sicher, dass ihn die wortwörtliche vor allem blenden würde.

Und so hielt er die Augen geschlossen.

Aber er hielt die Ohren offen.

Er war nicht allein. Er konnte zwar nicht direkt irgendein Gespräch verfolgen, doch um ihn herum herrschte eine geschäftige Atmosphäre. Leute gingen hin und her, stellten Dinge auf Tische, zogen Stühle über den Boden.

Irgendwer stöhnte vor Schmerzen.

Die meisten Stimmen waren männlich, aber in seiner Nähe hielt sich mindestens eine Dame auf. Er konnte sie sogar atmen hören. Während sie ihren Geschäften nachging, gab sie leise Geräusche von sich. Zu ihren Aufgaben gehörte anscheinend auch, die Decken um ihn herum festzustecken und ihm die Hand auf die Stirn zu legen, wie er bald genug feststellte.

Ihm gefielen diese verhaltenen Geräusche, die leisen *Mmms* und Seufzer, deren sie sich vermutlich noch nicht einmal bewusst war. Und sie roch gut, ein wenig nach Zitrone, ein wenig nach Seife.

Und ein wenig nach harter Arbeit.

Den Geruch kannte er. An sich selbst hatte er ihn auch schon wahrgenommen, allerdings nur kurz, ehe er sich zu einem wahrhaften Gestank ausgewachsen hatte.

An ihr empfand er diesen Geruch jedoch als ausgesprochen angenehm. Irgendwie erdverbunden. Er fragte sich, wer sie wohl war, dass sie sich so gewissenhaft um ihn kümmerte.

»Wie geht es ihm heute?«

Edward hielt sich ganz still. Diese männliche Stimme war neu, und er war sich nicht sicher, ob er bereits zu erkennen geben wollte, dass er wach war.

Allerdings war ihm nicht recht klar, *warum* er zögerte.

»Unverändert«, lautete die Antwort der Frau.

»Ich mache mir Sorgen. Wenn er nicht bald aufwacht ...«

»Ich weiß«, erwiderte die Frau. In ihrer Stimme lag eine Spur Verärgerung, was Edward verwunderlich fand.

»Konnten Sie ihm etwas Brühe einflößen?«

»Nur ein paar Löffel. Ich hatte Angst, er könnte sich verschlucken, wenn ich versuchte, ihm mehr zu geben.«

Der Mann stieß ein Geräusch aus, das vage Zustimmung signalisierte. »Wie lang befindet er sich noch mal schon in diesem Zustand?«

»Seit einer Woche, Sir. Vier Tage vor meiner Ankunft, drei Tage danach.«

Eine Woche. Edward ließ sich das durch den Kopf gehen. Eine Woche bedeutete, dass jetzt ... März war? April?

Nein, vielleicht war erst Februar. Und er befand sich vermutlich in New York, nicht in Connecticut.

Doch das erklärte immer noch nicht, warum ihm der Kopf so verflucht wehtat. Offenbar war er in irgendeinen Unfall verwickelt gewesen. Oder war er angegriffen worden?

»Hat es überhaupt keine Veränderung gegeben?«, erkundigte sich der Mann, obwohl die Frau ihm das doch gerade eben gesagt hatte.

Offenbar war sie jedoch weitaus geduldiger als er selbst, denn sie entgegnete mit ruhiger, klarer Stimme: »Nein, Sir. Keine.«

Darauf gab der Mann ein Geräusch von sich, das an ein Knurren erinnerte, das Edward jedoch nicht recht einordnen konnte.

»Ähm …« Die Frau räusperte sich. »Haben Sie irgendwelche Neuigkeiten von meinem Bruder?«

Ihrem Bruder? Wer war ihr Bruder?

»Leider nein, Mrs. Rokesby.«

Mrs. Rokesby?

»Es ist jetzt beinahe drei Monate her«, sagte sie leise.

Mrs. Rokesby? Edward wünschte sich, dass sie auf diesen Punkt näher zu sprechen kämen. Soweit er wusste, gab es in ganz Nordamerika nur einen einzigen Rokesby, und der war er. Wenn sie also Mrs. Rokesby war …

»Ich glaube«, sagte der Mann, »dass Sie besser beraten wären, sich jetzt um Ihren Gatten zu kümmern.«

Ihren *Gatten?*

»Ich versichere Ihnen«, sagte die Frau, wobei in ihrer Stimme wieder eine gewisse Verärgerung mitschwang, »dass ich mich bislang äußerst gewissenhaft um ihn gekümmert habe.«

Ihr Gatte? Sie nannten ihn ihren *Gatten?* War er denn verheiratet? Er konnte nicht verheiratet sein. Wie könnte er verheiratet sein und sich nicht daran erinnern?

Wer war diese Frau?

Edwards Herz begann zu pochen. Was zum Teufel geschah mit ihm?

»Hat er gerade ein Geräusch gemacht?«, fragte der Mann.

»Ich ... ich glaube nicht.«

Sie bewegte sich rasch. Hände legten sich auf ihn, erst auf seine Wange, dann auf seine Brust, und auch wenn ihre Sorge spürbar war, hatten ihre Berührungen etwas Beruhigendes an sich, etwas, was sich unleugbar richtig anfühlte.

»Edward?«, fragte sie, ergriff seine Hand und strich ein paarmal sanft darüber. »Kannst du mich hören?«

Er sollte reagieren. Sie machte sich Sorgen. Es schickte sich nicht für einen Gentleman, einer Dame in Not nicht zu Hilfe zu eilen.

»Ich befürchte, dass er für uns verloren sein könnte«, erklärte der Mann weitaus unsanfter, als Edward es für angebracht hielt.

»Noch atmet er«, widersprach die Frau mit stählerner Stimme.

Der Mann schwieg, doch in seiner Miene musste sich Mitleid gezeigt haben, denn sie wiederholte es, diesmal noch lauter.

»*Noch atmet er.*«

»Mrs. Rokesby ...«

Edward spürte, wie sich ihre Hand fester um seine schloss. Dann legte sie die andere darauf, sodass ihre Finger leicht auf seinen Knöcheln zu ruhen kamen. Es war wie eine Umarmung, ganz winzig, doch er spürte es bis in die Tiefen seiner Seele.

»Noch atmet er, Colonel«, sagte sie mit stiller Entschlossenheit. »Und solange er das tut, werde ich an seiner Seite bleiben. Thomas kann ich wohl nicht helfen, aber ...«

Thomas. Thomas Harcourt. *Das* also war die Verbindung. Bei der Frau musste es sich um Thomas' Schwester handeln. Cecilia. Er kannte sie gut.

Oder eigentlich nicht. Er war ihr noch nie begegnet, doch

er hatte das *Gefühl*, sie zu kennen. So viele Briefe, wie sie ihrem Bruder schrieb, bekam im Regiment sonst keiner. Thomas erhielt doppelt so viele Briefe wie Edward, obwohl Edward drei Brüder und eine Schwester hatte und Thomas nur die eine Schwester.

Cecilia Harcourt. Was um alles in der Welt hatte sie in Nordamerika zu suchen? Eigentlich hätte sie in Derbyshire sein sollen, in dem kleinen Ort, den Thomas so unbedingt hatte verlassen wollen. Den mit den heißen Quellen. Matlock. Nein, Matlock Bath.

Edward war nie dort gewesen, fand aber, dass sich der Ort ganz reizend anhörte. Natürlich nicht, wenn Thomas ihn beschrieb, der zog das geschäftige Treiben in der Stadt vor und hatte es gar nicht erwarten können, sich ein Offizierspatent zu erwerben und seinem Dorf den Rücken zuzukehren. Cecilia jedoch war anders. In ihren Briefen erweckte sie den kleinen Ort in Derbyshire zum Leben – Edward glaubte beinahe, dass er ihre Nachbarn erkennen würde, wenn er je dort zu Besuch wäre.

Sie war witzig. Himmel, war sie witzig. Thomas hatte immer so viel bei der Lektüre ihrer Briefe gelacht, dass Edward ihn schließlich dazu überredete, die Briefe laut vorzulesen.

Als Thomas eines Tages wieder einmal eine Antwort zu Papier brachte, unterbrach Edward ihn dabei so oft, dass Thomas aufstand und seinem Freund die Feder hinhielt.

»Schreib du ihr doch«, sagte er.

Also hatte er es getan.

Natürlich nicht direkt. Edward hätte ihr nie persönlich schreiben können, das wäre äußerst ungehörig gewesen, und er hätte sie nie auf diese Art beleidigen wollen. Aber er gewöhnte es sich an, ein paar Zeilen unter Thomas' Briefe zu

12

kritzeln, und wenn sie antwortete, waren immer auch ein paar Zeilen an ihn gerichtet.

Thomas trug stets eine Miniatur von ihr mit sich herum, und auch wenn er darauf hingewiesen hatte, dass das Bildnis schon ein paar Jahre alt war, hatte Edward sich doch immer wieder dabei ertappt, wie er auf das winzige Porträt starrte und sich fragte, ob das Haar der jungen Frau wirklich so golden war wie auf dem Bild und ob sie wirklich auf diese Art lächelte, geheimnisvoll und mit geschlossenen Lippen.

Irgendwie konnte er sich das nicht vorstellen. Sie kam ihm nicht vor wie eine Frau, die Geheimnisse hatte. Ihr Lächeln wäre bestimmt strahlend und frei. Edward hatte sogar überlegt, dass er sie gern einmal kennenlernen würde, wenn dieser elende Krieg endlich vorüber war. Thomas gegenüber hatte er allerdings nichts dergleichen geäußert.

Das wäre seltsam gewesen.

Und jetzt war Cecilia hier. In den Kolonien. Was überhaupt keinen Sinn ergab, aber was ergab heutzutage schon einen Sinn? Edward war am Kopf verletzt, Thomas wurde offenbar vermisst, und …

Edward dachte angestrengt nach.

… und er hatte anscheinend Cecilia Harcourt geheiratet.

Er öffnete die Augen und sah die Frau mit den grünen Augen an, die sich über ihn beugte.

»Cecilia?«

Cecilia hatte drei Tage Zeit, sich vorzustellen, was Edward Rokesby wohl sagen würde, wenn er schließlich aufwachte. Ihr waren mehrere Möglichkeiten eingefallen, als deren wahrscheinlichste sie »Wer zum Teufel sind Sie?« ansah.

Es wäre keine dumme Frage gewesen.

Denn egal was Colonel Stubbs dachte – egal was alle hier in diesem schlecht ausgestatteten Lazarett dachten –, so lautete ihr Name nicht Cecilia Rokesby, sondern Cecilia Harcourt, und sie war eindeutig nicht mit diesem attraktiven dunkelhaarigen Mann im Bett vor ihr verheiratet.

Wie es nun zu diesem Missverständnis hatte kommen können …

Möglicherweise hatte es damit zu tun, dass sie vor dem befehlshabenden Offizier, zwei Soldaten und einem Schreiber erklärt hatte, sie sei seine Frau.

In dem Moment war ihr das als gute Idee erschienen.

Die Fahrt nach New York war ihr nicht leichtgefallen. Sie war sich der Gefahren einer Reise in die kriegsgebeutelten Kolonien durchaus bewusst gewesen, von der Überquerung des stürmischen Nordatlantiks ganz zu schweigen. Doch ihr Vater war verstorben, danach hatte sie Nachricht von Thomas' Verwundung bekommen, und schließlich war auch noch ihr elender Vetter angereist, um zu sehen, was es in Marswell zu holen gab …

Da hielt es sie nicht länger in Derbyshire.

Doch sie hatte keinen Zufluchtsort.

Und so packte sie in der wahrscheinlich einzigen überstürzten Entscheidung ihres Lebens ihre Sachen, vergrub das Tafelsilber im Garten und buchte eine Überfahrt von Liverpool nach New York. Bei ihrer Ankunft war Thomas jedoch nirgends zu finden.

Sie suchte sein Regiment auf, aber dort konnte ihr niemand Auskunft geben, und als sie nicht aufhörte, Fragen zu stellen, wurde sie von den Offizieren wie eine lästige kleine Fliege verscheucht. Man ignorierte, bevormundete und belog sie vermutlich auch. Inzwischen hatte sie fast ihr gesamtes Geld aufgebraucht, beschränkte sich auf eine Mahlzeit am Tag und wohnte in einem Wohnheim für Frauen, wo ihre Nachbarin möglicherweise eine Prostituierte war.

(Dass sie gewisse Beziehungen unterhielt, war offenkundig, die Frage war nur, ob sie dafür bezahlt wurde. Cecilia hoffte es für sie, denn was die Frau auch tat, es hörte sich nach wirklich harter Arbeit an.)

Nach einer Woche vergeblicher Bemühungen bekam sie schließlich zufällig mit, wie ein Soldat einem anderen erzählte, dass sie vor ein paar Tagen einen Neuen ins Lazarett bekommen hätten. Er habe einen Schlag auf den Kopf erhalten und sei bewusstlos. Rokesby sei sein Name.

Edward Rokesby. Er musste es sein.

Cecilia hatte den Mann zwar noch nie zu Gesicht bekommen, doch er war der beste Freund ihres Bruders, und so hatte sie das *Gefühl*, ihn zu kennen. Zum Beispiel wusste sie, dass er aus Kent stammte, der zweite Sohn des Earl of Manston war und jeweils einen jüngeren Bruder in der Marine und in Eton hatte. Seine Schwester war verheiratet, hatte aber keine Kinder, und von zu Hause vermisste er vor allem die Stachelbeercreme der Köchin.

Sein älterer Bruder hieß George, und es hatte sie überrascht zu erfahren, dass Edward ihn um seine Position als Erbe nicht beneidete. Ein Titel wie der eines Earls sei mit einem schrecklichen Mangel an persönlicher Freiheit verbunden, hatte er ihr einmal geschrieben, und er wisse, dass sein Platz in der Armee sei, wo er für König und Vaterland kämpfe.

Einen Außenseiter hätte die Intimität ihrer Korrespondenz vermutlich entsetzt, doch sie hatte herausgefunden, dass Männer im Krieg zu Philosophen wurden. Vielleicht war das der Grund, warum Edward Rokesby begonnen hatte, Thomas' Briefen an sie ein paar persönliche Zeilen hinzuzufügen. Sich einer Fremden mitzuteilen hatte etwas Tröstliches. Und es war auch einfacher, sich mutig zu zeigen, wenn man ihr nie an einem Esstisch oder in einem Salon begegnen würde.

Zumindest war das Cecilias Vermutung. Vielleicht schrieb er seinen Freunden und Verwandten in Kent dieselben persönlichen Dinge. Von ihrem Bruder hatte sie erfahren, dass er mit seiner Nachbarin so gut wie verlobt sei. Ihr schrieb Edward sicher auch.

Und es war ja nicht so, als würde Edward ihr richtig schreiben. Angefangen hatte es mit kleinen Schnipseln von Thomas: *Edward sagt das und das* oder *Captain Rokesby zwingt mich zu dem Hinweis ...*

Die ersten Male war es schrecklich amüsant gewesen, und Cecilia, die mit einem desinteressierten Vater und einem wachsenden Berg Rechnungen in Marswell festsaß, hatte sich über das Lächeln gefreut, das ihr seine Worte unerwartet ins Gesicht gezaubert hatten. Und so hatte sie entsprechend geantwortet und ihren Antworten ihrerseits kleine Botschaften beigemengt: *Bitte sag Captain Rokesby doch ...* und später: *Ich bin mir ziemlich sicher, dass Captain Rokesby sich freuen würde an ...*

Und dann entdeckte sie eines Tages, dass der neueste Brief ihres Bruders einen Absatz in einer fremden Handschrift aufwies. Es war nur ein kurzer Gruß, der wenig mehr enthielt als die Beschreibung einiger Wildblumen, doch er kam von Edward. Unterschrieben hatte er mit

Ergebenst,
Ihr Capt. Edward Rokesby

Ergebenst.

Ergebenst.

Über ihr Gesicht breitete sich ein albernes Lächeln, worauf sie sich ziemlich töricht vorkam. Sie schmachtete einen Mann an, den sie noch nicht einmal kannte.

Einen Mann, den sie vermutlich niemals kennenlernen würde.

Aber sie konnte nicht anders. Die Sonne mochte noch so sehr über der Seenlandschaft strahlen – ohne ihren Bruder kam ihr das Leben in Derbyshire grau und langweilig vor. Ihre Tage vergingen in öder Einförmigkeit und brachten kaum einmal Abwechslung. Sie kümmerte sich um das Haus, die Finanzen und ihren Vater, nicht dass dem das aufgefallen wäre. Hin und wieder fand ein öffentlicher Ball statt, aber die Hälfte der Männer in ihrem Alter war zur Armee gegangen, und so tummelten sich auf der Tanzfläche immer doppelt so viele Damen wie Herren ein.

Und als ihr dann der Sohn eines Earls von Wildblumen schrieb …

Tat ihr Herz einen kleinen Hüpfer.

Ehrlich, so nahe war sie einem Flirt schon seit Jahren nicht mehr gekommen.

Doch als sie den Entschluss fasste, nach New York zu reisen, hatte sie an ihren Bruder gedacht, nicht an Edward Rokesby. Als der Bote mit der Nachricht von Thomas' vorgesetztem Offizier eintraf …

War das der schlimmste Tag ihres Lebens gewesen.

Der Brief war natürlich an ihren Vater adressiert. Cecilia dankte dem Boten und sorgte dafür, dass er etwas zu essen bekam, ohne auch nur mit einem Wort zu erwähnen, dass Walter Harcourt drei Tage zuvor unerwartet verstorben war.

Sie nahm den Brief mit auf ihr Zimmer, schloss und verriegelte die Tür und sah ihn dann minutenlang zitternd an, ehe sie den Mut aufbrachte, den Finger unter das Wachssiegel zu schieben.

Ihre erste Regung war Erleichterung. Sie war sich so sicher gewesen, dass sie in dem Brief von seinem Tod unterrichtet werden würde, dass es auf der Welt niemanden mehr gab, den sie wirklich liebte. In diesem Moment kam ihr eine Verwundung fast wie ein Segen vor.

Doch dann traf Vetter Horace ein.

Cecilia überraschte es nicht, dass er zur Beerdigung ihres Vaters angereist war. Das tat man eben, auch wenn man keine sonderlich engen Beziehungen zur Verwandtschaft unterhielt. Aber dann blieb Horace einfach. Und war unglaublich anstrengend. Er redete nicht, er dozierte, und Cecilia konnte keine zwei Schritte gehen, ohne dass er sich von hinten an sie heranpirschte und ihr sagte, wie sehr er um ihr Wohlergehen besorgt sei.

Schlimmer, ständig gab er irgendwelche Kommentare zu Thomas ab und welche Gefahren auf einen Soldaten in den Kolonien lauerten. Was für eine Erleichterung es doch für alle wäre, wenn er zurückkehrte und seinen rechtmäßigen Platz als Herr von Marswell einnähme.

Wobei zwischen den Zeilen natürlich immer mitschwang, dass Horace alles erben würde, wenn er nicht zurückkehrte.

Verdammter dämlicher Fideikommiss. Cecilia wusste, dass sie ihre Ahnen ehren sollte, aber bei Gott, wenn sie in der Zeit hätte zurückreisen und ihren Ururgroßvater finden können, hätte sie ihm den Hals umgedreht. Er hatte das Land gekauft und das Haus gebaut und in seinem dynastischen Größenwahn eine strenge Erbfolgeregelung festgelegt. Marswell ging vom Vater auf den Sohn über, und wenn es keinen Sohn gab, käme ein x-beliebiger männlicher Vetter zum Zug. Dass Cecilia schon ihr Leben lang dort wohnte und jeden Winkel kannte und die Dienstboten ihr vertrauten, interessierte da eher weniger. Wenn Thomas starb, würde Vetter Horace aus Lancashire herangesprengt kommen und ihr alles wegnehmen.

Cecilia hatte versucht, ihn über Thomas' Verletzung im Dunkeln zu lassen, doch derartige Neuigkeiten ließen sich einfach nicht geheim halten. Irgendein wohlmeinender Nachbar musste es ihm wohl gesagt haben, denn Horace wartete nach der Beerdigung nicht einmal einen Tag ab, ehe er erklärte, er als Cecilias nächster männlicher Verwandter müsse nun die Verantwortung für ihr Wohlergehen übernehmen.

Was natürlich hieß, dass sie heiraten müssten.

Nein, hatte Cecilia in entsetztem Schweigen gedacht. *Nein, das müssen wir wirklich und wahrhaftig nicht.*

»Du musst den Tatsachen ins Auge sehen«, sagte er und tat einen Schritt auf sie zu. »Du bist allein. Ohne Anstandsdame kannst du nicht unbegrenzt hier in Marswell bleiben.«

»Ich gehe zu meiner Großtante«, erwiderte sie.

»Zu Sophie?«, fragte er abschätzig. »Die ist kaum geeignet.«

»Zu meiner anderen Großtante. Dorcas.«

Er kniff die Augen zusammen. »Von einer Großtante Dorcas habe ich noch nie gehört.«

»Das wundert mich nicht«, erwiderte Cecilia. »Sie ist meine Großtante mütterlicherseits.«

»Und wo wohnt sie?«

Da sie zur Gänze Cecilias Fantasie entsprungen war, wohl nirgends, doch die Mutter ihrer Mutter war Schottin gewesen, und so sagte Cecilia: »In Edinburgh.«

»Du würdest dein Heim verlassen?«

Wenn es hieß, dass sie auf diese Weise um eine Heirat mit Horace herumkam, ja.

»Ich bringe dich schon zur Vernunft«, knurrte Horace, und bevor sie noch wusste, wie ihr geschah, hatte er sie geküsst.

Nachdem er sie freigegeben hatte, atmete Cecilia einmal tief durch und versetzte ihm eine Ohrfeige.

Horace schlug zurück, und eine Woche später brach Cecilia nach New York auf.

Die Reise dauerte fünf Wochen – Zeit genug, um ihre Entscheidung gründlich anzuzweifeln. Aber sie wusste wirklich nicht, was sie sonst hätte tun sollen. Sie war sich nicht sicher, warum Harcourt so fest entschlossen war, sie zu heiraten, wenn er doch ohnehin beste Chancen hatte, Marswell zu erben. Sie konnte nur spekulieren, dass er in finanziellen Schwierigkeiten steckte und irgendwo Unterschlupf suchte. Wenn er sie heiratete, konnte er bei ihr einziehen und darauf hoffen, dass Thomas nie zurückkehren würde.

Cecilia wusste, dass es vernünftig gewesen wäre, ihren Vetter zu heiraten. Falls Thomas tatsächlich sterben sollte, hätte sie so in ihrem geliebten Elternhaus bleiben können. Sie hätte es an ihre Kinder weitergeben können.

Aber, lieber Gott, diese Kinder wären dann auch Horacé-Kinder gewesen, und die Vorstellung, bei diesem Mann zu liegen … Nein, schon die Vorstellung, mit diesem Mann zu *leben* …

Sie konnte es nicht. Das war Marswell ihr nicht wert.

Ihre Lage war dennoch prekär. Horace konnte sie zwar nicht zwingen, ihn zu heiraten, aber er hätte ihr das Leben sehr ungemütlich machen können, und in einem hatte er tatsächlich recht: Ohne Anstandsdame konnte sie nicht auf Dauer in Marswell bleiben. Sie war volljährig – mit zweiundzwanzig gerade einmal so –, und ihre Freunde und Nachbarn hätten unter den besonderen Umständen zwar eine gewisse Nachsicht gezeigt, doch eine allein lebende junge Frau forderte Klatsch geradezu heraus. Cecilia hatte gehen müssen, um ihren Ruf zu schützen.

Dem wohnte eine solche Ironie inne, dass sie am liebsten laut geschrien hätte. Sie bewahrte sich ihren guten Namen, indem sie allein einen Ozean überquerte. Und dafür sorgte, dass niemand in Derbyshire davon erfuhr.

Doch Thomas war ihr großer Bruder, ihr Beschützer, ihr bester Freund. Seinetwegen unternahm sie diese Reise, von der sie selbst wusste, dass sie verwegen war und möglicherweise ohne Ergebnis bleiben würde. Männer starben weitaus öfter an Infektionen als an Kriegsverletzungen. Sie wusste, dass ihr Bruder schon von ihnen gegangen sein könnte, wenn sie in New York ankam.

Womit sie nicht gerechnet hatte, das war, dass ihr Bruder *buchstäblich* von ihnen gegangen war.

Während dieser chaotischen, hilflosen Zeit hatte sie von Edwards Verwundung erfahren. Getrieben von dem brennenden Bedürfnis, überhaupt *irgend*wem zu helfen, war sie ins Lazarett marschiert. Wenn sie sich schon nicht um ihren Bruder kümmern konnte, dann eben um den besten Freund ihres Bruders. Die Reise in die weite Welt würde nicht vollends vergeblich gewesen sein.

Das Lazarett stellte sich als umfunktionierte Kirche heraus, die von der britischen Armee übernommen worden war, was schon ziemlich merkwürdig war, doch als sie dann nach Edward fragte, gab man ihr unmissverständlich zu verstehen, dass sie nicht willkommen sei. Captain Rokesby sei Offizier, erklärte ihr ein hochnäsiger Wachmann, der Sohn eines Earls, und viel zu bedeutend, um von Angehörigen des einfachen Volks besucht zu werden.

Cecilia überlegte immer noch, was zum Teufel der Mann damit gemeint haben könnte, als er arrogant auf sie herabsah und hinzufügte, zu Captain Rokesby würden nur Angehörige des Militärs oder seiner Familie vorgelassen.

Worauf Cecilia dann herausplatzte: »Aber ich bin doch seine Frau!«

Sobald *das* einmal ausgesprochen war, hatte sie es schlecht zurücknehmen können.

Im Nachhinein staunte sie immer noch darüber, dass sie damit durchgekommen war. Wenn Edwards vorgesetzter Offizier nicht da gewesen wäre, wäre sie vermutlich auch rausgeflogen. Colonel Stubbs war zwar kein leutseliger Mensch, aber er wusste von Edwards und Thomas' Freundschaft und war nicht überrascht, dass Edward die Schwester seines Freundes geheiratet hatte.

Ehe Cecilia es sich versah, hatte sie auch schon eine Geschichte über eine Briefromanze und eine Stellvertreterhochzeit zusammengereimt.

Erstaunlicherweise glaubte man ihr.

Doch sie konnte ihre Lügen auch nicht bedauern. Man konnte nicht leugnen, dass es Edward unter ihrer Fürsorge besser ging. Wenn er fieberte, benetzte sie ihm die Stirn mit einem Schwamm, und sie lagerte ihn immer wieder um, um ein Wundliegen zu verhindern. Es stimmte, dass sie mehr von ihm gesehen hatte, als sich für eine unverheiratete Dame schickte, doch im Krieg waren die Regeln der vornehmen Gesellschaft doch sicher ausgesetzt.

Außerdem würde ohnehin niemand davon erfahren.

Niemand würde davon erfahren. Das sagte sie sich stündlich vor. Sie war fünftausend Meilen von Derbyshire entfernt. Ihre Bekannten waren der Überzeugung, dass sie zu Besuch bei ihrer unverheirateten Tante weile. Außerdem bewegten sich die Harcourts nicht in denselben Kreisen wie die Rokesbys. Edward galt klatschsüchtigen Mitgliedern der Gesellschaft wohl als interessant, doch sie ganz bestimmt nicht, und sie hielt es für wenig wahrscheinlich, dass sich irgendwelche Geschichten über den zweiten Sohn des Earl of Manston bis in das Dörfchen Matlock Bath herumsprechen sollten.

Und was sie tun würde, wenn er schließlich aufwachte …

Nun, dafür hatte sie immer noch keine rechte Lösung gefunden, wenn sie ehrlich war. Doch wie sich herausstellen sollte, spielte das keine Rolle. In Gedanken hatten sie schon hundert verschiedene Szenarien durchgespielt, aber in keiner dieser Versionen hatte er sie *erkannt*.

»Cecilia?«, sagte er. Er blinzelte zu ihr auf, und sie war kurzzeitig wie betäubt, wie gebannt von seinen blauen Augen.

Das hätte sie eigentlich wissen müssen.

Dann wurde ihr klar, wie albern das war. Sie hatte keinerlei Grund, seine Augenfarbe zu kennen.

Trotzdem. Irgendwie …

Irgendwie hatte sie den Eindruck, dass sie es hätte wissen sollen.

»Sie sind wach«, sagte sie stupide. Sie wollte mehr sagen, doch die Worte wollten ihr nicht über die Lippen kommen. Schon das Atmen fiel ihr schwer, so überwältigt war sie von den Gefühlen, die auf sie einstürmten. Mit zitternder Hand beugte sie sich über ihn und fasste ihn an die Stirn. Warum, das wusste sie nicht, er war seit beinahe zwei Tagen fieberfrei. Aber sie wurde überwältigt von dem Bedürfnis, ihn zu berühren, mit den Händen zu spüren, was sie mit den Augen sehen konnte.

Er war wach.

Er lebte.

»Lassen Sie ihm doch etwas Raum«, befahl Colonel Stubbs. »Holen Sie den Arzt.«

»Holen Sie den Arzt doch selbst«, fuhr Cecilia ihn an. Allmählich erholte sie sich wieder. »Ich bin seine F...«

Ihr blieb das Wort im Halse stecken. Sie konnte die Lüge nicht aussprechen. Nicht vor Edward.

Doch Colonel Stubbs dachte sich schon, was sie hatte sagen wollen, murmelte etwas Unfreundliches in sich hinein und stakste davon, um einen Arzt zu suchen.

»Cecilia?«, fragte Edward noch einmal. »Was tun Sie hier?«

»Ich erkläre es sofort«, flüsterte sie eilig. Der Colonel würde sicher gleich wiederkommen, und sie würde ihre Erklärungen lieber ohne Publikum abgeben. Doch sie durfte auch nicht riskieren, dass er sie verriet, und so fügte sie hinzu: »Fürs Erste sollte ...«

»Wo bin ich?«, unterbrach er sie.

Sie nahm eine zusätzliche Decke. Eigentlich hätte er ein Kissen gebraucht, doch sie hatten keines, daher musste er mit der Decke vorliebnehmen. Sie half ihm, sich ein wenig aufrechter hinzusetzen, und steckte sie hinter ihm fest, während sie sagte: »Sie sind in einem Lazarett.«

Zweifelnd sah er sich im Raum um. Die Architektur war eindeutig sakral. »Mit Buntglasfenstern?«

»Es ist eine Kirche. Also, es *war* eine. Jetzt ist es ein Lazarett.«

»Aber wo?«, fragte er etwas zu dringlich.

Sie erstarrte in der Bewegung. Irgendetwas stimmte hier nicht. Sie drehte den Kopf, gerade so weit, dass sie ihm in die Augen sehen konnte. »Wir sind in New York.«

Er runzelte die Stirn. »Ich dachte, ich wäre …«

Sie wartete, doch er vollendete den Satz nicht. »Was dachten Sie?«, fragte sie.

Einen Augenblick lang starrte er ins Leere, dann sagte er: »Ich weiß nicht. Ich war …« Seine Stimme verklang, und er verzog das Gesicht. Es sah beinahe aus, als schmerzte ihn das Nachdenken.

»Eigentlich sollte ich nach Connecticut«, sagte er schließlich.

Cecilia richtete sich langsam auf. »Da waren Sie ja auch.«

»Wirklich?«

»Ja. Sie waren über einen Monat dort.«

»Was?« In seinen Augen blitzte etwas auf. Cecilia glaubte fast, es könnte Angst sein.

»Erinnern Sie sich denn nicht?«, fragte sie.

Er begann weitaus schneller zu blinzeln, als normal war. »Über einen Monat?«

»So hat man mir erzählt. Ich bin gerade erst gekommen.«

»Über einen Monat«, wiederholte er. Er schüttelte den Kopf. »Wie konnte das …«

»Sie sollten sich nicht überanstrengen«, sagte Cecilia und nahm eine seiner Hände in ihre. Es schien ihn zu beruhigen. Sie jedenfalls beruhigte es.

»Ich kann mich nicht erinnern … ich war in Connecticut?« Er sah plötzlich auf und umfasste ihre Hand mit einem fast schmerzlich festen Griff. »Wie bin ich dann wieder zurück nach New York gekommen?«

Hilflos zuckte sie mit den Schultern. Auf diese Fragen hatte sie keine Antwort. »Ich weiß nicht. Ich habe nach Thomas gesucht und gehört, dass Sie hier sind. Sie wurden in der Nähe von Kips Bay gefunden, mit einer blutenden Kopfverletzung.«

»Sie haben nach Thomas gesucht«, wiederholte er, und sie konnte praktisch sehen, wie es in seinem Kopf arbeitete. »Warum haben Sie nach Thomas gesucht?«

»Ich habe gehört, er sei verletzt, aber jetzt wird er vermisst, und …«

Edward atmete scharf ein. »Wann wurden wir getraut?«

Cecilia öffnete den Mund. Sie versuchte zu antworten, bemühte sich ehrlich, brachte jedoch nicht mehr heraus als Gestammel. Glaubte er wirklich, dass sie verheiratet waren? Vor diesem Tag hatte er sie noch nicht einmal *gesehen*.

»Ich kann mich nicht erinnern«, sagte er.

Cecilia wählte ihre Worte mit Bedacht. »Woran erinnern?«

Mit gequältem Blick sah er sie an. »Ich weiß nicht.«

Cecilia wusste, dass sie versuchen sollte, ihn zu trösten, doch sie konnte ihn nur anstarren. Seine Augen saßen tief in den Höhlen, und sein Teint, der schon aufgrund der Verletzung bleich war, wirkte beinahe grau. Er klammerte sich ans Bett, als hinge sein Leben davon ab, und sie empfand das verrückte Bedürfnis, es ihm gleichzutun. Der Raum drehte sich um sie, schrumpfte zu einem engen kleinen Tunnel.

Sie bekam kaum noch Luft.

Und er sah aus, als könnte er jeden Augenblick zerbrechen.

Sie zwang sich, ihm in die Augen zu sehen, und stellte die einzige Frage, die nun noch zählte.

»Erinnern Sie sich an überhaupt etwas?«

2. KAPITEL

Die Kaserne am Hampton Court Palace ist ganz annehmbar, sogar mehr als annehmbar, wenn auch kein Vergleich zu den Annehmlichkeiten zu Hause. Die Offiziere wohnen jeweils zu zweit in einer Zwei-Zimmer-Unterkunft, sodass wir ein wenig Privatsphäre haben. Mir ist ein anderer Leutnant zugeteilt worden, ein Bursche namens Rokesby. Er ist der Sohn eines Earls, ist das zu fassen …

– THOMAS HARCOURT AN SEINE SCHWESTER CECILIA

Edward rang nach Luft. Sein Herz fühlte sich an, als wollte es ihm aus der Brust springen, und alles, woran er denken konnte, war, dass er sich von seinem Lager erheben musste. Er musste herausfinden, was los war. Er musste …

»Halt!«, rief Cecilia und warf sich auf ihn, um ihn am Aufstehen zu hindern. »Beruhigen Sie sich doch!«

»Lassen Sie mich aufstehen«, erwiderte er, obwohl ein letzter Funken Vernunft in seinem Hirn ihn daran zu erinnern versuchte, dass er gar nicht wusste, wohin er gehen sollte.

»Bitte«, flehte sie und verlagerte ihr Gewicht auf ihre Hände, mit denen sie seine Handgelenke umklammerte. »Warten Sie doch einen Moment, kommen Sie erst einmal zu Atem.«

Prüfend sah er sie an. »Was ist los?«

Sie schluckte, ließ ihn los, stand auf und blickte sich um. »Ich glaube, wir sollten auf den Arzt warten.«

Aber er war viel zu durcheinander, um ihr zuzuhören. »Welchen Tag haben wir heute?«, fragte er.

Sie blinzelte, als verwirrte sie die Frage. »Freitag.«

»Welches *Datum*?«, stieß er hervor.

Sie antwortete nicht gleich. Als sie es dann tat, formulierte sie ihre Worte langsam, vorsichtig. »Wir schreiben den fünfundzwanzigsten Juni.«

Edwards Herz begann wieder zu rasen. »Was?«

»Wenn Sie nur warten würden …«

»Das kann nicht sein.« Wieder brachte Edward sich in eine aufrechte Position. »Das stimmt nicht.«

Langsam schüttelte sie den Kopf. »Doch.«

»Nein. Nein.« Aufgewühlt sah er sich im Raum um. »Colonel!«, schrie er. »Doktor! Irgendwer!«

»Edward, hören Sie auf!«, rief sie und trat auf ihn zu, um ihn aufzuhalten, doch im nächsten Augenblick hatte er die Beine über den Bettrand geschwungen. »Bitte, warten Sie doch, bis der Arzt Sie untersucht hat!«

»Sie da!«, sagte er und wies zitternd auf einen dunkelhaarigen Mann, der den Boden fegte. »Welches Datum haben wir heute?«

Der Mann sah Cecilia mit großen Augen an, fragte wortlos um Rat.

»Welches Datum haben wir heute?«, wiederholte Edward. »Welchen Monat? Sagen Sie mir den Monat.«

Wieder linste der Mann zu Cecilia, antwortete aber: »Juni, Sir. Gegen Monatsende.«

»Nein«, sagte Edward und ließ sich aufs Bett zurückfallen. »Nein.« Er schloss die Augen und versuchte sich zu sammeln, während ihm gleichzeitig vor Schmerzen der Kopf dröhnte. Es musste doch einen Weg geben, das alles in Ordnung zu bringen. Wenn er sich nur genügend besann, sich auf seine letzte Erinnerung konzentrierte ...

Er riss die Augen auf und blickte Cecilia direkt an. »Ich erinnere mich nicht an Sie.«

Sie schluckte heftig. Edward wusste, dass er sich schämen sollte, weil er sie beinahe zum Weinen brachte. Sie war eine Dame. Sie war seine *Frau*. Aber sie würde es ihm bestimmt nachsehen. Er musste einfach erfahren ... er musste begreifen, was geschehen war.

»Als Sie aufgewacht sind«, flüsterte sie, »haben Sie meinen Namen gesagt.«

»Ich weiß, wer Sie sind«, erklärte er. »Aber ich *kenne* Sie nicht.«

Sie zitterte und steckte sich eine Haarlocke hinter das Ohr, ehe sie die Hände ineinanderlegte. Ihr war unwohl zumute, das war deutlich zu sehen. Und dann kam ihm ein vollkommen anderer Gedanke – sie sah der Miniatur nicht sehr ähnlich, die ihr Bruder mit sich herumtrug. Ihr Mund war breit und voll, ganz anders als der süße, geheimnisvolle Halbmond im Porträt. Und ihr Haar war auch nicht golden, zumindest nicht in dieser himmlischen Schattierung, welche der Maler gewählt hatte. Es war eher dunkelblond. Eigentlich so wie das von Thomas, allerdings nicht ganz so ins Rötliche gehend.

Vermutlich verbrachte sie nicht so viel Zeit in der Sonne.

»Sie sind Cecilia Harcourt, nicht wahr?«, fragte er. Denn ihm war gerade aufgegangen – bisher hatte sie ihm das noch nicht bestätigt.

Sie nickte. »Ja, natürlich.«

»Und Sie sind hier, in New York.« Forschend sah er sie an. »Warum?«

Ihr Blick huschte zur anderen Seite des Raums, und sie schüttelte ganz leicht den Kopf. »Das ist alles ziemlich kompliziert.«

»Aber wir sind verheiratet.« Er war sich nicht sicher, ob es eine Aussage war oder eine Frage.

Vorsichtig setzte sie sich aufs Bett. Edward konnte verstehen, warum sie zögerte. Er hatte um sich geschlagen wie ein Tier, das in der Falle saß. Sie musste ziemlich stark sein, dass es ihr gelungen war, ihn zu bändigen.

Oder er war furchtbar schwach geworden.

Cecilia schluckte. Sie sah aus, als würde sie sich für etwas Schwieriges wappnen. »Ich muss Ihnen sagen ...«

»Was geht hier vor?«

Sie zuckte zurück. Beide sahen hinüber zu Colonel Stubbs, der durch die Kirche anmarschiert kam, den Arzt im Schlepptau.

»Warum liegen die Decken auf dem Boden?«, fragte der Colonel.

Cecilia erhob sich und trat zur Seite, damit der Arzt sich zu Edward setzen konnte. »Er wollte unbedingt aufstehen«, sagte sie. »Er ist verwirrt.«

»Ich bin nicht verwirrt«, fuhr Edward sie an.

Der Arzt sah sie fragend an. Edward hätte ihn am liebsten bei der Kehle gepackt. Warum sah er zu Cecilia hinüber? *Er war doch der Patient!*

»Es hat den Anschein ...« Cecilia biss sich auf die Unterlippe, und ihr Blick huschte zwischen Edward und dem Arzt hin und her. Sie wusste nicht, was sie sagen sollte. Edward machte ihr keinen Vorwurf daraus.

»Mrs. Rokesby?«, hakte der Arzt nach.

Da war es wieder. Mrs. Rokesby. Er war verheiratet. Wie zum Teufel konnte er verheiratet sein?

»Nun«, sagte sie hilflos, suchte die richtigen Worte für eine unmögliche Situation. »Ich glaube, er erinnert sich nicht an … ähm …«

»Raus damit, Weib«, schnauzte Colonel Stubbs.

Edward war halb aus dem Bett, ehe er bemerkte, was er tat. »Achten Sie auf Ihren Umgangston, Colonel«, sagte er in einem Ton, der einem Knurren nahekam.

»Nein, nein!«, rief Cecilia rasch. »Ist schon gut. Er wollte nicht despektierlich sein. Wir sind alle ein wenig angespannt.«

Edward schnaubte und hätte die Augen verdreht, wenn sie ihm nicht in diesem Moment sanft die Hand auf die Schulter gelegt hätte. Sein Hemd war dünn, beinahe fadenscheinig, und er spürte überdeutlich, wie ihre Finger ihn mit kühler, ruhiger Kraft umfassten.

Es beruhigte ihn. Zwar verrauchte sein Zorn nicht augenblicklich, doch er war in der Lage, einmal ruhig durchzuatmen – was gerade genügte, um ihn davon abzuhalten, dem Colonel an die Gurgel zu springen.

»Er wusste nicht, welches Datum wir haben«, sagte Cecilia, die allmählich an Sicherheit gewann. »Ich glaube, er dachte, es wäre …« Sie sah Edward an.

»Nicht Juni«, erwiderte der scharf.

Der Arzt runzelte die Stirn und ergriff Edwards Handgelenk, um ihm den Puls zu fühlen. Danach blickte er erst in eines seiner Augen, dann ins andere.

»Meine Augen sind in Ordnung«, brummte Edward.

»Was ist das Letzte, woran Sie sich erinnern, Captain Rokesby?«, fragte der Arzt.

Edward öffnete den Mund in der Absicht, die Frage zu beantworten, doch sein Geist erstreckte sich rings um ihn wie ein unendlicher grauer Nebel. Er war auf dem Meer, das stahlgraue Wasser war unnatürlich ruhig. Weder Woge noch Welle in Sicht.

Kein Gedanke, keine Erinnerung.

Der Verzweiflung nah krallte er die Hände in die Laken. Wie zum Teufel sollte er sein Gedächtnis wiederfinden, wenn er nicht mal sicher war, woran er sich als Letztes erinnerte?

»Versuchen Sie es, Rokesby«, sagte Colonel Stubbs barsch.

»Ich *versuche* es ja«, presste Edward hervor. Hielten sie ihn für einen Idioten? Dachten sie, dass es ihm egal war? Sie hatten keine Ahnung, was in seinem Kopf vorging, wie es sich anfühlte, statt Erinnerungen nur eine riesige Lücke vorzufinden.

»Ich weiß es nicht«, gab er schließlich zu. Er musste sich zusammenreißen. Er war Soldat, dazu ausgebildet, in Momenten der Gefahr einen kühlen Kopf zu bewahren. »Ich glaube, dass ich ... vielleicht ... dass ich in die Kolonie Connecticut abkommandiert war.«

»Sie waren auch in Connecticut«, sagte Colonel Stubbs. »Erinnern Sie sich?«

Edward schüttelte den Kopf. Er versuchte es ... er wollte es ... aber da war nichts. Nur eine vage Vorstellung, dass jemand ihn dorthin geschickt hatte.

»Es war eine wichtige Mission«, fuhr der Colonel fort. »Wir sind sehr erpicht darauf, Ihren Bericht zu hören.«

»Nun, damit ist wohl kaum zu rechnen, oder?«, entgegnete Edward bitter.

»Bitte, Sie dürfen ihn nicht so unter Druck setzen«, warf Cecilia ein. »Er ist gerade erst aufgewacht.«

»Ihre Sorge in allen Ehren«, sagte Colonel Stubbs, »doch es handelt sich hier um eine Angelegenheit von oberster militärischer Brisanz, die wir nicht wegen ein paar Kopfschmerzen zurückstellen können.« Er blickte zu einem Soldaten, der in der Nähe stand, und nickte in Richtung Tür. »Führen Sie Mrs. Rokesby hinaus. Wenn wir die Befragung des Captains abgeschlossen haben, mag sie wieder hereinkommen.«

Oh nein. *Da* hatte er auch noch ein Wörtchen mitzureden. »Meine Frau bleibt hier bei mir«, sagte Edward.

»Wir können sie an diesen hochsensiblen Informationen nicht teilhaben lassen.«

»Das dürfte kein Problem sein – ich habe Ihnen nichts zu berichten.«

Cecilia trat zwischen den Colonel und das Bett. »Sie müssen ihm Zeit lassen, sein Gedächtnis wiederzufinden.«

»Mrs. Rokesby hat recht«, meldete der Arzt sich zu Wort. »Dergleichen Fälle sind selten, aber wir dürfen damit rechnen, dass die meisten, wenn nicht sogar alle Erinnerungen zurückkehren.«

»Wann?«, fragte Colonel Stubbs.

»Das kann ich nicht sagen. Bis dahin müssen wir ihm so viel Ruhe und Frieden gewähren wie nur irgend möglich in dieser schwierigen Lage.«

»Nein«, sagte Edward, da Frieden und Ruhe wirklich das Allerletzte war, was er jetzt brauchte. Er wollte das hier genauso handhaben wie alles sonst in seinem Leben. Wenn man sich hervortun wollte, arbeitete man hart, trainierte, übte.

Man blieb nicht einfach im Bett liegen und hoffte auf ein bisschen Ruhe und Frieden.

Er sah zu Cecilia hinüber. Sie kannte ihn. Auch wenn er sich an ihr Gesicht nicht erinnern konnte, hatten sie sich doch über ein Jahr lang Briefe geschrieben. *Sie kannte ihn.* Sie wusste, dass er nicht herumliegen und nichts tun würde.

»Cecilia«, sagte er, »Sie verstehen mich doch sicher.«

»Ich glaube, dass der Arzt sicher recht hat«, sagte sie ruhig. »Wenn Sie sich nur ein wenig ausruhen ...«

Doch Edward schüttelte bereits den Kopf. Sie irrten sich, allesamt. Sie hatten keine ...

Verdammt.

Ein glühender Schmerz durchzuckte seinen Schädel.

»Was ist los?«, rief Cecilia. Das Letzte, was Edward sah, ehe er die Augen schloss, war, wie sie voller Angst zum Arzt blickte. »Was ist los mit ihm?«

»Mein Kopf«, sagte Edward keuchend. Er hatte ihn wohl zu schnell geschüttelt. Er fühlte sich an, als wäre sein Hirn gegen die Schädeldecke geschleudert.

»Erinnern Sie sich wieder?«, fragte Colonel Stubbs.

»Nein, Sie verfluchter ...« Edward unterbrach sich, bevor er noch etwas Unverzeihliches sagte. »Es tut einfach *weh*.«

»Das reicht«, erklärte Cecilia. »Ich erlaube nicht, dass Sie ihn noch länger befragen.«

»Sie *erlauben* es mir nicht?«, konterte Colonel Stubbs. »Ich bin sein vorgesetzter Offizier.«

Edward bedauerte, dass er sich nicht dazu durchringen konnte, die Augen zu öffnen, denn er hätte nur zu gern das Gesicht des Colonels gesehen, als Cecilia sagte: »*Mein* vorgesetzter Offizier sind Sie aber nicht.«

»Wenn ich mich einmischen dürfte«, sagte der Arzt.

Edward hörte, wie jemand zur Seite trat, und dann spürte er, wie die Matratze einsank, als der Arzt sich neben ihn setzte.

»Können Sie die Augen öffnen?«

Edward schüttelte den Kopf, langsamer diesmal. Es fühlte sich an, als könnte er nur gegen den Schmerz angehen, wenn er die Augen fest geschlossen hielt.

»Das kommt vor bei einer Kopfverletzung«, sagte der Arzt sanft. »Mitunter dauert die Heilung eine Weile, und der Prozess ist oft sehr schmerzhaft. Ich fürchte, es hilft nichts, die Sache zu überstürzen.«

»Verstehe«, erwiderte Edward. Es gefiel ihm nicht, aber er verstand es.

»Das ist mehr, als wir Ärzte von uns behaupten können«, meinte der Arzt. Seine Stimme war leiser geworden, als hätte er sich abgewandt und diese Bemerkung an jemand anderen gerichtet. »Was Kopfverletzungen angeht, so wissen wir noch nicht allzu viel darüber. Ich möchte fast wetten, dass das, was wir nicht wissen, unser Wissen bei Weitem überwiegt.«

Edward fand das nicht beruhigend.

»Ihre Frau hat sich rührend um Sie gekümmert«, sprach der Arzt weiter und tätschelte Edward den Arm. »Ich empfehle, dass sie das auch weiterhin tut, am besten außerhalb des Lazaretts.«

»Außerhalb des Lazaretts?«, wiederholte Cecilia.

Edward hatte die Augen immer noch nicht geöffnet, doch er hörte den besorgten Unterton in ihrer Stimme.

»Er ist inzwischen fieberfrei«, sagte der Arzt zu ihr, »und die Kopfwunde verheilt sehr gut. Ich sehe keinerlei Anzeichen einer Infektion.«

Edward fasste sich an den Kopf und zuckte zusammen.

»Das würde ich an Ihrer Stelle nicht tun«, sagte der Arzt.

Edward öffnete endlich die Augen und blickte auf seine Finger. Fast erwartete er, dort Blut zu sehen.

»Er kann das Lazarett nicht verlassen«, erklärte Cecilia.

»Keine Sorge, das wird schon klappen«, versicherte der Arzt ihr beruhigend. »Er kann sich keine bessere Pflege erhoffen als die von seiner Frau.«

»Nein«, sagte sie, »Sie verstehen nicht. Ich habe keinen Ort, an den ich ihn bringen könnte.«

»Wo wohnen Sie denn jetzt?«, fragte Edward. Ihm war plötzlich eingefallen, dass sie seine Frau war und er für ihr Wohlergehen und ihre Sicherheit verantwortlich war.

»Ich habe ein Zimmer gemietet. Weit ist es nicht. Aber es gibt nur ein Bett.«

Zum ersten Mal seit seinem Erwachen spürte Edward ein Lächeln in sich aufkeimen.

»Ein kleines Bett«, erläuterte sie. »Es reicht kaum für mich allein. Ihre Füße werden hinausragen.« Und als keiner etwas sagte, um ihr offensichtliches Unbehagen zu zerstreuen, fügte sie hinzu: »Es ist ein Wohnheim für Frauen. Er hätte dort keinen Zutritt.«

Edward wandte sich mit wachsender Fassungslosigkeit an Colonel Stubbs. »Meine Frau ist in einem Wohnheim untergebracht?«

»Wir wussten nicht, dass sie hier ist«, erwiderte der Colonel.

»Seit drei Tagen wissen Sie es ja wohl.«

»Sie war dort doch schon untergebracht ...«

In ihm stieg harter, kalter Zorn auf. Edward wusste, wie es um die Frauenwohnheime in New York bestellt war. Auch wenn er sich an die Hochzeit nicht erinnern konnte – Cecilia war seine *Frau*.

Und die Armee ließ sie in einer derart fragwürdigen Unterkunft hausen?

Edward war als Gentleman erzogen worden – schließlich war er ein *Rokesby* –, und manche Beleidigungen waren einfach nicht hinnehmbar. Er vergaß die Kopfschmerzen, vergaß sogar, dass er sein verdammtes Gedächtnis verloren hatte. Er wusste nur noch, dass seine Ehefrau, die Frau, die zu ehren und zu schützen er geschworen hatte, von ausgerechnet der Gemeinschaft übel vernachlässigt worden war, der er die letzten drei Jahre gewidmet hatte.

Seine Stimme war stahlhart. »Sie werden eine andere Unterkunft für sie finden.«

Stubbs hob die Augenbrauen. Sie wussten beide, wer der Colonel war und wer nur der Captain.

Doch Edward ließ sich nicht beirren. Während seiner Laufbahn beim Militär hatte er seine vornehme Herkunft meist heruntergespielt, doch in diesem Fall kannte er keinerlei Bedenken.

»Diese Frau hier«, erklärte er, »ist die Ehrenwerte Mrs. Edward Rokesby.«

Colonel Stubbs öffnete den Mund, um etwas zu sagen, doch Edward ließ ihn nicht zu Wort kommen. »Sie ist meine Frau und die Schwiegertochter des Earl of Manston«, fuhr er fort, während sich in seinem eisigen Ton Generationen aristokratischen Selbstverständnisses spiegelten. »In einem Wohnheim hat sie nichts zu suchen.«

Cecilia, der das offenbar unangenehm war, versuchte zu vermitteln. »Ich habe mich dort recht wohlgefühlt«, sagte sie schnell. »Sie können ganz beruhigt sein.«

»Ich bin nicht beruhigt«, sagte Edward, ohne den Blick von Colonel Stubbs zu wenden.

»Wir werden ihr eine passendere Unterkunft besorgen«, erklärte Colonel Stubbs widerstrebend.

»Bis heute Abend«, stellte Edward klar.

Die Miene des Colonels verriet deutlich, dass er diese Forderung unvernünftig fand, doch nach kurzem, angespanntem Schweigen schlug er vor: »Wir könnten sie im Devil's Head unterbringen.«

Edward nickte. In dem Gasthof verkehrten hauptsächlich britische Soldaten, und er galt als bestes Etablissement dieser Art in New York. Das hieß zwar nicht viel, aber wenn er Cecilia nicht irgendwo privat unterbringen konnte, war dies noch die beste Lösung. New York war schrecklich überfüllt, und es schien, als würden die halben finanziellen Ressourcen der Armee dafür ausgegeben, Unterkünfte für ihre Männer zu finden, doch als Offiziersgattin wäre Cecilia dort in Sicherheit.

»Montby nimmt morgen seinen Abschied«, sagte Colonel Stubbs. »Sein Zimmer wäre groß genug für Sie beide.«

»Quartieren Sie ihn bei einem anderen Offizier ein«, befahl Edward. »Sie braucht schon heute Abend ein Zimmer.«

»Morgen reicht vollkommen aus«, sagte Cecilia.

Edward ignorierte sie. »Heute *Abend*.«

Colonel Stubbs nickte. »Ich rede mit Montby.«

Edward nickte ebenfalls. Er kannte Captain Montby. Wie alle Offiziere würde er sein Zimmer sofort aufgeben, wenn es um die Sicherheit einer Dame ging.

»In der Zwischenzeit«, sagte der Arzt, »braucht er Ruhe und Gelassenheit.« Er wandte sich an Cecilia. »Er darf sich in keiner Weise aufregen.«

»Ich wüsste nicht, wie ich mich noch mehr aufregen sollte, als ich es im Augenblick tue«, stellte Edward fest.

Der Arzt lächelte. »Dass Sie sich Ihren Sinn für Humor bewahrt haben, ist schon mal ein gutes Zeichen.«

Edward entschied, nicht darauf hinzuweisen, dass seine Bemerkung keineswegs scherzhaft gemeint war.

»Bis morgen haben wir Sie draußen«, sagte Colonel Stubbs energisch. Er wandte sich an Cecilia. »Bis dahin erzählen Sie ihm all das, woran er sich nicht erinnert. Vielleicht hilft das seinem Gedächtnis auf die Sprünge.«

»Hervorragende Idee«, sagte der Arzt. »Bestimmt wird Ihr Gatte wissen wollen, wie Sie nach New York gekommen sind, Mrs. Rokesby.«

Cecilia versuchte zu lächeln. »Natürlich.«

»Und denken Sie daran, er darf sich nicht aufregen.« Der Arzt warf Edward einen nachsichtigen Blick zu und fügte hinzu: »Zumindest nicht mehr als jetzt.«

Colonel Stubbs wandte sich kurz an Cecilia, um ihren Umzug ins Devil's Head zu besprechen, und dann ließen sie Edward wieder mit seiner Frau allein. Nun ja, so allein man in einer Kirche voller verwundeter Soldaten eben sein konnte.

Edward sah Cecilia an, die verlegen neben seinem Bett stand.

Seine Frau. Heiliges Kanonenrohr.

Ihm war immer noch nicht klar, wie es dazu hatte kommen können, doch es musste wahr sein. Colonel Stubbs schien es zu glauben, und der neigte dazu, alles streng nach Vorschrift zu handhaben. Außerdem war dies Cecilia Harcourt, die Schwester seines besten Freundes. Wenn er schon mit einer Frau verheiratet sein sollte, die er noch nie gesehen hatte, dann wäre sie wohl die passende Wahl.

Trotzdem schien ihm das eine Sache zu sein, an die er sich eigentlich hätte erinnern müssen.

»Wann haben wir geheiratet?«, fragte er.

Sie starrte ans andere Ende des Querschiffs. Er war sich nicht sicher, ob sie zuhörte.

»Cecilia?«

»Vor ein paar Monaten«, erwiderte sie und drehte sich wieder zu ihm um. »Sie sollten jetzt schlafen.«

»Ich bin nicht müde.«

»Nicht?« Sie lächelte zittrig und setzte sich auf den Stuhl, der neben dem Bett stand. »Ich bin völlig erschöpft.«

»Tut mir leid«, sagte er sofort und verspürte das Bedürfnis, sich zu erheben. Ihr die Hand zu reichen.

Ein Gentleman zu sein.

»Ich habe nicht nachgedacht«, sagte er.

»Dazu hatten Sie auch nicht viel Gelegenheit«, erwiderte sie trocken.

Überrascht öffnete er den Mund – hier war die Cecilia Harcourt, die er so gut kannte. Oder so gut zu kennen vermeinte. Wenn er ehrlich war, konnte er sich nicht entsinnen, sie je zu Gesicht bekommen zu haben. Doch sie klang genau wie in ihren Briefen, und er hatte ihre Worte während der schlimmsten Kriegsereignisse die ganze Zeit im Herzen getragen.

Manchmal hatte er sich gefragt, ob es seltsam war, dass er sich mehr auf ihre Briefe an Thomas freute als auf die von seiner eigenen Familie.

»Verzeihen Sie«, entgegnete sie. »Ich habe einen höchst unpassenden Sinn für Humor.«

»Mir gefällt er«, gab er zurück.

Sie sah zu ihm hinüber, und er glaubte, in ihrem Blick so etwas wie Dankbarkeit zu entdecken.

Was für interessante Augen sie hatte. Gischtgrün, so hell, dass man sie in einem anderen Zeitalter sicher feenhaft genannt hätte. Was irgendwie nicht zu ihr passte, sie schien ihm ebenso bodenständig und verlässlich zu sein wie die anderen Menschen, die er kannte.

Oder zu kennen glaubte.

Verlegen fasste sie sich an die Wange. »Habe ich irgendetwas im Gesicht?«

»Ich sehe Sie nur an.«

»Da gibt es doch nicht viel zu sehen.«

Das entlockte ihm ein Lächeln. »Finde ich nicht.«

Sie errötete, und ihm wurde klar, dass er mit seiner Frau flirtete. Seltsam.

Und doch vielleicht das, was an diesem Tag am wenigsten seltsam war.

»Wenn ich mich doch nur daran erinnern könnte ...«, begann er.

Sie sah ihn an.

Er hätte sich so gern daran erinnert, wie sie sich zum ersten Mal gesehen hatten. Er hätte sich so gern an die Hochzeit erinnert.

An ihren ersten Kuss.

»Edward?«, flüsterte sie leise.

»An alles«, sagte er. Die Worte klangen schärfer, als er beabsichtigt hatte. »Wenn ich mich doch nur an alles erinnern würde.«

»Bestimmt kommt die Erinnerung wieder.« Sie lächelte kurz, doch irgendetwas stimmte nicht mit diesem Lächeln. Es erreichte ihre Augen nicht, und dann wurde ihm klar, dass sie vermied, ihn anzusehen. Er fragte sich, was sie ihm wohl vorenthielt. Hatte irgendwer ihr mehr über seinen Zustand erzählt, als sie ihm mitteilen wollte? Aber er wusste nicht, wann das hätte passiert sein sollen – seit er aufgewacht war, war sie ihm nicht von der Seite gewichen.

»Sie sehen aus wie Thomas«, sagte er.

»Finden Sie?« Sie warf ihm einen verblüfften Blick zu.

»Dieser Ansicht ist sonst niemand. Na ja, bis auf das Haar.«
Sie berührte es, war sich dessen vermutlich aber gar nicht bewusst. Es war zu einem etwas schlampigen Knoten aufgesteckt, einzelne Locken hingen ihr wirr ins Gesicht. Er fragte sich, wie lang das Haar sein mochte und wie es wohl aussah, wenn sie es offen trug.

»Ich komme nach meiner Mutter«, erklärte sie. »So hat man mir erzählt. Ich habe sie nie kennengelernt. Thomas ist mehr wie unser Vater.«

Edward schüttelte den Kopf. »Ich meine weniger die Gesichtszüge als den Ausdruck.«

»Entschuldigung, ich verstehe nicht recht?«

»Genau, das ist es!« Er grinste, fühlte sich etwas lebendiger als noch vor einem Moment. »Sie haben dieselben Gesichtsausdrücke. Als Sie gerade ›Entschuldigung‹ gesagt haben, haben Sie den Kopf genauso schief gelegt wie er.«

Sie lächelte. »Bittet er Sie denn so oft um Entschuldigung?«

»Bei Weitem nicht so oft, wie er müsste.«

Sie lachte schallend auf. »Oh, danke«, sagte sie und wischte sich die Augen. »Ich weiß nicht, wann ich zum letzten Mal so gelacht …« Sie schüttelte den Kopf. »Ich kann mich nicht erinnern, wann.«

Er nahm ihre Hand. »Sie hatten auch nicht viel zu lachen«, meinte er ruhig.

Sie nickte und schluckte heftig. Einen furchtbaren Augenblick dachte Edward, sie würde anfangen zu weinen. Trotzdem konnte er nicht schweigen. »Was ist mit Thomas passiert?«

Sie atmete tief ein und stieß die Luft dann langsam aus. »Ich habe Nachricht bekommen, dass er verletzt wurde und sich in New York erholt. Ich habe mich gesorgt … nun ja,

Sie sehen ja, warum«, sagte sie und wies auf die Verletzten ringsum. »Es gibt nicht genug Leute, um die Verwundeten zu pflegen. Ich wollte meinen Bruder nicht allein lassen.«

Edward überlegte kurz. »Es überrascht mich, dass Ihr Vater dieser Reise zugestimmt hat.«

»Mein Vater ist gestorben.«

Verdammt. »Tut mir leid«, sagte er. »Mir scheint, mit der Erinnerung hat sich auch mein Taktgefühl verabschiedet.« Allerdings hätte er das wirklich nicht wissen können. Ihr Kleid war rosa, und sie zeigte auch sonst keinerlei äußere Anzeichen von Trauer.

Sie fing den Blick auf, mit dem er den staubigen Ärmel ihres rosa Kleides musterte. »Ich weiß«, sagte sie und schob verlegen die Unterlippe vor, »eigentlich sollte ich Trauer tragen. Aber ich habe nur ein einziges schwarzes Kleid, und das ist aus Wolle. Wenn ich das hier trüge, würde ich darin braten wie ein Hühnchen im Ofen.«

»Unsere Uniformen sind im Sommer ziemlich ungemütlich«, sagte Edward.

»Allerdings. Thomas hat mir davon geschrieben. Seine Beschreibung der sommerlichen Temperaturen hier hat mich ja dazu veranlasst, mein schwarzes Kleid zu Hause zu lassen.«

»In Rosa sehen Sie auch viel bezaubernder aus«, erklärte Edward.

Sie blinzelte über das Kompliment. Er konnte ihr keinen Vorwurf daraus machen. Etwas so Alltägliches wie ein Kompliment schien in einem Lazarett merkwürdig fehl am Platz zu sein.

In einer Kirche.

Inmitten eines Krieges.

Dazu der Verlust des Gedächtnisses und der Zugewinn einer Ehefrau – noch bizarrer konnte sein Leben wohl kaum noch werden.

»Danke«, sagte Cecilia, bevor sie sich räusperte und fortfuhr: »Aber Sie haben nach meinem Vater gefragt. Und Sie hatten recht. Er hätte mir nie erlaubt, nach New York zu reisen. Er war als Vater nicht besonders gewissenhaft, aber dem hätte selbst er einen Riegel vorgeschoben. Obwohl ...« Sie lachte unbehaglich auf. »Ich bin mir nicht sicher, wie schnell er bemerkt hätte, dass ich nicht mehr da bin.«

»Ich versichere Ihnen, dass es jedem auffallen würde, wenn Sie nicht mehr da wären.«

Sie warf ihm einen Seitenblick zu. »Sie kennen meinen Vater nicht. Solange im Haushalt alles wie am Schnürchen läuft – entschuldigen Sie, *lief* –, wäre ihm nicht das Geringste aufgefallen.«

Edward nickte langsam. Thomas hatte nicht viel über Walter Harcourt gesprochen, doch was er gesagt hatte, schien Cecilias Worte zu bestätigen. Er hatte sich mehr als einmal darüber beschwert, dass ihr Vater Cecilia aus lauter Bequemlichkeit als unbezahlte Haushälterin bei sich vermodern ließ. Einen Ehemann müsse sie finden, hatte Thomas immer gesagt. Sie müsse Marswell verlassen und sich ein eigenes Leben aufbauen.

Hatte Thomas sich als Ehestifter betätigt? Damals war Edward nicht auf diese Idee gekommen.

»War es ein Unfall?«, fragte Edward.

»Nein, aber es kam trotzdem überraschend. Er hatte in seinem Arbeitszimmer ein Schläfchen gehalten.« Traurig zuckte sie mit den Schultern. »Er ist nicht wieder aufgewacht.«

»Das Herz?«

»Der Arzt sagte, sicher könnte man das nicht wissen. Aber es spielt eigentlich keine Rolle, oder?« Sie sah ihn mit einem so schmerzhaft weisen Blick an, dass Edward geschworen hätte, ihn körperlich zu spüren. Ihre Augen hatten etwas Besonderes an sich, ihre Farbe, ihre Klarheit. Wenn ihr Blick den seinen traf, raubte es ihm schier den Atem.

Würde es wohl immer so sein?

War das der Grund, warum er sie geheiratet hatte?

»Sie sehen müde aus«, sagte sie und fügte hinzu, bevor er widersprechen konnte: »Ich weiß, Sie haben gesagt, Sie sind es nicht, aber Sie sehen so aus.«

Aber er wollte nicht schlafen. Er konnte die Vorstellung nicht ertragen, sich wieder der Besinnungslosigkeit anheimzugeben. Er hatte schon zu viel Zeit verloren, er brauchte sie zurück. Jeden Moment. Jede Erinnerung.

»Sie haben mir noch nicht erzählt, was mit Thomas passiert ist«, erinnerte er sie.

Über ihr Gesicht huschte ein Ausdruck der Sorge. »Ich habe keine Ahnung«, antwortete sie mit erstickter Stimme. »Niemand scheint zu wissen, wo er ist.«

»Wie ist das möglich?«

Sie zuckte abermals mit den Schultern.

»Sie haben mit Colonel Stubbs gesprochen?«

»Natürlich.«

»Und mit General Garth?«

»Zu dem hat man mich nicht vorgelassen.«

»Was?« Das war ja nicht zu fassen. »Als meine Frau …«

»Ich habe ihnen nicht gesagt, dass wir verheiratet sind.«

Er starrte sie an. »Warum zum Teufel nicht?«

»Ich weiß nicht.« Sie sprang auf und schlang sich die Arme

um den Oberkörper. »Ich glaube, ich war nur ... also, ich habe dort als Thomas' Schwester vorgesprochen.«

»Aber als Sie Ihren Namen nannten, haben sie doch bestimmt ...«

Sie biss sich auf die Unterlippe, ehe sie sagte: »Ich glaube, keiner hat diese Verbindung hergestellt.«

»General Garth war nicht klar, dass eine Mrs. Edward Rokesby meine Frau sein muss?«

»Nun ja, ich sagte ja, dass ich ihn gar nicht zu Gesicht bekommen habe.« Sie trat ans Bett, steckte angelegentlich die Decken um ihn fest. »Sie regen sich zu sehr auf. Sprechen wir morgen darüber.«

»Allerdings werden wir morgen darüber sprechen«, knurrte er.

»Oder übermorgen.«

Sein Blick begegnete dem ihren.

»Je nachdem, wie es Ihnen geht.«

»Cecilia ...«

»Keine Diskussion«, unterbrach sie ihn. »Ich mag zwar im Augenblick nichts für meinen Bruder tun können, aber Ihnen kann ich helfen. Und wenn das bedeutet, Sie zu zwingen, ein bisschen langsamer zu tun ...«

Er starrte sie an, nahm ihren Anblick in sich auf. Sie hatte die Zähne zusammengebissen und einen Fuß vorangesetzt, als wäre sie bereit zum Angriff. Er konnte sich beinahe vorstellen, wie sie ein Schwert führte, wie sie es mit Kampfgeschrei hoch über ihrem Kopf schwang.

Sie war Jeanne d'Arc. Sie war Boudicca. Sie war alle Frauen, die je für ihre Familie gekämpft hatten.

»Meine wilde Kriegerin«, murmelte er.

Sie warf ihm einen Blick zu.

Er entschuldigte sich nicht.

»Ich sollte gehen«, sagte sie abrupt. »Colonel Stubbs schickt heute Abend jemanden vorbei, der mich abholt. Ich muss meine Sachen packen.«

Er konnte sich kaum vorstellen, dass sie viele Dinge seit ihrer Ankunft in Amerika angesammelt hatte, doch er hütete sich, sich zwischen eine Frau und ihre Reisetruhe zu stellen.

»Sie werden ohne mich zurechtkommen?«

Er nickte.

Darauf runzelte sie die Stirn. »Sie würden es mir auch nicht sagen, wenn es nicht so wäre, oder?«

Er lächelte rasch. »Natürlich nicht.«

Sie verdrehte die Augen. »Ich komme morgen früh wieder.«

»Ich freue mich schon darauf.«

Was auch stimmte. Er konnte sich nicht erinnern, wann er sich zum letzten Mal so auf etwas gefreut hatte.

Was vielleicht nicht allzu viel hieß, schließlich konnte er sich an gar nichts erinnern.

Trotzdem.

3. KAPITEL

Der Sohn eines Earls? Fürnehm, fürnehm, lieber Bruder,
da hast Du es ja zu etwas gebracht. Ich hoffe, er ist nicht
unerträglich hochnäsig.
– CECILIA HARCOURT AN IHREN BRUDER
THOMAS

Ein paar Stunden später – Cecilia folgte gerade dem fröhlichen jungen Leutnant, der abkommandiert war, um sie ins
Devil's Head zu begleiten – fragte sie sich immer noch, wann
ihr Herz endlich aufhören würde, wie wild zu schlagen. Lieber Himmel, wie viele Lügen hatte sie an diesem Nachmittag
eigentlich erzählt? Sie hatte sich bemüht, sich möglichst eng
an die Wahrheit zu halten, sowohl um ihr Gewissen zu beruhigen als auch, weil sie sonst nicht gewusst hätte, wie sie den
Überblick bewahren sollte.

Sie hätte Edward die Wahrheit sagen sollen. Sie hatte
auch kurz davorgestanden, wirklich, doch dann war Colonel
Stubbs mit dem Arzt zurückgekehrt. Vor *diesem* Publikum
wollte sie ihr Geständnis wahrhaftig nicht ablegen. Sie wäre
bestimmt aus dem Lazarett geflogen, und Edward brauchte
sie doch noch.

Und sie brauchte ihn.

Sie war allein in einem fremden Land. Sie hatte beinahe
kein Geld mehr. Und als nun ihr Grund, sich zusammenzu-

reißen, aufgewacht war, konnte sie es sich endlich eingestehen – sie hatte schreckliche Angst.

Wenn Edward sich von ihr distanzierte, säße sie bald auf der Straße. Ihr bliebe nichts anderes übrig, als nach England zurückzukehren, und das konnte sie nicht, nicht ehe sie herausgefunden hatte, was ihrem Bruder zugestoßen war. Sie hatte so viele Opfer gebracht für diese Reise, hatte dazu all ihren Mut zusammennehmen müssen. Sie konnte jetzt nicht aufgeben.

Aber wie konnte sie ihn weiterhin anlügen? Edward Rokesby war ein guter Mann. Er hatte es nicht verdient, auf so schamlose Art ausgenutzt zu werden. Außerdem war er Thomas' bester Freund. Die beiden Männer hatten sich bei ihrem Eintritt in die Armee kennengelernt und waren als Offiziere im selben Regiment zur selben Zeit nach Nordamerika geschickt worden. Soweit Cecilia wusste, hatten sie die ganze Zeit zusammen gedient.

Sie wusste, dass Edward ihr gewogen war. Wenn sie ihm die Wahrheit sagte, würde er sicher verstehen, warum sie gelogen hatte. Er würde ihr helfen wollen. Oder nicht?

Aber all das spielte im Moment keine Rolle. Oder konnte zumindest auf morgen vertagt werden. Das Devil's Head lag nur ein Stück die Straße hinunter und verhieß ein warmes Bett und eine sättigende Mahlzeit. Das hatte sie sich doch sicher verdient.

Tagesziel: kein schlechtes Gewissen haben. Zumindest nicht wegen einer ordentlichen Mahlzeit.

»Bald haben wir es«, sagte der Leutnant und lächelte.

Cecilia nickte ihm zu. New York war ein seltsamer Ort. Die Leiterin des Frauenwohnheims hatte behauptet, an der Südspitze der nicht sonderlich großen Insel Manhattan drängten sich an die zwanzigtausend Menschen. Cecilia wusste nicht genau, wie hoch die Bevölkerung vor dem Krieg gewesen war, aber man hatte ihr gesagt, dass die Zahl steil nach oben gegangen sei, nachdem die Briten die Stadt als Hauptquartier übernommen hatten. Überall sah man Soldaten in scharlachroter Uniform, und jedes verfügbare Gebäude war zu ihrer Unterbringung beschlagnahmt worden. Die Anhänger des Kontinentalkongresses hatten die Stadt längst verlassen, doch an ihre Stelle waren königstreue Flüchtlinge getreten, welche die benachbarten Kolonien in großer Zahl verlassen hatten, um den Schutz der Briten zu suchen.

Doch am erstaunlichsten waren für Cecilia die Schwarzen. Nie zuvor hatte sie Menschen mit so dunkler Hautfarbe gesehen, und sie war verblüfft gewesen, wie viele von ihnen sich in der geschäftigen Hafenstadt aufhielten.

»Entlaufene Sklaven«, sagte der Leutnant, als er sah, wie Cecilia zu dem dunkelhäutigen Mann hinübersah, der eben aus dem Eisenwarenladen auf der anderen Straßenseite getreten war.

»Wie bitte?«

»Sie kommen zu Hunderten hierher«, sagte der Leutnant und zuckte mit den Schultern. »General Clinton hat sie letzten Monat befreit, aber in den aufständischen Gebieten wird der Befehl nicht befolgt, und so laufen ihnen die ganzen Sklaven weg und kommen zu uns.« Er runzelte die Stirn. »Weiß nicht, ob wir genügend Platz für sie haben, wenn ich ehrlich bin. Aber man kann es einem Mann ja nicht vorwerfen, wenn er frei sein will.«

»Nein«, murmelte Cecilia und sah noch einmal über die Schulter zurück. Als sie sich wieder zum Leutnant umwandte, stand der bereits vor dem Eingang zum Devil's Head Inn.

»Hier wären wir«, sagte er und hielt ihr die Tür auf.

»Danke.« Sie ging hinein und blieb dann stehen, damit er den Wirt suchen konnte. Die kärgliche Reisetasche an sich gepresst, sah Cecilia sich im Schankraum des Gasthofs um. Er sah nicht viel anders aus als seine britischen Gegenstücke – schummrig beleuchtet, etwas überfüllt, und der Boden war klebrig von irgendetwas, von dem Cecilia annehmen wollte, dass es Bier war. Eine üppige junge Frau lief zwischen den Tischen hin und her, servierte geschickt mit der einen Hand Bierkrüge, während sie mit der anderen Geschirr einsammelte. Hinter dem Tresen machte sich ein Mann mit buschigem Schnurrbart an einem Fass zu schaffen und fluchte laut, als der Zapfhahn nicht funktionierte.

Es fühlte sich beinahe an wie zu Hause, wenn nicht fast überall Rotröcke gesessen hätten.

Vereinzelt waren auch Frauen zu sehen, und aus ihrer Kleidung und ihrer Haltung schloss Cecilia, dass es sich dabei um ehrbare Damen handelte. Vielleicht Offiziersgattinnen? Sie hatte gehört, dass manche Frauen ihre Ehemänner in die Neue Welt begleiteten. Sie gehörte jetzt wohl auch zu ihnen, zumindest noch einen Tag.

»Miss Harcourt!«

Erschrocken drehte Cecilia sich zu einem Tisch in der Mitte des Raums um. Dort erhob sich gerade einer der Soldaten, ein Mann mittleren Alters mit schütter werdendem braunem Haar. »Miss Harcourt«, wiederholte er. »Was für eine Überraschung, Sie hier zu sehen.«

Sie öffnete den Mund. Diesen Mann kannte sie, und sie *verabscheute* ihn. Er war der Erste, an den sie sich bei ihrer Suche nach Thomas gewandt hatte, und er war ebenso herablassend wie ungefällig gewesen.

51

»Major Wilkins«, sagte sie und knickste höflich, während ihre Gedanken in Aufruhr waren. Neue Lügen. Sie musste sich ein paar neue Lügen einfallen lassen, und das schnell.

»Geht es Ihnen gut?«, fragte er sie in seinem üblichen brüsken Ton.

»Ja.« Sie sah sich zu dem Leutnant um, der gerade mit einem anderen Soldaten sprach. »Danke der Nachfrage.«

»Ich hatte angenommen, dass Sie Ihre Rückkehr nach England planten.«

Sie lächelte ihn vage an und zuckte dann statt einer Antwort mit den Schultern. Sie wollte wirklich nicht mit ihm reden. Und sie hatte ihm nie zu verstehen gegeben, dass sie New York zu verlassen gedachte.

»Mrs. Rokesby? Ach, da sind Sie ja.«

Gerettet vom jungen Leutnant, dachte Cecilia dankbar. Er war auf dem Weg zu ihr, einen großen Messingschlüssel in der Hand.

»Ich habe mit dem Wirt gesprochen«, sagte er, »und ...«

»Mrs. Rokesby?«, warf Major Wilkins ein.

Der Leutnant nahm Haltung an, als er den Major entdeckte. »Sir«, sagte er.

Wilkins ignorierte ihn. »Hat er Sie Mrs. Rokesby genannt?«

»Heißen Sie denn nicht so?«, fragte der Leutnant.

Cecilia kämpfte gegen die Faust an, die sich unerbittlich um ihr Herz zu schließen schien. »Ich ...«

Stirnrunzelnd wandte sich der Major zu ihr um. »Ich dachte, Sie wären ledig.«

»Das war ich auch«, platzte sie heraus. »Ich meine ...« Verdammt, damit würde sie nicht durchkommen. Sie konnte nicht während der letzten drei Tage geheiratet haben. »Ich war unverheiratet. Vor einer Weile. Da war ich ledig. Wie wir alle. Ich meine, auch wenn man jetzt verheiratet ist, war man einst doch un...«

Sie machte sich nicht die Mühe, den Satz zu vollenden. Lieber Gott, sie klang wie eine ausnehmend dumme Gans. Sie brachte ja noch ihr ganzes Geschlecht in Verruf.

»Mrs. Rokesby ist mit Captain Rokesby verheiratet«, erklärte der Leutnant hilfreich.

Major William bedachte sie mit einem grollenden Blick. »Mit Captain *Edward* Rokesby?«

Cecilia nickte. Soweit wie wusste, gab es sonst keinen Captain Rokesby, doch da sie soeben im Begriff war, über ihre Lügen zu stolpern, hielt sie es für das Beste, keine spöttischen Bemerkungen vom Stapel zu lassen.

»Warum zum T...« Er räusperte sich. »Verzeihung. Warum haben Sie das denn nicht gesagt?«

Cecilia dachte an ihr Gespräch mit Edward. Halte dich an dieselben Lügen, ermahnte sie sich. »Ich habe Erkundigungen nach meinem Bruder eingezogen«, erklärte sie. »Das schien mir dann die wichtigere Beziehung zu sein.«

Der Major sah sie an, als wäre sie übergeschnappt. Cecilia wusste genau, was er dachte. Edward Rokesby war der Sohn eines Earls. *Diese* Beziehung nicht in den Vordergrund zu rücken wäre wirklich idiotisch.

Kurzes Schweigen senkte sich herab, während der Major seine Gesichtszüge zu einer halbwegs ehrerbietigen Miene ordnete. Dann räusperte er sich und sagte: »Ich war sehr froh, als ich erfuhr, dass Ihr Gatte nach New York zurückgekehrt ist.« Misstrauisch zog er die Brauen zusammen. »Er wurde doch eine ganze Weile vermisst, nicht wahr?«

Womit er andeuten wollte: Warum hatte sie nicht nach ihrem *Ehemann* gesucht?

Cecilia richtete sich ein wenig gerader auf. »Ich hatte bereits erfahren, dass er sicher zurückgekehrt war, als ich Sie wegen Thomas aufsuchte.« Das stimmte zwar nicht, aber er brauchte es ja nicht zu erfahren.

»Verstehe.« Er besaß den Anstand, wenigstens ein bisschen beschämt auszusehen. »Bitte verzeihen Sie.«

Cecilia nickte ihm hoheitsvoll zu, so, wie es vielleicht eine Countess getan hätte. Oder die Schwiegertochter einer Countess.

Major Wilkins räusperte sich erneut und sagte: »Ich werde mich noch einmal nach dem Verbleib Ihres Bruders umhören.«

»*Noch* einmal?«, wiederholte Cecilia. Bisher hatte sie nicht den Eindruck gehabt, dass er überhaupt damit *angefangen* hätte, Erkundigungen einzuziehen.

Er errötete. »Wird Ihr Mann bald aus dem Lazarett entlassen?«

»Morgen.«

»Morgen, sagen Sie.«

»Ja«, erwiderte sie langsam und konnte sich dabei gerade noch verkneifen hinzuzufügen: »Wie ich soeben sagte.«

»Und werden Sie beide hier im Devil's Head absteigen?«

»Captain und Mrs. Rokesby übernehmen Captain Montbys Zimmer«, erklärte der Leutnant.

»Ah, wie schön von ihm. Ein guter Mann, ein guter Mann.«

»Hoffentlich bereiten wir ihm keine Umstände«, meinte Cecilia. Sie sah zu den Tischen und frage sich, ob an irgendeinem davon der seines Zimmers beraubte Captain Montby saß. »Ich würde mich gern persönlich bei ihm bedanken, wenn das möglich ist.«

»Er hat das gern getan«, erklärte Major Wilkins, auch wenn er dies unmöglich wissen konnte.

»Nun«, sagte Cecilia und versuchte, nicht allzu sehnsüchtig zur Treppe zu schielen, von der sie annahm, dass sie zu ihrem Zimmer hinaufführte. »Es hat mich gefreut, Sie zu sehen, aber ich habe einen langen Tag hinter mir.«

»Verzeihung.« Der Major verneigte sich zackig. »Ich werde Ihnen morgen Bericht erstatten.«

»Bericht … erstatten?«

»Ja, von Ihrem Bruder. Oder wenn schon nicht das, so werde ich Ihnen zumindest erzählen, was wir unternommen haben.«

»Danke«, sagte Cecilia, verblüfft von dieser plötzlichen Fürsorge.

Major Wilkins sah den Leutnant an. »Wann rechnen Sie morgen mit Captain Rokesby?«

Was? Er fragte den *Leutnant*? »Gegen Nachmittag«, entgegnete Cecilia scharf, auch wenn sie jetzt noch nicht wusste, wann sie ihn abholen würde. Sie wartete ab, bis Major Wilkins sich ihr zugewandt hatte, und fügte hinzu: »Der Leutnant wird in dieser Angelegenheit wohl kaum über spezielle Informationen verfügen.«

»Da hat sie recht«, meinte der Leutnant munter. »Mein Befehl lautet, Mrs. Rokesby zu ihrer neuen Unterkunft zu begleiten. Morgen geht es für mich zurück nach Harlem.«

Cecilia lächelte Major Wilkins ausdruckslos zu.

»Natürlich«, sagte der Major barsch. »Verzeihen Sie, Mrs. Rokesby.«

»Machen Sie sich keine Gedanken«, erwiderte Cecilia. So gern sie dem Major auch eine Backpfeife versetzt hätte, sie wusste, dass sie es sich nicht erlauben konnte, ihn gegen sich aufzubringen. Sie war sich nicht sicher, wofür er genau zuständig war, aber er schien die Oberaufsicht über die Soldaten zu haben, die in der Nähe einquartiert waren.

»Werden Sie und Captain Rokesby um halb sechs hier sein?«, fragte er.

Sie sah ihm direkt in die Augen. »Wenn Sie mir Nachricht über meinen Bruder bringen, dann werden wir hier sein, ja.«

»Sehr schön. Guten Abend, Madam.« Er neigte einmal den Kopf und sagte zu ihrem Begleiter: »Leutnant.«

Major Wilkins kehrte zu seinem Tisch zurück. Cecilia blieb mit dem Leutnant zurück, der erst ein kurzes »Oh!« ausstieß und dann sagte: »Beinahe hätte ich es vergessen. Ihr Schlüssel.«

»Danke«, sagte Cecilia, nahm ihn entgegen und drehte ihn hin und her.

»Raum zwölf.«

»Ja.« Cecilia blickte auf die große Zwölf, die ins Metall geätzt war. »Ab hier komme ich allein zurecht.«

Der Leutnant nickte dankbar; er war jung und fühlte sich offenbar nicht recht wohl bei dem Gedanken, eine Dame in ihr Schlafzimmer zu führen, selbst wenn sie verheiratet war.

Verheiratet. Lieber Gott. Wie sollte sie sich nur aus ihrem Lügennetz befreien? Und, vielleicht sogar noch wichtiger, *wann* sollte sie es tun? Morgen nicht. Auch wenn sie ursprünglich nur gesagt hatte, sie sei Edwards Gattin, damit sie bleiben und ihn gesund pflegen durfte, war jetzt klar geworden – und zwar erschreckend klar –, dass Captain Rokesbys Frau bei Major Wilkins weitaus mehr Einfluss hatte als die schlichte Miss Harcourt.

Sie war sich klar darüber, dass sie es Edward schuldig war, diese Farce baldmöglichst zu beenden, doch es ging hier um das Schicksal ihres Bruders.

Sie würde Edward die Wahrheit erzählen. Natürlich würde sie das.

Irgendwann.

Nur morgen ging es eben noch nicht. Morgen musste sie noch Mrs. Rokesby sein. Und danach …

Seufzend steckte Cecilia den Schlüssel ins Schloss und drehte ihn um. Sie befürchtete, sie würde Mrs. Rokesby sein müssen, bis sie ihren Bruder gefunden hatte.

»Verzeih mir«, flüsterte sie.

Das würde reichen müssen.

Edward hatte die feste Absicht gehabt, geschniegelt und gebügelt bereitzustehen, wenn Cecilia ihn am nächsten Tag im Lazarett abholen würde. Stattdessen lag er im Bett, im selben Hemd, das er schon seit er-wusste-wirklich-nicht-mehr-wann trug, und schlief so fest, dass Cecilia anscheinend glaubte, er wäre wieder ins Koma gefallen.

»Edward?«, hörte er ihre Stimme am Rande seines Bewusstseins wispern. »Edward?«

Er murmelte etwas. Vielleicht grummelte er es auch. Er war sich nicht sicher, worin der Unterschied lag. In der Einstellung vermutlich.

»Oh, Gott sei Dank«, flüsterte sie, und er spürte eher, als dass er es hörte, wie sie sich auf dem Stuhl neben dem Bett zurücklehnte.

Er sollte vermutlich aufwachen.

Vielleicht würde er die Augen aufmachen, und die ganze Welt wäre ihm zurückgegeben. Es wäre Juni, und es würde sich ganz normal anfühlen. Er wäre verheiratet, und auch das würde sich normal anfühlen, vor allem wenn er sich erinnerte, wie es sich anfühlte, sie zu küssen.

Denn er würde sie wirklich gerne küssen. Letzte Nacht hatte er an gar nichts anderes denken können. Oder an fast nichts anderes. Mindestens die halbe Nacht. Er war ebenso voller Verlangen wie andere Männer, vor allem jetzt, da er mit Cecilia Harcourt verheiratet war. Sein Geruchssinn funktionierte allerdings ebenfalls tadellos. Was er jetzt am nötigsten brauchte, war ein Bad.

Gott, er stank zum Himmel.

Er lag ein paar Minuten still da, sein Geist ruhig und entspannt hinter den geschlossenen Augenlidern. Eine derartig reglose Betrachtung der Dinge hatte etwas sehr Angenehmes an sich. Er brauchte nichts anderes zu tun als zu denken. Er wusste nicht mehr, wann er zum letzten Mal einen derartigen Luxus genossen hatte.

Ja, er war sich durchaus bewusst, dass er keinerlei Erinnerung an die letzten drei Monate hatte. Er war dennoch davon überzeugt, dass er sie nicht damit zugebracht hatte, friedlich seinen Gedanken nachzuhängen und den gedämpften Geräuschen zu lauschen, die seine Frau neben ihm machte. Er fühlte sich an den gestrigen Tag erinnert, an die Momente, kurz bevor er die Augen geöffnet hatte. Da hatte er sie auch atmen gehört. Aber jetzt, da er wusste, wer sie war, war es anders.

Es war ziemlich seltsam. Nie hätte er gedacht, dass er eines Tages damit zufrieden wäre, im Bett zu liegen und einer Frau beim Atmen zuzuhören. Allerdings stieß sie mehr Seufzer aus, als ihm gefiel. Sie war müde. Vielleicht in Sorge. Vermutlich beides.

Er sollte ihr sagen, dass er wach war. Es war höchste Zeit.

Doch dann hörte er sie murmeln: »Was soll ich nur machen mit ihm?«

Ehrlich, er konnte nicht widerstehen. Er öffnete die Augen. »Mit mir?«

Sie kreischte und sprang in die Höhe – ein Wunder, dass sie nicht an die Decke knallte.

Edward begann zu lachen. Ein tiefes, herzhaftes Lachen, bei dem ihm der Brustkorb wehtat und ihm die Luft aus den Lungen gepresst wurde, und auch als Cecilia ihn wütend anfunkelte, die Hand auf ihr offenbar wild schlagendes Herz gelegt, lachte er und hörte nicht auf zu lachen.

Und genau wie vorhin wusste er auch jetzt, dass dies etwas war, was er schon lang nicht mehr getan hatte.

»Sie sind wach«, warf ihm seine Frau vor.

»Erst nicht«, erwiderte er, »doch dann fing jemand an, meinen Namen zu flüstern.«

»Das ist eine ganze *Ewigkeit* her.«

Er zuckte mit den Schultern, ohne Reue zu zeigen.

»Sie sehen besser aus heute«, sagte sie.

Er hob die Brauen.

»Nicht mehr ganz so ... grau.«

Er entschied, dankbar zu sein, dass keiner ihm einen Spiegel gereicht hatte. »Ich muss mich rasieren«, erklärte er und rieb sich das Kinn. Wie lang wuchsen seine Stoppeln nun schon? Mindestens zwei Wochen. Wohl eher drei. Er runzelte die Stirn.

»Was ist?«, fragte sie.

»Weiß irgendwer, wie lang ich ohne Bewusstsein war?«

Sie schüttelte den Kopf. »Ich glaube nicht. Niemand weiß, wie lang Sie ohne Bewusstsein waren, ehe man Sie gefunden hat, aber ich kann mir nicht vorstellen, dass das lang gewesen sein soll. Es hieß, Ihre Kopfwunde sei ziemlich frisch gewesen.«

Er verzog das Gesicht. *Frisch* war ein Wort, das man gern hörte, wenn es um Erdbeeren ging, nicht im Zusammenhang mit Schädeln.

»Wahrscheinlich also nicht länger als acht Tage«, schloss sie. »Warum?«

»Mein Bart«, antwortete er. »Es liegt weit mehr als eine Woche zurück, seit ich mich zum letzten Mal rasiert habe.«

Sie sah ihn stirnrunzelnd an. »Ich bin mir nicht sicher, was das bedeutet«, sagte sie schließlich.

»Ich auch nicht«, räumte er ein. »Aber man sollte es wohl zur Kenntnis nehmen.«

»Haben Sie einen Kammerdiener?«

Er warf ihr einen Blick zu.

»Schauen Sie mich nicht so an. Sie wissen ganz genau, dass viele Offiziere mit Kammerdiener reisen.«

»Ich nicht.«

Ein Augenblick verstrich, dann sagte Cecilia: »Sie haben sicher großen Hunger. Ich konnte Ihnen ein wenig Brühe einflößen, aber das war auch schon alles.«

Edward betastete seine Taille. Seine Hüftknochen waren deutlich zu spüren. »Ich scheine etwas abgenommen zu haben.«

»Haben Sie gestern, nachdem ich gegangen bin, noch etwas gegessen?«

»Nicht viel. Ich hatte einen Bärenhunger, aber dann wurde mir schlecht.«

Sie nickte und blickte dann angelegentlich auf ihre Hände. »Ich hatte gestern keine Gelegenheit, Ihnen zu sagen, dass ich mir erlaubt habe, Ihre Familie zu verständigen.«

Seine Familie. Lieber Gott im Himmel. Er hatte nicht mal an sie gedacht.

Sein Blick begegnete dem ihren.

»Man hatte sie benachrichtigt, dass Sie vermisst würden«, erklärte sie. »General Garth hatte ihnen vor einigen Monaten geschrieben.«

Edward bedeckte die Augen mit der Hand. Er konnte sich

seine Mutter vorstellen. Sie hatte das alles gewiss nicht gut aufgenommen.

»Ich schrieb, dass Sie verletzt seien, bin aber nicht ins Detail gegangen«, sprach sie weiter. »Sie sollten vor allem erfahren, dass Sie gefunden wurden, das schien mir das Wichtigste zu sein.«

»Gefunden«, wiederholte Edward. Das Wort traf es genau. Er war nicht zurückgebracht worden und war auch nicht geflohen. Stattdessen hatte man ihn in der Nähe von Kips Bay gefunden. Nur der Teufel wusste, wie er dorthin geraten war.

»Wann sind Sie nach New York gekommen?«, fragte er. Besser, er erkundigte sich nach etwas, was er nicht wusste, statt sich wegen etwas zu quälen, an das er sich nicht erinnerte.

»Vor knapp vierzehn Tagen«, entgegnete sie.

»Sind Sie gekommen, um nach mir zu suchen?«

»Nein«, gab sie zurück. »Ich bin nicht ... also, ich wäre nicht so dumm, den Ozean zu überqueren, um nach einem Vermissten zu suchen.«

»Und trotzdem sind Sie hier.«

»Thomas ist verletzt«, erinnerte sie ihn. »Er braucht mich.«

»Dann sind Sie Ihres Bruders wegen hier.«

Sie betrachtete ihn mit einem direkten, offenen Blick, als fragte sie sich, ob dies ein Verhör sei. »Man hat mir zu verstehen gegeben, dass ich ihn im Lazarett finden würde.«

»Und mich nicht.«

Sie biss sich auf die Unterlippe. »Nun, ja. Ich habe nicht ... also, ich wusste nicht, dass Sie vermisst wurden.«

»General Gareth hat Ihnen *nicht* geschrieben?«

Sie schüttelte den Kopf. »Ich glaube, er wusste nichts von unserer Heirat.«

»Demnach … Moment.« Er kniff die Augen zusammen, öffnete sie wieder. Irgendetwas an der Sache ergab keinen Sinn. Die zeitliche Reihenfolge passte nicht. »Haben wir hier geheiratet? Nein, das geht nicht. Nicht wenn ich vermisst wurde.«

»Es … es war eine Stellvertreterhochzeit.« Sie wurde rot und machte den Eindruck, als wäre sie verlegen, dies zuzugeben.

»Ich habe Sie per Stellvertreter geheiratet?«, fragte er fassungslos.

»Thomas wollte es so«, murmelte sie.

»Ist das denn überhaupt legal?«

Ihre Augen weiteten sich, und sofort kam er sich wie ein Schuft vor. Diese Frau hatte ihn drei Tage umsorgt, während er im Koma gelegen hatte, und zum Dank deutete er nun an, dass sie vielleicht nicht einmal richtig verheiratet waren. Eine solche Respektlosigkeit hatte sie nicht verdient. »Vergessen Sie die Frage«, sagte er rasch. »Das können wir alles später klären.«

Sie nickte dankbar und gähnte dann.

»Konnten Sie sich gestern ausruhen?«

Ihre Lippen verzogen sich zu einem winzigen – und sehr müden – Lächeln. »Ich glaube, das sollte ich Sie besser fragen.«

Er erwiderte den reuigen Blick. »Nach allem, was man mir erzählt hat, habe ich die letzten Tage nichts anderes getan, als mich auszuruhen.«

Sie legte den Kopf schief, wie um seine Aussage anzuerkennen.

»Sie haben meine Frage nicht beantwortet«, erinnerte er sie. »Konnten Sie sich ausruhen?«

»Ein wenig. Ich bin wohl aus der Übung. Und es war die erste Nacht in einer fremden Umgebung.« Eine Locke fiel ihr ins Gesicht, und sie schob sie sich stirnrunzelnd hinter das Ohr. »Da fällt es mir immer schwer einzuschlafen.«

»Dann möchte ich wetten, dass Sie die ganzen letzten Wochen schlecht geschlafen haben.«

Das entlockte ihr ein Lächeln. »Auf dem Schiff habe ich sogar hervorragend geschlafen. Die schaukelnde Bewegung ist mir sehr gut bekommen.«

»Beneidenswert. Ich habe den größten Teil der Überfahrt damit verbracht, mir die Seele aus dem Leib zu spucken.«

Sie unterdrückte ein Lachen. »Tut mir leid.«

»Seien Sie bloß froh, dass Sie nicht dabei waren. Ich wäre Ihnen nicht als guter Fang erschienen.« Er überlegte kurz. »Bin ich jetzt aber auch nicht.«

»Ach, nun hören Sie aber ...«

»Ungewaschen, unrasiert ...«

»Edward ...«

»Übel riechend.« Er wartete. »Wie ich sehe, widersprechen Sie mir hier nicht.«

»Sie verströmen eine gewisse, ähm, *Duftnote.*«

»Ganz zu schweigen davon, dass mir ein Stückchen meines Verstandes abhandengekommen ist.«

Sofort erstarrte sie. »So etwas sollten Sie nicht sagen.«

Sein Ton war leicht, doch er sah sie direkt an und sagte: »Wenn ich an alledem nicht irgendetwas fände, worüber ich mich mokieren kann, müsste ich weinen.«

Sie wurde ganz still.

Doch dann erbarmte er sich ihrer. »Ich meine, im übertragenen Sinn. Keine Angst, ich breche nicht in Tränen aus.«

»Und wenn sie es täten«, gab sie zögernd zurück, »würde

ich deswegen nicht schlechter von Ihnen denken. Ich würde ...
ich würde ... «

»Sich um mich kümmern? Mich versorgen? Meine salzigen Tränenströme trocknen?«

Sie öffnete den Mund, doch er glaubte nicht, dass sie empört war, nur verblüfft. »Ich wusste gar nicht, dass Sie so sarkastisch veranlagt sind«, sagte sie.

Er zuckte mit den Schultern. »Bin mir nicht sicher, ob ich das wirklich bin.«

Während sie sich das durch den Kopf gehen ließ, richtete sie sich ein wenig gerader auf und krauste die Stirn, bis sich drei Furchen zeigten. Ein paar Sekunden verharrte sie so, und erst als sie die Luft mit einem leisen Zischen ausstieß, erkannte er, dass sie den Atem angehalten hatte. Er kam stimmhaft heraus und ergab ein kleines, nachdenkliches Geräusch.

»Sieht so aus, als würden Sie mich analysieren«, sagte er.

Sie leugnete es nicht. »Es ist sehr interessant«, meinte sie, »woran Sie sich erinnern und woran nicht.«

»Mir fällt es schwer, das Ganze in einem wissenschaftlichen Licht zu betrachten«, sagte er ohne Groll, »aber tun Sie sich bitte keinen Zwang an. Jedweder Durchbruch wäre mir willkommen.«

Sie rutschte auf ihrem Stuhl herum. »Ist Ihnen etwas eingefallen?«

»Seit gestern?«

Sie nickte.

»Nein. Zumindest glaube ich es nicht. Es ist schwer zu sagen, solange ich mich nicht daran erinnere, woran ich mich nicht erinnere. Ich weiß nicht einmal, wo die Erinnerungslücke eigentlich beginnt.«

»Ich habe gehört, dass Sie Anfang März nach Connecticut aufgebrochen sind.« Sie legte den Kopf schief, worauf sich die vorwitzige Locke erneut löste. »Erinnern Sie sich daran?«

Er dachte kurz darüber nach. »Nein«, erwiderte er. »Ich kann mich dunkel daran erinnern, den Marschbefehl bekommen zu haben, beziehungsweise dass ich ihn hätte bekommen sollen ...« Er rieb sich das eine Auge mit dem Handrücken. Was hatte das überhaupt zu *bedeuten*? Er sah zu Cecilia auf. »Aber ich habe keine Ahnung, warum.«

»Irgendwann fällt es Ihnen wieder ein«, sagte sie. »Der Arzt meinte, bei einer schweren Kopfverletzung braucht das Gehirn Zeit, um sich zu erholen.«

Er legte die Stirn in Falten.

»Bevor Sie aufgewacht sind«, stellte sie klar.

»Ah.«

Schweigend saßen sie ein paar Augenblicke da, und dann fragte sie, mit einer vagen Geste in Richtung seiner Verletzung: »Tut es weh?«

»Höllisch.«

Sie machte Anstalten aufzustehen. »Ich kann Ihnen Laudanum holen.«

»Nein«, sagte er rasch. »Danke. Ich würde lieber einen klaren Kopf behalten.« Dann erkannte er, was für eine alberne Aussage das war, alles in allem betrachtet. »Zumindest so klar, dass ich mich an die Ereignisse des Vortags erinnere.«

Ihre Lippen zuckten.

»Na los«, sagte er. »Lachen Sie.«

»Ich sollte das nicht.« Aber sie tat es dennoch. Ein bisschen. Und es klang so wunderbar.

Dann gähnte sie abermals.

»Schlafen Sie«, drängte er sie.

»Oh, das geht doch nicht. Ich bin gerade erst hergekommen.«

»Ich verrate es auch keinem.«

Sie warf ihm einen Blick zu. »Wem sollten Sie es denn verraten?«

»Da haben Sie auch wieder recht«, räumte er ein. »Trotzdem, Sie müssen etwas schlafen, das ist ja wohl klar.«

»Ich kann heute Nacht schlafen.« Sie rutschte wieder ein wenig auf ihrem Stuhl umher, versuchte es sich bequem zu machen. »Ich will nur einen Augenblick meine Augen ausruhen.«

Er feixte.

»Machen Sie sich nicht lustig über mich«, warnte sie ihn.

»Oder was? Sie würden mich ja nicht mal kommen sehen.«

Sie öffnete ein Auge. »Ich habe hervorragende Reflexe.«

Edward lachte leise und beobachtete, wie sie sich wieder entspannte. Sie gähnte noch einmal und versuchte diesmal auch nicht, es zu verbergen.

War es das, was eine Ehe ausmachte? Dass man ungestraft gähnen durfte? Wenn dem so war, dann war diese Institution wohl sehr zu empfehlen.

Er sah ihr dabei zu, wie sie »ihre Augen ausruhte«. Sie war wirklich wunderschön. Thomas hatte gesagt, dass seine Schwester hübsch sei, aber auf die typisch beiläufige Art eines Bruders. Vermutlich sah Thomas das in ihr, was er, Edward, in seiner eigenen Schwester Mary sah: ein hübsches Gesicht, in dem alles am richtigen Fleck saß. Thomas wäre zum Beispiel nie aufgefallen, dass Cecilias Wimpern ein paar Töne dunkler waren als ihr Haar oder dass sie, wenn sie die Augen schloss, zwei zarte Bögen bildeten, die fast wie Mondsicheln aussahen.

Ihre Lippen waren voll, aber nicht nach Art der Rosen-knospen, auf welche die Dichter immer so versessen waren. Wenn sie schlief, waren sie nicht ganz geschlossen, und er stellte sich vor, wie ein leiser Atemhauch darüberfächelte.

»Glauben Sie, dass Sie heute Nachmittag imstande sind, ins Devil's Head umzuziehen?«, fragte sie.

»Ich dachte, Sie würden schlafen.«

»Ich habe doch gesagt, dass ich nur meine Augen ausruhe.«

Das war nicht gelogen. Während sie sprach, rührte sie keine Wimper.

»Vermutlich«, sagte er. »Der Arzt möchte mich noch ein-mal sehen, bevor ich gehe. Ich hoffe, das Zimmer ist annehm-bar.«

Sie nickte, die Augen immer noch geschlossen. »Eventuell würden Sie es ein wenig klein finden.«

»Sie nicht?«

»Ich brauche keine prächtige Unterkunft.«

»Ich auch nicht.«

Sie öffnete die Augen. »Tut mir leid. Ich wollte nicht an-deuten, dass Sie so etwas bräuchten.«

»Ich habe viele Nächte draußen kampiert. Dagegen ist jeder Raum mit Bett ein richtiger Luxus. Nun ja, dieser hier viel-leicht nicht«, meinte er und sah sich in dem behelfsmäßigen Lazarett um. Die Kirchenbänke waren gegen die Wand ge-rückt worden, und die Männer lagen in zusammengewürfel-ten Liegen und Feldbetten, und manche sogar auf dem Boden.

»Das ist niederschmetternd«, sagte sie leise.

Er nickte. Eigentlich hätte er dankbar sein müssen. Er war am Leben und im Vollbesitz seiner Gliedmaßen. Schwach vielleicht, aber er würde sich erholen. Ein paar andere in die-sem Raum hatten nicht so viel Glück gehabt.

Trotzdem wollte er raus hier.

»Ich habe Hunger«, erklärte er plötzlich.

Sie sah auf, und er stellte fest, dass ihm der verblüffte Ausdruck in ihren unglaublichen Augen gefiel.

»Wenn der Arzt mich sehen will, findet er mich verd...«, Edward räusperte sich, »findet er mich im Devil's Head.«

»Sind Sie sicher?« Sie betrachtete ihn besorgt. »Ich würde nicht wollen ...«

Er unterbrach sie, indem er auf einen Stoffhaufen – scharlachrot und lohfarben – auf einer Kirchenbank in der Nähe deutete. »Ich glaube, das da drüben ist meine Uniform. Wären Sie so freundlich, sie zu holen?«

»Aber der Arzt ...«

»Sonst tue ich es selbst, und ich warne Sie, unter dem Hemd habe ich nichts an.«

Ihre Wangen liefen dunkelrot an – nicht ganz so tiefrot wie sein Waffenrock, aber doch beeindruckend dunkel –, und plötzlich wurde ihm klar:

Eine Stellvertreterhochzeit.

Er: Mehrere Monate in Connecticut.

Sie: Zwei Wochen in New York.

Kein Wunder, dass er sie nicht erkannt hatte. Er hatte sie nie zuvor gesehen.

Und ihre Ehe?

War nie vollzogen worden.

Vermutlich siezten sie sich auch deshalb noch. Er hatte sich schon gewundert.

4. KAPITEL

Leutnant Rokesby ist keineswegs unerträglich. Im Gegenteil, er ist ziemlich anständig. Ich glaube, du würdest ihn mögen. Er kommt aus Kent und ist praktisch mit seiner Nachbarin verlobt.
Ich habe ihm Deine Miniatur gezeigt. Er sagte, Du seist sehr hübsch.
– THOMAS HARCOURT AN SEINE SCHWESTER CECILIA

Edward hatte darauf bestanden, sich selbst anzukleiden, daher nutzte Cecilia die Zeit, um das Lazarett auf der Suche nach etwas Essbarem zu verlassen. Sie hatte fast eine ganze Woche in diesem Viertel verbracht und kannte dort jeden Laden. Die kostengünstigste – und daher für sie die naheliegende – Möglichkeit waren die Rosinenbrötchen von Mr. Mathers Verkaufskarren. Sie waren einigermaßen schmackhaft, auch wenn sie den Verdacht hatte, dass sie nur deswegen so günstig waren, weil pro Brötchen nicht mehr als drei Rosinen zum Einsatz kamen.

Mr. Lowell verkaufte ein Stück die Straße hinunter echte Hefeschnecken mit Zimt. Die Rosinen darin hatte sie noch nicht gezählt; bisher hatte sie erst eine Schnecke gegessen, vom Vortag, und sie viel zu schnell hinuntergeschlungen, um etwas anderes zu tun, als vor Entzücken zu stöhnen, während der klebrige Zuckerguss auf ihrer Zunge dahinschmolz.

Um die Ecke lag der Laden von Mr. Rooijakkers, dem niederländischen Bäcker. Cecilia hatte ihn erst ein einziges Mal betreten, und das hatte gereicht, um ihr zu sagen, dass sie sich a) die Köstlichkeiten nicht leisten konnte und b) wenn doch, im Handumdrehen nudeldick wäre.

Doch wenn es je den richtigen Moment für Extravaganzen gegeben hätte, so war er jetzt gekommen, nachdem Edward aufgewacht und einigermaßen gesund war. Cecilia hatte zwei Münzen in der Tasche, ausreichend für einen Leckerbissen, und sie brauchte sich wegen der Miete fürs Frauenwohnheim keine Sorgen mehr zu machen. Vermutlich sollte sie ihre Pennys zurücklegen – nur der Himmel wusste, was ihr die nächsten Wochen bringen würden –, doch sie konnte sich nicht dazu durchringen zu knausern. Nicht heute.

Sie drückte die Tür auf, lächelte, als sie über sich die Ladenglocke bimmeln hörte, und seufzte vor Wonne auf, als sie den himmlischen Duft wahrnahm, der von der Backstube im rückwärtigen Teil des Hauses nach vorne drang.

»Kann ich Ihnen helfen?«, fragte die rotblonde Frau hinter dem Ladentisch. Sie war ein paar Jahre älter als Cecilia und sprach mit leichtem Akzent, den Cecilia nicht hätte verorten können, wenn sie nicht gewusst hätte, dass die Inhaber aus Holland stammten.

»Ja, danke, ich hätte bitte gern ein rundes Brot«, sagte Cecilia und deutete auf drei Brote, die dick und köstlich im Regal nebeneinanderlagen, mit einer gesprenkelten goldenen Kruste, die anders aussah als alles, was sie von zu Hause kannte. »Kosten die alle dasselbe?«

Die Frau legte den Kopf schief. »Ursprünglich ja, aber jetzt, da Sie es erwähnen: Das Brot rechts wirkt recht klein. Sie können es etwas billiger bekommen.«

Cecilia überlegte gerade, wo sie die Butter oder den Käse zum Brot kaufen konnte, doch dann musste sie einfach fragen: »Was ist das für ein köstlicher Duft?«

Die Frau strahlte sie an. »Das sind *speculatie*. Frisch gebacken. Haben Sie noch nie eins probiert?«

Cecilia schüttelte den Kopf. Sie hatte solchen Hunger. Am Vorabend hatte sie endlich einmal eine ordentliche Mahlzeit bekommen, aber das hatte ihren Magen anscheinend nur darauf aufmerksam gemacht, wie stiefmütterlich er seit einiger Zeit behandelt wurde. Und auch wenn die Rindfleisch-Nierenpastete gut gewesen war, lief Cecilia jetzt beim Gedanken an etwas Süßes das Wasser im Mund zusammen.

»Ich habe eines zerbrochen, als ich sie vom Blech genommen habe«, sagte die Frau. »Das können Sie umsonst haben.«

»Oh nein, ich kann doch nicht ...«

Die Frau winkte ab. »Sie haben noch nie eins gegessen. Fürs Probieren kann ich nichts verlangen.«

»Das könnten Sie zwar«, meinte Cecilia mit einem Lächeln, »aber ich will nichts mehr gesagt haben.«

»Ich habe Sie hier noch nie gesehen«, stellte die Frau fest, ehe sie hinaus in die Backstube lief.

»Einmal war ich schon hier«, erwiderte Cecilia, erwähnte aber nicht, dass sie nichts gekauft hatte. »Letzte Woche. Hinter der Theke stand ein älterer Herr.«

»Mein Vater«, sagte die Frau.

»Dann sind Sie Miss Rooi... ähm, Roojak...« Lieber Himmel, wie sprach man das bloß aus?

»Rooijakkers.« Mit einem breiten Grinsen kam die Bäckersfrau in den Verkaufsraum zurück. »Eigentlich heiße ich aber Mrs. Leverett.«

»Dem Himmel sei Dank«, entgegnete Cecilia mit erleichtertem Lächeln. »Ich weiß, dass Sie den Namen eben ausgesprochen haben, aber ich glaube nicht, dass ich ihn wiederholen könnte.«

»Ich habe meinem Mann oft gesagt, dass ich ihn genau deswegen geheiratet hätte«, scherzte Mrs. Leverett.

Cecilia lachte, ehe ihr aufging, dass auch sie wegen eines Namens an einem Mann festhielt. In ihrem Fall allerdings, damit Major Wilkins seine verdammte Arbeit machte.

»Niederländisch ist keine einfache Sprache«, erklärte Mrs. Leverett, »aber wenn Sie eine Weile in New York bleiben wollen, könnte es sich lohnen, ein paar Sätze zu lernen.«

»Ich weiß nicht, wie lang ich noch hier sein werde«, gab Cecilia offenherzig zurück. Hoffentlich nicht zu lang. Sie wollte einfach nur ihren Bruder finden.

»Ihr Englisch ist hervorragend«, sagte sie zu der Bäckersfrau.

»Ich bin hier geboren. Meine Eltern auch, aber zu Hause sprechen wir nur Niederländisch. Hier …«, sie reichte ihr zwei flache karamellbraune Kekse, »… versuchen Sie.«

Cecilia bedankte sich noch einmal, fügte die zwei Teile zu ihrer ursprünglichen rechteckigen Form zusammen, nahm dann das kleinere Teil und biss davon ab. »Du liebe Güte! Das ist ja köstlich.«

»Dann schmeckt es Ihnen also?« Mrs. Leveretts Augen wurden groß vor Freude.

»Etwas anderes ist doch gar nicht vorstellbar!« Es schmeckte nach Kardamom, Nelken und Karamell. Es war absolut fremdartig, und dennoch weckte es Heimweh in ihr. Vielleicht war es einfach die Tatsache, dass sie bei einem Plausch einen Keks angeboten bekommen hatte. Cecilia war zu beschäftigt gewesen, um zu bemerken, dass sie einsam war.

»Ein paar Offiziere finden sie zu dünn und zu brüchig«, sagte Mrs. Leverett.

»Die sind verrückt«, erwiderte Cecilia mit vollem Mund. »Aber ich muss sagen, dass die Kekse hervorragend zu Tee passen würden.«

»Leider bekommt man ihn hier nicht so leicht.«

»Nein.« Cecilia nickte bedauernd. Sicherheitshalber hatte sie sich von Zuhause einen Vorrat mitgebracht, hatte aber bei Weitem nicht genug eingepackt. Schon auf der Überfahrt war er knapp geworden, am Ende hatte sie die Blätter zweimal aufgegossen und die Ration für jede Kanne halbiert.

»Ich sollte mich nicht beklagen«, sagte Mrs. Leverett. »Zucker können wir immer noch bekommen, und der ist für eine Bäckerei weitaus wichtiger.«

Cecilia nickte, knabberte an der zweiten Hälfte ihres Kekses. Die musste etwas länger vorhalten.

»Die Offiziere haben Tee«, fuhr Mrs. Leverett fort. »Nicht viel, aber mehr als die anderen.«

Edward war Offizier. Cecilia wollte seinen Reichtum nicht ausnutzen, aber wenn er ein wenig Tee besorgen könnte …

Für eine gute Tasse Tee würde sie wohl ein winziges Stück ihrer Seele opfern.

»Sie haben mir gar nicht gesagt, wie Sie heißen.«

»Oh, tut mir leid, ich bin heute wie benebelt. Ich bin Miss Har … tut mir leid. Mrs. Rokesby.«

Die andere Frau lächelte wissend. »Frisch verheiratet?«

»Genau.« Wie genau, konnte Cecilia unmöglich erklären. »Mein Mann …«, sie versuchte, nicht über das Wort zu stolpern, »ist Offizier. Ein Captain.«

»Das dachte ich mir schon«, meinte Mrs. Leverett. »Ich

könnte mir sonst keinen Grund denken, warum Sie mitten im Krieg in New York sein sollten.«

»Es ist seltsam«, sagte Cecilia. »Es fühlt sich gar nicht an, als wären wir im Krieg. Wenn ich nicht all die verletzten Soldaten sähe …« Sie hielt inne, überlegte. Auch wenn sie an diesem britischen Stützpunkt keine eigentlichen Kampfhandlungen mitbekam, sah sie doch überall Anzeichen von Entbehrungen und Verlusten. Der Hafen war voller Gefängnisschiffe – als Cecilias Schiff in den Hafen eingelaufen war, hatte man sie sogar angewiesen, lieber unter Deck zu bleiben.

Der Gestank, so hatte man ihr gesagt, sei unerträglich.

»Bitte verzeihen Sie«, sagte sie zu der Bäckersfrau. »Das war gedankenlos von mir. Krieg bedeutet mehr als Schlachtfelder und eine Front.«

Mrs. Leverett lächelte, doch es war ein trauriges Lächeln. Müde. »Sie brauchen sich nicht zu entschuldigen. Die letzten zwei Jahre war es hier relativ ruhig. Man kann nur hoffen, dass es so bleibt.«

»Allerdings«, murmelte Cecilia. Sie blickte aus dem Fenster, ohne recht zu wissen, warum. »Ich muss allmählich los. Aber vorher packen Sie mir bitte ein halbes Dutzend *speculatie* ein.« Sie runzelte die Stirn, rechnete im Kopf nach. Das Geld würde reichen. »Nein, geben Sie mir ein Dutzend.«

»Ein ganzes Dutzend?« Mrs. Leverett grinste fröhlich. »Dann hoffe ich, dass Sie Ihren Tee dazu auftreiben.«

»Das hoffe ich auch. Wir haben Grund zum Feiern. Mein Mann …«, schon wieder dieses Wort, »… wird heute aus dem Lazarett entlassen.«

»Oh, tut mir leid. Das war mir nicht klar. Aber ich nehme an, das heißt, dass er geheilt ist.«

»Beinahe.« Cecilia dachte an Edward, der immer noch so

74

dünn und blass war. Bisher hatte sie ihn noch nicht außerhalb des Betts gesehen. »Er braucht immer noch Zeit, um sich auszuruhen und wieder zu Kräften zu kommen.«

»Was für ein Glück für ihn, dass er seine Frau an seiner Seite hat.«

Cecilia nickte, doch ihr war die Kehle wie zugeschnürt. Sie hätte gern gesagt, dass es daher rührte, dass die *speculatie* sie durstig gemacht hatten, aber sie war sich ziemlich sicher, dass es eher mit ihrem Gewissen zu tun hatte.

»Wissen Sie«, sprach Mrs. Leverett weiter, »hier in New York gibt es eine Menge Unterhaltung, obwohl der Krieg so nahe ist. Die Oberschicht hält immer noch Gesellschaften ab. Ich geh natürlich nicht hin, aber hin und wieder sehe ich die Damen in all ihrer Pracht.«

»Wirklich?« Cecilia zog die Augenbrauen hoch.

»Oh ja. Und ich glaube, nächste Woche gibt es im John Street-Theater eine Aufführung von *Macbeth*.«

»Sie machen Witze.«

Mrs. Leverett hob eine Hand. »Ich schwöre beim Backofen meines Vaters.«

Das entlockte Cecilia ein Lachen. »Vielleicht sollte ich mich um Karten bemühen. Es ist schon ein Weilchen her, seit ich zum letzten Mal im Theater war.«

»Für die Qualität der Aufführung kann ich nicht bürgen«, sagte Mrs. Leverett. »Ich glaube, die meisten Rollen sind mit britischen Offizieren besetzt.«

Cecilia versuchte sich Colonel Stubbs oder Major Wilkins auf der Bühne vorzustellen. Es war kein hübsches Bild.

»Meine Schwester ist hingegangen, als sie *Othello* aufgeführt haben«, fuhr Mrs. Leverett fort. »Sie hat gesagt, die Kulissen sind sehr schön gemalt gewesen.«

Ein noch halbherzigeres Lob wäre Kritik gewesen, dachte Cecilia. Aber in der Not fraß der Teufel Fliegen, und in Derbyshire bekam sie auch nicht oft Shakespeare zu sehen. Vielleicht würde sie hingehen.

Wenn Edward dem gewachsen wäre.

Wenn sie dann immer noch »verheiratet« wären.

Cecilia seufzte.

»Haben Sie etwas gesagt?«

Cecilia schüttelte den Kopf, doch die Frage war wohl ohnehin nur rhetorisch gemeint gewesen, denn Mrs. Leverett wickelte die *speculatie* bereits in ein Tuch. »Leider haben wir kein Papier«, erklärte die Bäckersfrau mit entschuldigender Miene. »Papier ist knapp, genau wie Tee.«

»Das heißt, dass ich wiederkommen muss, um Ihnen das Tuch zurückzugeben«, sagte Cecilia. Und als sie sich darüber klar wurde, wie glücklich sie das machte – die bloße Vorstellung, bei einer Frau ihres Alters vorbeizuschauen –, sagte sie: »Ich heiße Cecilia.«

»Und ich Beatrix«, entgegnete die andere.

»Ich bin sehr froh, Sie kennengelernt zu haben«, sagte Cecilia. »Und vielen Dank für – nein, Moment. Wie bedankt man sich auf Niederländisch?«

Beatrix lächelte breit. »*Bedankt.*«

Cecilia blinzelte überrascht. »Wirklich? Das ist alles?«

»Sie haben sich etwas Leichtes ausgesucht«, meinte Beatrix und zuckte mit den Schultern. »Wenn Sie hingegen ›bitte‹ lernen möchten …«

»Oh, sagen Sie es mir lieber nicht!«, rief Cecilia. Ihr war klar, dass sie es trotzdem tun würde.

»*Alstublieft*«, sagte Beatrix und grinste. »Und sagen Sie jetzt bloß nicht, dass es wie ein Niesen klingt.«

Cecilia kicherte. »Ich bleibe fürs Erste bei *bedankt*.«

»Na dann«, sagte Beatrix. »Eilen Sie zu Ihrem Ehemann zurück.«

Wieder dieses Wort. Cecilia verabschiedete sich mit einem Lächeln, aber es fühlte sich leer an. Was Beatrix Leverett wohl von ihr halten würde, wenn sie wüsste, dass sie nichts als eine Schwindlerin war?

Sie kam gerade noch rechtzeitig aus der Bäckerei, ehe ihr die Tränen aus den Augen laufen konnten.

»Hoffentlich mögen Sie gern Süßes, denn ich habe … oh.«

Edward sah auf. Seine Frau kam mit einem kleinen Stoffbündel und einem entschlossenen Lächeln zurück.

Aber nicht entschlossen genug. Es war zittrig und erlosch, als sie ihn in sich zusammengesunken auf der Bettkante sitzen sah.

»Alles in Ordnung?«, fragte sie.

Eigentlich nicht. Er hatte sich anziehen können, aber nur, weil sie ihm, kurz bevor sie gegangen war, die Uniform aufs Bett gelegt hatte. Ehrlich, er wusste nicht, ob er es allein durch den Raum geschafft hätte. Er hatte gewusst, dass er geschwächt war, aber wie sehr, das hatte er erst erkannt, als er die Beine über den Bettrand geschwungen und versucht hatte aufzustehen.

Es war erbärmlich.

»Alles bestens«, murmelte er.

»Natürlich«, erwiderte sie wenig überzeugend. »Ich … ah … Möchten Sie einen Keks?«

Er beobachtete, wie sie mit ihren schlanken Händen das Bündel öffnete.

»*Speculatie*«, sagte er. Er hatte die Kekse sofort erkannt.

»Haben Sie sie schon mal gegessen? Oh, aber natürlich. Ich habe vergessen, dass Sie ja schon jahrelang hier sind.«

»Nicht jahrelang«, sagte er und nahm einen der dünnen Kekse entgegen. »Ich war beinahe ein Jahr in Massachusetts. Dann in Rhode Island.« Er biss ab. Gott, waren die gut. Er sah auf. »Und anscheinend auch in Connecticut, nicht dass ich mich daran erinnern würde.«

Cecilia setzte sich aufs Bettende. Nun ja, sie hockte sich eher darauf. Sie sah aus, als wollte sie es sich nicht allzu gemütlich machen. »Haben sich die Holländer überall in den Kolonien niedergelassen?«

»Nur hier.« Er aß den Keks auf und griff nach dem nächsten. »New York heißt schon seit über einem Jahrhundert nicht mehr Neu-Amsterdam, aber die Holländer sind größtenteils geblieben, als Manhattan den Besitzer gewechselt hat.« Er runzelte die Stirn. Eigentlich wusste er gar nicht, ob die meisten geblieben waren, aber ein Gang durch die Straßen vermittelte diesen Eindruck. Überall in Manhattan war der niederländische Einfluss zu sehen, von den auffälligen Zickzackfassaden der Gebäude über die *speculatie* bis hin zum Tigerbrot in der Bäckerei.

»Ich habe gelernt, wie man sich auf Niederländisch bedankt.«

Er lächelte. »Sehr ehrgeizig von Ihnen.«

Sie warf ihm einen Blick zu. »Dem entnehme ich, dass Sie die Übersetzung kennen?«

Er nahm noch einen Keks. »*Bedankt.*«

»Bitte sehr«, sagte sie und verdrehte die Augen. »Aber vielleicht sollten Sie es etwas langsamer angehen lassen. Es ist wohl keine sehr gute Idee, zu viel auf einmal zu essen.«

»Wahrscheinlich nicht«, meinte er, aß den Keks aber trotzdem.

Sie wartete geduldig ab, bis er fertig war, und wartete weiterhin geduldig, während er auf dem Bettrand hockte und versuchte, all seine Kraft zusammenzunehmen.

Seine Gattin war offenbar eine geduldige Frau. Das musste sie wohl auch sein, sonst hätte sie nicht drei Tage lang an seinem langweiligen Bett sitzen können. Mit einem bewusstlosen Ehemann konnte man herzlich wenig anfangen.

Er dachte an ihre Reise über den Atlantik. Die Nachricht von ihrem Bruder zu bekommen und dann zu beschließen, ihm zu Hilfe zu eilen, in dem Bewusstsein, dass das alles Monate dauern würde ...

Auch das wies sie als geduldigen Menschen aus.

Er fragte sich, ob sie wohl manchmal vor Wut hätte schreien mögen.

Sie wird sich noch ein wenig gedulden müssen, dachte er grimmig. Seine Knie waren butterweich. Er konnte kaum gehen. Gott, selbst das Stehen fiel ihm schwer, und was den Vollzug der Ehe anging ...

Auch das würde warten müssen.

Bedauerlicherweise.

Obwohl ihm auch der Gedanke kam, dass sie sich noch aus dieser Verbindung befreien könnten, wenn sie wollten. Eine Annullierung aufgrund von Nichtvollzug der Ehe war ein kompliziertes juristisches Manöver, aber das war eine Stellvertreterhochzeit ja auch. Wenn er nicht verheiratet sein wollte, müsste er es auch nicht sein, davon war er überzeugt.

»Edward?«

Ihre Stimme drang entfernt zu ihm durch, aber er war zu gedankenverloren, um zu antworten. Wollte er mit ihr verheiratet sein? Wenn nicht, konnte er sie auf keinen Fall ins Devil's Head begleiten. Er mochte nicht genügend Kraft haben, um richtig bei ihr zu liegen, doch wenn sie ein Zimmer teilten, und sei es auch nur für eine Nacht, wäre sie kompromittiert.

»Edward?«

Er wandte sich um, zwang sich, sich zu konzentrieren. Sie sah ihn besorgt an, doch selbst das konnte die verblüffende Klarheit ihrer Augen nicht trüben.

Sie legte eine Hand auf seine. »Sind Sie sicher, dass Sie schon weit genug wiederhergestellt sind, um das Lazarett zu verlassen? Soll ich den Arzt holen?«

Er betrachtete sie forschend. »Möchten Sie mit mir verheiratet sein?«

»Was?« Über ihre Züge huschte ein erschrockener Ausdruck. »Ich verstehe nicht.«

»Sie brauchen nicht mit mir verheiratet zu sein«, erklärte er vorsichtig. »Wir haben die Ehe noch nicht vollzogen.«

Sie öffnete die Lippen und starrte ihn verwundert an. »Ich dachte, Sie würden sich nicht daran erinnern«, hauchte sie.

»Ich muss mich auch nicht daran erinnern. Dazu reicht einfache Logik. Als Sie hier eingetroffen sind, war ich in Connecticut. Bevor Sie ins Lazarett kamen, waren wir nie auch nur in einem Zimmer zusammen.«

Sie schluckte, und sein Blick fiel auf ihre Kehle, ihren anmutig gebogenen Hals, auf den Puls unter ihrer Haut.

Gott, er wollte sie küssen.

»Was möchten Sie, Cecilia?«

Sag, dass du mich willst.

Der Gedanke explodierte förmlich in seinem Gehirn. Er wollte nicht, dass sie ihn verließ. Allein konnte er kaum stehen. Es würde Wochen dauern, bis er wieder halbwegs bei Kräften war. Er brauchte sie.

Und er begehrte sie.

Doch vor allem wollte er, dass sie ihn wollte.

Cecilia schwieg mehrere Augenblicke. Sie gab seine Hand frei, schlang sich die Arme um den Oberkörper. Offenbar fixierte sie irgendeinen Soldaten auf der anderen Seite der Kirche, als sie fragte: »Bieten Sie mir an, mich freizugeben?«

»Wenn es das ist, was Sie wollen.«

Langsam drehte sie sich zu ihm um und blickte ihm direkt in die Augen. »Was wollen *Sie* denn?«

»Das steht nicht zur Debatte.«

»Ich finde schon.«

»Ich bin ein Gentleman«, erklärte er steif. »Ich werde mich in dieser Angelegenheit nach Ihren Wünschen richten.«

»Ich …« Sie biss sich auf die Unterlippe. »Ich … will nicht, dass Sie das Gefühl haben, in der Falle zu sitzen.«

»Das habe ich nicht.«

»Nein?« Sie klang ehrlich überrascht.

Er zuckte mit den Schultern. »Irgendwann muss ich ja heiraten.«

Wenn sie dies unromantisch fand, so ließ sie es sich nicht anmerken.

»Offenkundig habe ich mich mit dieser Heirat einverstanden erklärt«, sagte er. Er liebte Thomas Harcourt wie einen Bruder, doch er konnte sich nicht vorstellen, dass er einer Ehe zugestimmt hätte, wenn er das nicht gewollt hätte. Wenn er mit Cecilia verheiratet war, dann weil er das verdammt noch mal gewollt hatte.

Er musterte sie aufmerksam.

Sie sah zu Boden.

Schätzte sie gerade ihre Möglichkeiten ab? Versuchte sie zu entscheiden, ob sie wirklich mit einem Mann verheiratet sein wollte, dessen Gehirn nicht richtig funktionierte? Vielleicht blieb es für den Rest seines Lebens so. Es war sogar möglich, dass der Schaden noch mehr betraf als nur seine Erinnerung. Was, wenn er eines Morgens aufwachte und nicht mehr sprechen konnte? Oder sich nicht mehr richtig bewegen konnte? Dann wäre sie gezwungen, sich um ihn zu kümmern wie um ein Kind.

Es konnte dazu kommen. Man wusste es einfach nicht.

»Was möchten Sie, Cecilia?«, fragte er eindringlich

»Ich ...« Sie schluckte, und als sie weitersprach, klang ihre Stimme schon sicherer. »Ich finde, wir sollten ins Devil's Head. Hier möchte ich dieses Gespräch nicht führen.«

»In der nächsten halben Stunde wird sich nichts ändern.«

»Trotzdem könnten Sie mal etwas zu sich nehmen, was nicht aus Mehl und Zucker besteht. Und Sie könnten baden. Und sich rasieren.« Sie stand auf, aber nicht so schnell, dass ihm die leise Röte entgangen wäre, die sich in ihre Wangen gestohlen hatte. »Für die beiden letzten Vorschläge werde ich Ihnen auch das Zimmer überlassen.«

»Sehr großzügig von Ihnen.«

Sie überging seinen trockenen Ton. Stattdessen griff sie nach seinem scharlachroten Rock, der wie eine offene Wunde über dem Fußende des Bettes lag, und hielt ihn ihm hin. »Wir haben heute Nachmittag eine Verabredung. Mit Major Wilkins.«

»Warum?«

»Er bringt Nachricht von Thomas. Zumindest hoffe ich das. Ich habe ihn gestern Abend im Gasthaus getroffen. Er hat versprochen, Erkundigungen einzuziehen.«

»Hat er das denn noch nicht?«

Sie sah etwas unbehaglich drein, als sie sagte: »Ich bin Ihrem Rat gefolgt und habe ihm von unserer Ehe erzählt.«

Ah. Jetzt wurde es ihm klar. Sie brauchte ihn auch. Edward rang sich ein Lächeln ab, über knirschenden Zähnen. Es passierte ihm nicht zum ersten Mal, dass eine Dame an ihm vor allem den Namen attraktiv fand. Wenigstens waren die Motive dieser speziellen Lady nicht selbstsüchtig.

Sie hielt ihm den Rock hin. Mit einiger Anstrengung stand er auf und ließ sich von ihr hineinhelfen.

»Ihnen wird warm werden«, warnte sie ihn.

»Wir haben Juni, wie Sie sagten.«

»Aber er ist ganz anders als der Juni in Derbyshire«, entgegnete sie.

Er gestattete sich ein Lächeln. Die Sommerluft in den Kolonien hatte etwas unangenehm Drückendes an sich. So ähnlich wie heißer Nebel sich anfühlen musste.

Er blickte zur Tür, atmete tief durch. »Ich … ich werde Hilfe brauchen.«

»Wir brauchen alle Hilfe«, gab sie ruhig zurück. Sie nahm ihn am Arm, und dann gingen sie gemeinsam und ohne ein weiteres Wort hinaus auf die Straße, wo eine Kutsche auf sie wartete, die sie zum nahe gelegenen Devil's Head brachte.

5. KAPITEL

*Du hast ihm meine Miniatur gezeigt? Wie schrecklich
peinlich. Thomas, was hast Du Dir nur dabei gedacht?
Natürlich muss er mich da hübsch finden. Etwas anderes
könnte er doch kaum sagen. Du bist mein Bruder. Da
kann er ja wohl kaum etwas über meine außergewöhnlich riesige Nase sagen.*

*– CECILIA HARCOURT AN IHREN BRUDER
THOMAS*

Eine Stunde später saß Cecilia im vorderen Salon des Devil's
Head und beendete ihr Mahl, während Edward in einer
kürzlich erschienenen Ausgabe der *Royal Gazette* blätterte.
Zu Beginn der Mahlzeit hatte sie ebenfalls eine Zeitung in
der Hand gehabt, war dann aber so erschrocken gewesen
von einem kurzen Artikel, in dem der Verkauf eines Schwarzen angepriesen wurde, »ein guter Koch und niemals seekrank«, dass sie die Zeitung weglegte und sich stattdessen
auf ihren Teller mit Schweinefleisch und Kartoffeln konzentrierte.

Edward hingegen las die Zeitung von vorn bis hinten, und
nachdem er den Gastwirt gebeten hatte, die letztwöchige
Ausgabe für ihn herauszusuchen, machte er sich daran, auch
die zu studieren. Er hatte sich nicht die Mühe gemacht, es
zu erklären, aber es lag auf der Hand, dass er versuchte, die

Lücken in seiner Erinnerung zu schließen. Cecilia war sich nicht sicher, ob er damit Erfolg haben würde – in einer Zeitung würde er wohl kaum Hinweise auf seinen Aufenthalt in Connecticut finden. Andererseits konnte es auch nicht schaden, und außerdem wirkte er auch wie jemand, der sich gern auf dem Laufenden hielt. In der Hinsicht war er wie Thomas. Ihr Bruder war nie vom Frühstückstisch aufgestanden, ehe er die gesamte *London Times* durchgelesen hatte. Bis sie Matlock Bath erreichte, war die Zeitung zwar schon ein paar Tage alt, aber das schien ihn nie zu stören. Besser, die Nachrichten mit etwas Verspätung zu erfahren als überhaupt nicht, hatte er oft gesagt, und außerdem konnten sie ja nichts daran ändern.

Ändere, was in deiner Macht steht, hatte er ihr einmal gesagt, *und mit dem Rest finde dich ab*. Was Thomas wohl von ihrem jüngsten Benehmen halten würde? Sie hatte so das Gefühl, er hätte seine Verletzung und das nachfolgende Verschwinden in die »Finde dich damit ab«-Kategorie eingeordnet.

Sie schnaubte leise. Dafür war es jetzt ein bisschen zu spät.

»Haben Sie etwas gesagt?«, fragte Edward.

Sie schüttelte den Kopf. »Ich habe nur an Thomas gedacht«, erwiderte sie, da sie sich ernsthaft bemühte, *nicht* zu lügen, wann immer es möglich war.

»Wir werden ihn schon finden«, sagte Edward. »Oder Nachricht bekommen, so oder so.«

Cecilia schluckte, um den Kloß in ihrem Hals zu beseitigen, und nickte dankbar. Sie war jetzt nicht mehr allein. Zwar war sie immer noch ängstlich und besorgt und voll Selbstzweifel, aber sie war nicht mehr allein.

Unglaublich, was das für einen Unterschied machte.

Edward wollte etwas sagen, doch sie wurden von der jungen Frau unterbrochen, die ihnen auch schon das Essen gebracht hatte. Wie alle Menschen in New York, so kam es zumindest Cecilia vor, sah sie müde und überarbeitet aus.

Und verschwitzt. Cecilia hatte keine Vorstellung, wie die Leute diese Sommer überlebten. Zu Hause war die Luft nie so feucht, außer es regnete.

Sie hatte gehört, dass die Winter ähnlich extrem waren. Hoffentlich war sie nicht mehr da, wenn der erste Schnee fiel. Ein Soldat im Lazarett hatte ihr erzählt, dass der Boden steinhart gefror und der eiskalte Wind einen in die Ohren biss.

»Sir«, sagte die junge Frau mit einem Knicks, »Ihr Bad ist bereit.«

»Jetzt haben Sie es noch nötiger«, sagte Cecilia und wies auf seine verschmierten Finger. Selbstverständlich hatten die Angestellten im Devil's Head weder Zeit noch Lust, die Druckerschwärze mit einem Plätteisen zu versiegeln.

»Da sehnt man sich wirklich nach der Bequemlichkeit des eigenen Heims«, murmelte er mit einem Blick auf seine Fingerspitzen.

Sie hob die Augenbrauen. »Wirklich? Das vermissen Sie am meisten? Eine gut gebügelte Zeitung?«

Er warf ihr einen strengen Blick zu, doch sie glaubte, dass es ihm in Wirklichkeit gefiel, wenn sie ihn aufzog. Männer wie er wollten nicht wie ein Invalide behandelt werden, wollten nicht, dass die Leute vorsichtig um sie herumtanzten und auf jedes Wort achteten, das sie in den Mund nahmen. Doch als er die Zeitung ablegte und zum Ausgang blickte, verkniff Cecilia es sich, ihn zu fragen, ob sie ihm die Treppe hinaufhelfen solle. Stattdessen stand sie schweigend auf und reichte ihm den Arm. Sie hatte gesehen, welche Überwindung es ihn gekostet hatte, sie im Lazarett um Hilfe zu bitten.

Manche Dinge tat man am besten ohne große Worte.

Eigentlich war sie sogar dankbar, dass er sie während des ganzen Mahls nicht beachtet und stattdessen seine Zeitung gelesen hatte. Sie war immer noch erschüttert von seinem Angebot, sie aus der Ehe zu entlassen. Das hätte sie von ihm nie – *niemals* – erwartet. Im Nachhinein konnte sie sich glücklich schätzen, dass ihr die Knie nicht nachgegeben hatten. Sie hatte dagestanden mit einem Berg niederländischer Kekse, und er hatte ihr plötzlich angeboten, sie freizugeben.

Als ob *er* es gewesen wäre, der *sie* in die Falle gelockt hätte.

Sie hätte zustimmen sollen. Sie versuchte sich einzureden, dass sie es ja getan hätte, wenn nicht …

Wenn nicht dieser Gesichtsausdruck gewesen wäre.

Er hatte keinen Muskel bewegt. Aber es war nicht so, als wäre seine Miene erstarrt. Sie war einfach nur … reglos.

Als hätte er den Atem angehalten.

Und es nicht einmal gemerkt.

Er wollte sie nicht gehen lassen.

Cecilia wusste nicht, warum sie sich da so sicher war. Sie hatte keinen Grund zu der Annahme, dass sie sein Mienenspiel zu deuten verstand, dass sie wusste, welche Emotionen in seinen saphirblauen Augen durchschimmerten. So richtig, von Angesicht zu Angesicht, kannte sie ihn ja erst einen Tag.

Sie konnte sich nicht denken, warum er wollte, dass sie blieb, einmal abgesehen von dem Umstand, dass er eine Pflegerin brauchte und sie gerade da war, doch er schien auch mit ihr verheiratet bleiben zu wollen.

Die Ironie wurde immer größer.

Aber sie war zu dem Schluss gelangt, dass sie nicht riskieren konnte, ihm vor ihrem Treffen mit Major Wilkins die Wahrheit zu offenbaren. Sie hatte so den Eindruck, dass Captain Edward Rokesby ein Musterbeispiel an Ehrlichkeit war, und sie wusste nicht, ob er einen ranghöheren Offizier anlügen könnte oder wollte. Vielleicht würde er sich moralisch verpflichtet fühlen, ihm zu sagen, dass er Miss Cecilia Harcourt zwar bei der Suche nach ihrem Bruder unterstützen wolle, er aber in Wirklichkeit gar nicht ihr Ehegatte sei.

Cecilia konnte sich nicht einmal ausmalen, was bei diesem Gespräch wohl herauskommen mochte.

Nein, wenn sie Edward gestand, wie sie ihn an der Nase herumgeführt hatte, würde sie das nach dem Treffen mit dem Major tun müssen.

Sie redete sich ein, dass dies vertretbar wäre.

Sie redete sich eine Menge ein.

Und dann versuchte sie, nicht darüber nachzudenken.

»Die Stufen sind schmal«, sagte sie zu Edward, als sie sich der Treppe näherten, »und ziemlich hoch.«

Er bedankte sich mit einem Knurren für die Warnung, und dann gingen sie nach oben, wobei sie ihn stützte. Sie hatte keine Vorstellung, wie es sich für ihn anfühlte, so auf andere angewiesen zu sein. Sie hatte ihn nie bei guter Gesundheit erlebt, doch er war groß, und seine Schultern sahen aus, als könnten sie breit und stark sein, wenn er wieder ein wenig Muskeln aufbaute.

Ein Mann wie er war es sicher nicht gewohnt, beim Treppensteigen Hilfe anzunehmen.

»Unser Zimmer ist gleich den Flur hinunter«, sagte sie und wies nach links, als sie in ihrem Stockwerk angekommen waren. »Nummer zwölf.«

Er nickte, und als sie vor ihrer Tür standen, ließ sie seinen Arm los und reichte ihm den Zimmerschlüssel. Es war nicht viel, aber es war etwas, was er für sie tun konnte, und sie wusste, dass er sich dadurch ein wenig besser fühlen würde, auch wenn ihm nicht klar war, warum.

Doch kurz bevor er den Schlüssel ins Schloss steckte, sagte er: »Das ist Ihre letzte Chance.«

»Wie ... wie bitte?«

Mit einem lauten Klicken drehte sich der Schüssel im Schloss.

»Wenn Sie unsere Ehe annullieren möchten«, sagte er mit fester Stimme, »dann müssen Sie mir das jetzt sagen.«

Cecilia versuchte etwas zu erwidern, bemühte sich sehr, doch ihr schlug das Herz bis zum Hals, und ihre Finger und Zehen kribbelten. Sie konnte sich nicht entsinnen, je so überrascht gewesen zu sein. Oder so erschrocken.

»Ich werde das nur einmal sagen«, erklärte Edward, dessen Ruhe in bemerkenswertem Gegensatz stand zu dem Aufruhr in ihr. »Sobald Sie dieses Zimmer betreten, ist unsere Ehe endgültig.«

Vor lauter Unsicherheit drohte Cecilia in Gekicher auszubrechen. »Seien Sie nicht albern. Sie werden mir an diesem Nachmittag kaum die Unschuld rauben.« Dann ging ihr auf, dass sie vielleicht gerade seine Männlichkeit beleidigt hatte. »Ähm, zumindest nicht vor Ihrem Bad.«

»Sie wissen genauso gut wie ich, dass es keine Rolle spielt, wann ich Sie in mein Bett nehme«, sagte er mit flammendem Blick. »Sobald wir diesen Raum zusammen betreten, als verheiratetes Paar, sind Sie kompromittiert.«

»Man kann seine Ehefrau nicht kompromittieren«, versuchte sie zu scherzen.

Er stieß einen Fluch aus, ein leises, gereiztes Knurren. Die Blasphemie passte überhaupt nicht zu ihm und verblüffte Cecilia so sehr, dass sie einen Schritt zurücktrat.

»Darüber macht man keine Scherze«, sagte er. Wieder schien er sich ganz still zu halten, doch diesmal verriet ihn sein ungestümer Puls am Hals. »Ich biete Ihnen die Möglichkeit zu gehen.«

Sie schüttelte den Kopf. »Aber warum?«

Er blickte den Flur hinauf und hinunter und zischte dann: »Weil ich lädiert bin, verdammt.«

Wenn sie nicht an einem so öffentlichen Ort gewesen wären, hätte er es hinausgeschrien, dessen war Cecilia sich sicher. Sein eindringlicher Ton würde auf ewig in ihre Erinnerung eingebrannt sein.

Und es brach ihr das Herz.

»Nein, Edward«, versuchte sie ihn zu beschwichtigen, »so dürfen Sie nicht denken. Sie sind …«

»Ich habe das Gedächtnis verloren, mir fehlt ein Stück meines Verstands«, unterbrach er sie.

»Nein. Nein.« Mehr schien sie nicht sagen zu können.

Er packte sie bei den Schultern, und seine Finger bohrten sich ihr schmerzhaft in die Haut. »Sie müssen sich darüber im Klaren sein. Ich bin nicht unversehrt.«

Sie schüttelte den Kopf. Sie hätte ihm gern gesagt, dass er vollkommen sei und sie eine Schwindlerin. Und dass es ihr so sehr leidtat, dass sie seinen Zustand auf diese Weise ausnutzte.

Das würde sie nie wiedergutmachen können.

Er ließ sie abrupt los. »Ich bin nicht der Mann, den Sie geheiratet haben.«

»Ich bin vermutlich auch nicht die Frau, die Sie geheiratet haben«, murmelte sie.

Er starrte sie an. Er starrte sie so lange an, dass ihre Haut zu prickeln begann. »Aber ich glaube …«, flüsterte sie, und sie überlegte erst während des Sprechens, was sie sagen wollte, »ich glaube, dass Sie mich … dass du mich vielleicht brauchst.«

»Lieber Gott, Cecilia, du hast ja keine Ahnung.«

Und dann, mitten auf dem Flur, riss er sie in die Arme und küsste sie.

Edward hatte nicht geplant, es zu tun. Verflucht, er hatte das Richtige zu tun versucht. Aber Cecilia hatte ihn angeblickt mit diesen gischtgrünen Augen, und als sie dann geflüstert hatte, dass er sie brauche …

Das Einzige, was ihn noch härter hätte werden lassen, wäre ihr Geständnis gewesen, dass *sie ihn* bräuchte.

Er hatte keine Kraft. Er hatte mindestens zwölf Pfund verloren und kam nicht mal allein die Treppe hoch, aber, bei Gott, seine Frau konnte er küssen.

»Edward«, sagte sie keuchend.

Er zog sie durch die Tür. »Wir bleiben verheiratet.«

»Oh Gott.«

Er hatte keine Ahnung, was das heißen sollte, aber es war ihm auch egal.

Das Zimmer war klein, das Bett nahm beinahe den halben Raum ein, daher fiel es ihm nicht schwer, bis zum Bettrand zu kommen, sich hinzusetzen und Cecilia mit sich hinunterzuziehen.

»Edward, ich …«

»Shhh«, befahl er und umfasste ihr Gesicht. »Ich will dich ansehen.«

»Warum?«

Er lächelte. »Weil du mir gehörst.«

Ihre Lippen teilten sich zu einem köstlichen Oval. Er nahm es als göttliches Zeichen und küsste sie erneut. Zuerst reagierte sie nicht, doch sie schob ihn auch nicht weg. Stattdessen hatte er den Eindruck, dass sie sich bewusst nicht rührte, den Atem anhielt, um zu sehen, ob dieser Augenblick wirklich real war.

Und dann, gerade als er dachte, er müsste sie freigeben, spürte er es – eine winzige Bewegung ihrer Lippen, ihre Stimme an seiner Haut, als sie leise aufstöhnte.

»Cecilia«, raunte er. Er wusste nicht, was er die letzten Monate gemacht hatte, aber er hatte das Gefühl, dass es nichts war, worauf man stolz sein konnte. Es war weder rein noch schön gewesen und all das, was er in ihrem Blick entdeckte.

Als er sie küsste, schmeckte er das Versprechen der Erlösung.

Leichthin strich er ihr mit dem Mund über die Lippen, zart wie ein Flüstern. Aber das reichte nicht, und als sie ein leises, lustvolles Wimmern ausstieß, knabberte er an ihren Lippen, fuhr mit den Zähnen sanft an der Innenseite ihrer Lippen entlang.

So hätte er den ganzen Nachmittag verbringen können. Neben ihr auf dem Bett liegen und ihr huldigen wie der Göttin, die sie war. Es wäre nur ein Kuss, zu mehr wäre er kaum fähig. Aber es wäre ein endloser Kuss – weich, genüsslich und tief, eine Liebkosung würde auf die andere folgen.

Es war seltsam – Begehren zu empfinden ohne Dringlichkeit. Er entschied, dass es ihm gefiel – vorerst. Wenn er wieder bei Kräften war, wenn er wieder er selbst war, würde er sie lieben, würde sich mit ganzer Seele dem Liebesspiel verschreiben. Er kannte sich – und sie – gut genug, um zu wissen, dass ihn die Erfahrung bis an den Rand treiben würde.

Und dann darüber hinaus.

»Du bist schön«, murmelte er, und dann, weil es ihm wichtig erschien, ihr zu sagen, dass er auch ihre innere Schönheit sah, »und so gut.«

Sie erstarrte. Es war eine kaum merkliche Reaktion, doch seine Sinne waren so auf sie eingestimmt, dass er es auch bemerkt hätte, wenn sie anders geatmet hätte.

»Wir müssen aufhören«, sagte sie, und obwohl er das Bedauern in ihrer Stimme hörte, hörte er keinen Mangel an Entschlossenheit.

Er seufzte. Er begehrte sie. Er fühlte es in sich wie eine sich ausdehnende Wolke, aber in einem solchen Zustand – ungewaschen, erschöpft – konnte er sie auch nicht lieben. Sie hatte weitaus Besseres verdient, und wenn er ehrlich war, auch er selbst.

»Das Wasser wird kalt«, sagte sie.

Er sah zur Badewanne. Sie war nicht groß, aber sie würde schon ausreichen, und er wusste, dass der Dampf, der aus ihr aufstieg, nicht von Dauer wäre.

»Ich sollte runtergehen«, sagte sie und kam ungeschickt auf die Füße. Ihr Kleid war von einem zarten, gedämpften Rosa, ihre Hände schienen darin zu verschwinden, als sie nach den Rockfalten griff und den Stoff zwischen den Fingern drehte.

Sie sah ungeheuer verlegen aus, was er einfach hinreißend fand.

»Du solltest dich deswegen nicht schämen«, erinnerte er sie. »Ich bin dein Mann.«

»Noch nicht«, murmelte sie. »Nicht auf diese Weise.«

Er spürte, wie ein Lächeln in ihm aufstieg.

»Ich sollte jetzt wirklich gehen«, sagte sie, ohne einen Schritt zu tun.

Das Lächeln weitete sich zu einem veritablen Grinsen aus. »Meinetwegen brauchst du nicht zu gehen. Ich halte viel vom Mittelalter. Damals galt es als erste frauliche Pflicht, den Gatten zu baden.«

Darauf verdrehte sie die Augen, und in ihm breitete sich ein warmes Glücksgefühl aus. Ihre Verlegenheit amüsierte ihn, aber noch besser gefiel es ihm, wenn sie sich gegen ihn behauptete.

»Ich könnte ertrinken, weißt du«, sagte er.

»Also bitte.«

»Doch, wirklich. Ich bin sehr müde. Was, wenn ich in der Wanne einschlafe?«

Sie hielte inne, und ein paar Augenblicke dachte er schon, sie würde ihm tatsächlich glauben. »Du wirst nicht in der Wanne einschlafen«, sagte sie endlich.

Er seufzte theatralisch auf, wie um zu sagen: *Das kann man nie wissen*, doch dann erbarmte er sich ihrer und sagte: »Komm in zehn Minuten wieder.«

»Nur zehn?«

»Ist das ein Kommentar zu meinem allgemeinen Verschmutzungsgrad?«

»Ja«, sagte sie deutlich.

Er lachte laut auf. »Du bist sehr kurzweilig, wusstest du das, Cecilia Rokesby?«

Sie verdrehte noch einmal die Augen und reichte ihm das Handtuch, das sauber gefaltet am Fußende des Bettes lag.

Er seufzte dramatisch. »Ich würde gern sagen, dass ich dich deswegen geheiratet habe, aber wir beide wissen ja, dass das nicht stimmt.«

Darauf wandte sie sich zu ihm um. Ihr Gesicht war merkwürdig ausdruckslos. »Was hast du gesagt?«

Er zuckte mit den Schultern und legte den Rock ab. »Ich kann mich offenbar nicht daran erinnern, warum ich dich geheiratet habe.«

»Oh. Ich dachte, du meintest ...«

Er betrachtete sie mit gerunzelter Stirn.

»Ach, egal.«

»Nein, sag.«

Doch ihr Gesicht war bereits ziemlich rot geworden. »Ich dachte, vielleicht beziehst du dich auf ...«

Er wartete. Sie beendete den Satz nicht. »Den Kuss?«, schlug er vor.

Auch wenn er es nicht für möglich gehalten hätte: Sie wurde noch röter. Er legte die kurze Distanz zwischen ihnen zurück und berührte Cecilia mit gerade so viel Druck am Kinn, dass sie den Kopf hob.

»Wenn ich dich vor unserer Hochzeit geküsst hätte«, sagte er sanft, »gäbe es jetzt keinen Zweifel, was die Dauerhaftigkeit unserer Ehe angeht.«

Bezaubernd verwirrt furchte sie die Stirn.

Er streifte ihre Lippen mit den seinen und sagte dann an ihrer Wange: »Wenn ich gewusst hätte, was es heißt, dich zu küssen, hätte ich mich nicht von der Armee wegschicken lassen.«

»Das sagst du doch nur«, murmelte sie leise an seinem Ohr.

Mit amüsiertem Lächeln rückte er von ihr ab.

»Einem direkten Befehl hättest du dich doch nicht widersetzt«, fügte sie hinzu.

»Von dir? Niemals.«

»Hör auf.« Sie versetzte ihm ein paar spielerische Schläge. »Du weißt genau, dass ich das nicht so gemeint habe.«

Er nahm ihre Hand und drückte einen Kuss darauf. Verdammt, wenn ihm im Moment nicht ganz albern romantisch zumute war! »Ich versichere Ihnen, Mrs. Rokesby, für eine Hochzeitsnacht hätte ich schon Zeit gefunden.«

»Du solltest jetzt dein Bad nehmen.«

»Autsch.«

»Außer du magst kaltes Wasser.«

Er kam allmählich zu dem Schluss, dass er kaltes Wasser *brauchen* würde. »Schon verstanden. Aber wenn ich noch eine Sache zu unserem Gespräch beisteuern dürfte ...«

»Warum glaube ich nur, dass ich in wenigen Sekunden gleich furchtbar rot werde?«

»Du wirst ja jetzt schon rot«, teilte er ihr hocherfreut mit, »und ich wollte nur sagen ...«

»Ich bin dann unten!«, rief sie und eilte zur Tür.

Edward lächelte vom Scheitel bis zur Sohle, selbst wenn er nichts mehr anzusehen hatte als die Innenseite der Zimmertür.

»Ich wollte nur sagen«, erklärte er laut, und sein Glücksgefühl färbte jedes seiner Worte warm und rosig, »dass sie ganz spektakulär gewesen wäre.«

Die Hochzeitsnacht *wird* spektakulär, dachte er, während er die übrigen Kleider abstreifte und in die Wanne stieg.

Bald, wenn es nach ihm ging.

6. KAPITEL

*Wovon zum Teufel redest Du da? Du hast doch keine
außergewöhnlich riesige Nase.*
*– THOMAS HARCOURT AN SEINE SCHWESTER
CECILIA*

Edward hatte gesagt, dass er zehn Minuten brauche, doch
Cecilia wartete ganze fünfundzwanzig, ehe sie sich ins Zimmer zwölf zurücktraute. Eigentlich hatte sie eine halbe
Stunde unten bleiben wollen, doch dann hatte sie angefangen, sich Gedanken zu machen – er war immer noch furchtbar schwach. Wenn er nun Schwierigkeiten hätte, aus der
Wanne zu steigen?

Inzwischen musste sich das Wasser abgekühlt haben. Er
könnte sich erkälten. Sicher, ihm stand seine Privatsphäre zu,
die wollte sie ihm auch lassen, aber nicht auf Kosten seiner
Gesundheit.

Es stimmte, dass sie ihn in höchst unsittlichem Zustand
gesehen hatte, als sie ihn im Lazarett gepflegt hatte, aber sie
hatte ihn nicht *ganz* gesehen. Sie hatte gelernt, äußerst kreativ
mit dem Laken umzugehen. Sie hatte es so und anders dra-
piert und es immer geschafft, dass seine Würde gewahrt blieb.

Und ihre Keuschheit.

Ganz New York mochte sie für eine verheiratete Frau halten, aber sie war immer noch unschuldig, selbst wenn ein

Kuss von Captain Edward Rokesby ihr den Atem geraubt hatte.

Den Atem?

Den Verstand.

Es sollte wirklich verboten werden, dass ein Mann solche Augen hatte. Farblich irgendwo zwischen Aquamarin und Saphir angesiedelt, konnten sie ein Mädchen mit einem einzigen Blick hypnotisieren. Und ja, sie hatte die Augen geschlossen, als er sie küsste, aber das spielte kaum eine Rolle, denn vor ihrem geistigen Auge hatte sie die ganze Zeit jenen Moment, kurz bevor seine Lippen die ihren berührten, gesehen, als sie glaubte, im tiefen Blau seiner Augen zu versinken.

Ihre eigenen Augen hatten ihr immer gefallen, sie war stolz auf das helle Grün, das sie von der Masse unterschied. Doch Edward …

Er war ein schöner Mann, daran führte kein Weg vorbei.

Aber möglicherweise erfriert er auch gerade, dachte sie. Oder ihm war so kalt, dass er sich verkühlte, und das konnte ihn dann weiß Gott umbringen.

Sie begab sich nach oben.

»Edward?«, rief sie und klopfte leise an die Tür. Dann dachte sie – warum ist er so still?

Sie klopfte fester. »Edward?«

Keine Antwort.

Ein ahnungsvoller Schauer überlief sie, und sie packte den Türknauf und drehte ihn.

Die Tür schwang auf. Sie trat mit abgewendetem Blick ein und sagte dabei noch einmal seinen Namen. Als er immer noch nicht antwortete, wandte sie sich schließlich zur Wanne.

»Du bist ja doch eingeschlafen!« Die Worte waren ihr über

die Lippen geschlüpft, ehe sie sich darüber klar wurde, dass sie ihn vielleicht lieber nicht auf so energische Weise wecken sollte.

»Aah!« Mit einem Schrei und einem Platschen wachte Edward auf, Wasser spritzte durch die Luft, und Cecilia lief, ohne darüber nachzudenken, durchs Zimmer.

Aber sie konnte nicht einfach vor ihm stehen bleiben. Er war *nackt*.

»Du hast gesagt, du würdest nicht einschlafen«, sagte sie anklagend, wobei sie der Badewanne entschlossen den Rücken zukehrte.

»Nein, *du* sagtest, ich würde nicht einschlafen«, widersprach er. Und hatte damit auch noch recht, verflixt.

»Nun«, sagte sie in einem Ton, der deutlich verriet, dass sie keine Ahnung hatte, wie sie sich verhalten sollte. »Vermutlich ist das Wasser jetzt ganz kalt.«

Kurzes Schweigen, darauf: »Es geht schon.«

Sie trat von einem Fuß auf den anderen, gab dann schließlich auf und verschränkte die Arme vor der Brust. Nicht, dass sie wütend gewesen wäre, sie wusste nur nicht recht, was sie mit ihrem Körper anfangen sollte. »Ich würde nicht wollen, dass du dir eine Erkältung holst«, sagte sie zu ihren Füßen.

»Nein.«

Nein? Mehr hatte er dazu nicht zu sagen? *Nein?*

»Ähm, Cecilia?«

Sie stieß ein Geräusch aus zum Zeichen, dass sie ihn gehört hatte.

»Meinst du, du könntest die Tür schließen?«

»*Achherrjedastutmiraberleid.*« Sie rannte durch den Raum – was angesichts der beengten Verhältnisse kein sehr

99

anmutiges Unterfangen war – und schlug die Tür mit weitaus mehr Nachdruck zu, als eigentlich geboten gewesen wäre.

»Bist du noch da?«, fragte Edward. Mit einiger Verspätung wurde Cecilia klar, dass er sie nicht sehen konnte. Er saß mit dem Rücken zur Tür, und die Wanne war viel zu klein, als dass er sich hätte umdrehen können.

»Ähm, ja?« Es kam wie eine Frage heraus. Sie hatte keine Ahnung, warum.

Darauf entstand eine kurze Pause, in der er sich vermutlich überlegte, wie er auf diese alberne Antwort reagieren sollte, doch am Ende fragte er nur: »Glaubst du, du könntest mir ein Handtuch reichen?«

»Oh. Ja. Natürlich.« Sie schob sich zum Bett vor, wobei sie der Badewanne eisern den Rücken zukehrte, und griff sich das Handtuch. Von dort brauchte sie nur den Arm nach hinten auszustrecken, um es ihm zu geben.

Er nahm es und räusperte sich. »Ich sage das jetzt nicht, um dich in Verlegenheit zu bringen …«

Was bedeutete, dass sie in Verlegenheit gebracht würde.

»… und ich weiß deine Versuche zu schätzen, meiner Schamhaftigkeit Rechnung zu tragen, aber hast du, ähm, mich denn nicht schon gesehen, als du dich um mich gekümmert hast?«

»Nicht so«, murmelte sie.

Wieder entstand eine kleine Pause, und diesmal konnte sie sich vorstellen, wie sich in seiner Stirn eine tiefe Falte bildete, während er sich ihre Antwort durch den Kopf gehen ließ.

»Ich habe dich mit einem Laken zugedeckt«, sagte sie schließlich.

»Immer?«

»Ich war sehr motiviert.«

Das entlockte ihm ein Lachen.

»Ich gehe jetzt, glaube ich, wieder nach unten.« Sie setzte sich Richtung Tür in Bewegung. »Ich wollte mich nur vergewissern, dass du dich nicht erkältest.«

»Im Juni?«

»Du warst krank«, entgegnete sie spröde.

Er seufzte. »Ich bin es noch.«

Cecilia presste die Lippen aufeinander und nahm allen Mut zusammen. Er hatte recht, seine Gesundheit war wichtiger als ihr empfindsames Zartgefühl. Sie atmete tief durch. »Brauchst du Hilfe, um aus der Wanne zu kommen?«

»Nein«, sagte er ruhig. »Hoffe ich zumindest.«

»Vielleicht sollte ich bleiben.« Sie wich noch ein Stück weiter zur Tür zurück. »Nur während du rauskommst. Für den Fall, dass du mich brauchst.«

Hoffentlich würde das nicht der Fall sein. Das Handtuch war nicht sehr groß.

Kurz darauf hörte sie einen angestrengten Ruck, gefolgt von Geplätscher, als das Wasser gegen den Wannenrand schlug.

»Bist du …«

»Alles in Ordnung«, stieß er hervor.

»Tut mir leid.« Sie hätte nicht fragen sollen. Er war stolz. Doch sie hatte ihn die letzten Tage gepflegt, und es fiel ihr schwer, einfach damit aufzuhören, selbst wenn sie verzweifelt darum bemüht war, nicht hinzusehen.

»Es ist nicht deine Schuld.«

Sie nickte, obwohl sie keine Ahnung hatte, ob er in ihre Richtung blickte.

»Du kannst dich jetzt umdrehen.«

»Bist du sicher?«

»Ich bin zugedeckt.« Er klang, als hätte er bald genug von ihrer Prüderie.

»Danke.« Sie drehte sich um. Wenn auch langsam. Sie wusste nicht, wie dieses *zugedeckt* zu verstehen war.

Er lag auf dem Bett, auf die Kissen gestützt, und hatte sich die Decken über den Schoß gebreitet. Sein Oberkörper war nackt. Den hatte sie zwar auch schon gesehen, als sie ihn während des Fiebers gewaschen hatte, doch war es jetzt, da er die Augen offen hatte, etwas ganz anderes.

»Du siehst besser aus«, sagte sie. Es stimmte. Er hatte sich das Haar gewaschen, und sein Teint wirkte frischer.

Er lächelte müde und fasste sich an den Bart. »Rasiert habe ich mich nicht.«

»Schon gut«, versicherte sie ihm. »Es besteht keinerlei Eile.«

»Ich glaube nicht, dass ich mich vorher richtig sauber fühle.«

»Oh. Na ja …« Cecilia wusste, dass sie ihm anbieten sollte, ihn zu rasieren. Das war offensichtlich das Beste, was sie für ihn tun konnte, damit er sich wohler fühlte, aber es war eine so intime Handlung. Der einzige Mann, den sie je rasiert hatte, war ihr Vater gewesen. Er hatte keinen Kammerdiener gehabt, und als seine Hände zu arthritisch geworden waren, hatte sie diese Aufgabe übernommen.

»Du brauchst es nicht zu tun«, sagte Edward.

»Nein, nein, ich kann das schon machen.« Ihr Benehmen war töricht und zimperlich. Sie hatte ganz allein den Atlantik überquert. Sie hatte Colonel Zachary Stubbs, Offizier in der Königlichen Armee, direkt ins Gesicht gelogen, um einem Mann das Leben zu retten. Dann würde sie diesem Mann doch auch sicher den Bart abrasieren können.

»Ich sollte mich vermutlich erkundigen, ob du schon mal einen Mann rasiert hast«, murmelte Edward.

Sie unterdrückte ein Lächeln und sah sich nach dem Rasiermesser und dem Pinsel um. »Eine Frage, die mir durchaus berechtigt zu sein scheint, ehe du mir gestattest, dir ein Messer an die Kehle zu legen.«

Er lachte. »In meiner Truhe ist eine kleine Lederschatulle. Darin findest du alles, was du brauchst.«

Ach ja. Seine Truhe. In der Zeit, in der er vermisst worden war, hatte man Edwards Habseligkeiten für ihn aufbewahrt. Colonel Stubbs hatte sie an diesem Tag ins Devil's Head bringen lassen.

Cecilia linste in die Truhe auf die sauber gefalteten Kleider, die Bücher, die Papiere. Es kam ihr schrecklich intim vor, in seinen Sachen herumzukramen. Was nahm ein Mann in ein fremdes Land mit? Vermutlich sollte ihr die Frage nicht ganz so seltsam vorkommen. Schließlich hatte sie selbst schon für eine Reise über den Ozean gepackt. Im Gegensatz zu Edward hatte sie allerdings nicht die Absicht gehabt, lange zu bleiben, und sich daher nur auf das Allernotwendigste beschränkt: Erinnerungen an zu Hause hatten dabei keine Rolle gespielt. Das einzige Erinnerungsstück, das sie eingepackt hatte, war eine Miniatur ihres Bruders, und das auch nur, weil sie glaubte, es könnte ihr bei der Suche nach ihm helfen, wenn sie erst einmal in Nordamerika angekommen war.

Sie schnaubte. Sie hatte geglaubt, dass sie vielleicht Hilfe brauchen würde, um Thomas in einem Lazarett zu finden. Dass sie eine gesamte Kolonie nach ihm würde absuchen müssen, damit hatte sie nicht gerechnet.

»Siehst du sie?«, fragte Edward.

»Ähm, nein«, murmelte sie und legte ein weiches weißes Leinenhemd beiseite. Es war abgetragen und offensichtlich oft gewaschen worden, aber sie kannte sich mit der Schneiderei gut genug aus, um zu erkennen, dass es außerordentlich gut gearbeitet war. Thomas besaß keine solchen feinen Hemden. Hatten seine auch so lange gehalten wie Edwards? Sie versuchte sich vorzustellen, wie er seine Kleider flickte, doch es gelang ihr nicht. Früher hatte sie dergleichen für ihn erledigt. Sie hatte sich zwar beschwert, aber sie hatte es getan.

Was gäbe sie dafür, wenn sie es jetzt wieder tun könnte.

»Cecilia?«

»Tut mir leid.« Sie entdeckte die Ecke einer Lederschatulle und legte die Hand darum. »Ich war in Gedanken.«

»Ich hoffe, es handelte sich um etwas Interessantes.«

Sie drehte sich zu ihm um. »Ich habe an meinen Bruder gedacht.«

Edwards Miene wurde ernst. »Natürlich. Tut mir leid.«

»Ich hätte ihm gern dabei geholfen, seine Sachen zu packen«, erklärte sie. Sie blickte Edward an. Er sagte nichts, nickte aber zum Zeichen, dass er sie verstand.

»Er ist nicht mehr nach Hause gekommen, bevor er nach Nordamerika aufbrach«, fuhr Cecilia fort. »Ich weiß nicht, ob jemand ihm geholfen hat.« Sie blickte auf. »Hattest du jemanden?«

»Meine Mutter«, bestätigte Edward. »Sie hat darauf bestanden. Aber ich konnte auch vor der Abreise noch einmal nach Hause zurückkehren. Crake House ist nicht weit von der Küste entfernt. Auf einem schnellen Pferd dauert es keine zwei Stunden.«

Cecilia nickte traurig. Edwards und Thomas' Regiment war vom geschäftigen Hafen Chatham in Kent aus in die Neue Welt aufgebrochen. Nach Derbyshire war es viel zu weit gewesen, Thomas hatte nicht einmal in Betracht gezogen, noch einmal nach Hause zu reisen.

»Thomas ist ein paarmal mit zu mir nach Hause gekommen«, sagte Edward.

»Wirklich?« Cecilia war überrascht, wie sehr sie das freute. Was Thomas über die Kaserne berichtet hatte, hatte ziemlich trostlos geklungen. Sie war froh, dass er die Möglichkeit gehabt hatte, etwas Zeit in einem richtigen Heim zu verbringen, mit einer richtigen Familie. Sie blickte zu Edward hinüber und sagte mit einem leichten Lächeln und einem Kopfschütteln: »Das hat er nie erwähnt.«

»Und ich dachte, ihr beide hättet euch alles anvertraut.«

»Alles nicht«, sagte Cecilia, größtenteils zu sich selbst. Sie hatte Thomas jedenfalls nicht geschrieben, wie sehr sie es genoss, in seinen Briefen an sie von Edward zu hören. Wenn sie Gelegenheit gehabt hätte, sich mit ihrem Bruder zusammenzusetzen, von Angesicht zu Angesicht mit ihm zu reden, hätte sie ihm dann erzählt, dass sie sich ein wenig in seinen besten Freund verliebt hatte?

Eher nicht. Manches war einfach privat, selbst dem Lieblingsbruder gegenüber.

Sie schluckte den Kloß hinunter, der sich in ihrer Kehle bildete. Thomas hatte immer gern gesagt, dass er ihr Lieblingsbruder sei, worauf sie immer erwidert hatte, dass er ja ihr *einziger* Bruder sei. Und dann hatte ihr Vater, der nie viel Sinn für Humor gehabt hatte, immer geknurrt, dass er das schon öfter von ihnen gehört habe und ob sie das nicht einmal endlich klären könnten.

»Woran denkst du?«, fragte Edward.

»Tut mir leid. Wieder an Thomas.« Sie verzog den Mund. »Habe ich traurig ausgesehen?«

»Nein. Eigentlich recht glücklich.«

»Oh.« Sie blinzelte ein paarmal. »Das war ich wohl auch.«

Edward nickte zur offenen Truhe. »Du hast gesagt, du hättest ihm gern beim Packen geholfen?«

Sie dachte einen Augenblick nach, und dann wurde ihre Miene sehnsüchtig. »Ich glaube schon. Es wäre schön gewesen, mich auf die Art und Weise von ihm zu verabschieden.«

Edward nickte.

»Notwendig natürlich nicht«, fuhr sie energisch fort und wandte sich um, damit er nicht sah, wie sie die Tränen wegblinzelte. »Aber schön.«

»Ich habe die Hilfe meiner Mutter eigentlich gar nicht gebraucht«, sagte Edward ruhig.

Cecilia drehte sich langsam wieder zu ihm um, blickte in das Gesicht, das ihr in so kurzer Zeit so lieb geworden war. Zwar wusste sie nicht, wie seine Mutter aussah, konnte sich die Szene aber dennoch irgendwie vorstellen: Edward, groß und stark und kompetent, wie er eine Spur Unfähigkeit simulierte, damit seine Mutter einen Wirbel um ihn veranstalten konnte.

Mit ernstem Respekt sah sie ihm in die Augen. »Du bist ein guter Mensch, Edward Rokesby.«

Einen Augenblick wirkte er von dem Kompliment beinahe überrascht, und dann errötete er, obwohl das unter dem Bart gar nicht so gut zu erkennen war. Sie senkte den Kopf, um ein Lächeln zu verbergen. Bald würde er sich nicht mehr hinter seinem Bart verstecken können.

»Sie ist meine Mutter«, murmelte Edward.

Cecilia öffnete eine der Schließen am Rasierzeug. »Wie gesagt, ein guter Mensch.«

Er wurde wieder rot. Sehen konnte sie es zwar nicht – sie hatte ihm schon beinahe den Rücken gekehrt –, doch sie hätte schwören mögen, dass sie es spürte, wie eine Kräuselwelle in der stillen Zimmerluft.

Sie fand es herrlich, dass er rot wurde.

Sie fand es herrlich, dass sie es verursacht hatte.

Immer noch lächelnd, beugte sie sich über die Truhe und strich mit den Fingern über den Rand. Wie all seine Sachen war auch sie vorzüglich gearbeitet, aus edlem Holz und Eisen. In den Deckel waren mit Nägeln Edwards Initialen gehämmert. »Wofür steht denn das G?«

»Das G?«

»Bei deinen Initialen. EGR.«

»Ah. George.«

Sie nickte. »Natürlich.«

»Warum natürlich?«

Sie blickte zu ihm hinüber. »Wofür könnte es denn sonst stehen?«

Er verdrehte die Augen. »Gregory. Geoffrey.«

»Nein«, sagte sie, und um ihre Mundwinkel bildete sich ein durchtriebenes Lächeln.

»*Gawain.*«

Jetzt verdrehte sie die Augen. »Bitte. Du bist ein George.«

»Mein Bruder ist ein George«, korrigierte er sie.

»Du anscheinend auch.«

Er zuckte mit den Schultern. »Der Name ist in der Familie sehr verbreitet.« Er sah zu, wie sie die Lederschatulle öffnete und sein Rasiermesser herausnahm. »Und deiner?«

»Mein zweiter Vorname? Esmeralda.«

Er riss die Augen auf. »Wirklich?«

Sie lachte. »Nein. Eigentlich nicht. So exotisch bin ich nicht. Er lautet Anne. Nach meiner Mutter.«

»Cecilia Anne. Wie reizend.«

Ihre Wangen wurden ganz warm, was ihr ein wenig bizarr vorkam, schließlich waren ihr an diesem Tag weitaus peinlichere Dinge untergekommen.

»Wie hast du dich rasiert, während du in Connecticut warst?«, fragte sie. Das Rasiermesser war offenbar mit seinen übrigen Habseligkeiten eingelagert worden. Als er in Kips Bay gefunden worden war, hatte er es nicht bei sich gehabt.

Er schüttelte langsam den Kopf. »Ich weiß nicht.«

»Oh, tut mir schrecklich leid.« Was für ein Schaf sie doch war. Natürlich wusste er es nicht.

»Aber«, sagte er, offensichtlich, um ihr weitere Verlegenheit zu ersparen, »ich besitze zwei Rasiermesser. Das, das du in der Hand hast, ist von meinem Großvater. Das andere habe ich gekauft, kurz bevor ich aufgebrochen bin. Normalerweise nehme ich das neue mit, wenn ich mich auf eine beschwerliche Reise begebe.« Er runzelte die Stirn. »Ich frage mich, was wohl daraus geworden ist.«

»Ich kann mich nicht entsinnen, es im Lazarett bei deinen Sachen gesehen zu haben.«

»*Hatte* ich denn irgendwelche Sachen im Lazarett?«

Sie runzelte die Stirn. »Jetzt, da du fragst – nein. Nur die Kleider an deinem Leib, hat man mir gesagt. Und das, was du in den Taschen hattest. Ich war nicht da, als du eingeliefert wurdest.«

»Hmm.« Er kratzte sich am Kinn. »Das ist wohl der Grund, warum ich mein gutes Rasiermesser immer zu Hause lasse.«

»Es ist sehr schön«, murmelte Cecilia. Der Griff war aus kunstvoll geschnitztem Elfenbein und lag warm in der Hand. Die Klinge war aus bestem Sheffield-Stahl.

»Ich bin nach ihm benannt«, sagte Edward. »Meinem

Großvater. Seine Initialen sind auf dem Griff. Deswegen hat er es mir geschenkt.«

Cecilia blickte darauf. Und wirklich, oben war zierlich *EGR* in das Elfenbein graviert. »Das Rasiermesser meines Vaters war ganz ähnlich«, sagte sie und ging zur Waschschüssel, um es einzutauchen. »Der Griff war zwar nicht so schön, aber die Klinge war dieselbe.«

»Du kennst dich mit Stahlklingen aus?«

Sie warf ihm einen spitzbübischen Blick zu. »Hast du Angst?«

»Das sollte ich wohl.«

Sie lachte. »Jeder, der so nah an Sheffield wohnt, kennt sich mit Stahl aus. Von den Männern im Dorf sind einige in den letzten Jahren weggegangen, um an den Tiegelöfen zu arbeiten.«

»Keine angenehme Arbeit, würde ich meinen.«

»Nein.« Cecilia dachte an ihre Nachbarn – ihre ehemaligen Nachbarn, sollte sie wohl sagen. Es waren alles junge Männer, meist die Söhne von Pächtern. Nach einem oder zwei Jahren an den Öfen sah jedoch keiner von ihnen mehr jung aus. »Es heißt, die Bezahlung ist wesentlich besser als für Feldarbeit«, sagte sie. »Ich hoffe, dass das stimmt.«

Er nickte, während sie ein wenig Seife in einen Tiegel gab und mit dem Pinsel aus dem Rasierzeug aufschäumte. Sie trug den Tiegel zum Bett und runzelte die Stirn.

»Was?«

»Dein Bart ist ziemlich lang.«

»So verwahrlost bin ich nun auch wieder nicht.«

»Er ist länger, als es der meines Vaters je war.«

»War das etwa dein Übungsfeld?«

»An jedem Tag in den letzten Jahren seines Lebens.« Sie legte den Kopf schief wie eine Malerin, die eine Leinwand begutachtet. »Am besten wäre es, wenn wir ihn erst stutzen würden.«

»Leider habe ich dazu keine Schere.«

Vor Cecilias geistigem Auge erschien plötzlich ein Gärtner, der sich mit der Heckenschere auf ihn stürzen wollte, und sie musste ein Prusten unterdrücken.

»Was?«, fragte Edward.

»Oh, das willst du nicht wissen.« Sie nahm den Pinsel. »Dann wollen wir mal.«

Edward hob das Kinn, ließ sich von ihr die linke Gesichtshälfte mit Rasierschaum einseifen. Der Schaum war nicht so dick, wie sie es gern gehabt hätte, aber es ging schon. Sie arbeitete umsichtig, straffte mit einer Hand die Gesichtshaut, während sie mit der anderen das Rasiermesser über seine Wange führte. Hin und wieder tauchte sie die Klinge ins Wasser, sah zu, wie das Wasser dunkel wurde vor Barthaaren.

»Du hast ziemlich viel Rot in deinem Bart«, sagte sie. »Hat einer von deinen Eltern rotes Haar?«

Er begann den Kopf zu schütteln.

»Nicht bewegen!«

Er warf ihr einen Seitenblick zu. »Dann stell mir keine Fragen.«

»Touché.«

»Meine Mutter ist blond«, sagte Edward, als sie das nächste Mal die Klinge abspülte. »Mein Vater brünett. So wie ich. Früher zumindest, inzwischen wird er grau. Oder silbern, wie er es lieber nennt.« Er seufzte, und so etwas wie Bedauern trübte seinen Blick. »Vermutlich wird er noch viel mehr davon haben, wenn ich ihn wiedersehe.«

»Graues Haar?«, fragte sie, um einen leichten Ton bemüht.

»Ja.« Er hob das Kinn höher, während sie an seiner Kehle zu schaben begann. »Danke noch mal, dass du ihnen geschrieben hast.«

»Natürlich. Ich wünschte nur, man könnte sie schneller erreichen.« Sie hatte den Brief an die Rokesbys gleich mit dem nächsten Schiff losgeschickt, aber es würden dennoch beinahe drei Wochen vergehen, ehe er England erreichte. Und dann weitere fünf, bevor sie mit einer Antwort rechnen durften.

Sie verfielen in Schweigen, während Cecilia weiter ihrem Werk nachging. Sie fand es viel schwieriger als bei ihrem Vater. Edwards Bart war mindestens einen halben Zoll lang, dem war weitaus schwieriger beizukommen als den Bartstoppeln, die sie von ihrem Vater gewohnt war.

Ganz zu schweigen von dem Umstand, dass es sich hier um Edward handelte. Der sie gerade geküsst hatte.

Und ihr hatte es gefallen. Sehr sogar.

Als sie sich über ihn beugte, schien sich die Luft ringsum zu verändern, lud sich auf mit seiner Nähe. Beinahe schien sie Funken zu schlagen. Sie raubte Cecilia den Atem und kribbelte ihr auf der Haut. Und als sie tief Luft holte, war es, als würde sie *ihn* einatmen. Er roch köstlich, was keinen Sinn ergab, denn er roch nach Seife. Und nach Mann.

Und Wärme.

Lieber Gott, sie wurde verrückt. Wärme konnte man nicht riechen. Und Seife war nicht köstlich. Aber nichts schien mehr einen Sinn zu ergeben, wenn sie Edward Rokesby so nahe kam. Er vernebelte ihr den Verstand, ihre Lungen fühlten sich eng an ... ihr Herz rastlos ... oder ratlos oder was auch immer.

Ehrlich, es war ein Wunder, dass ihre Hand so ruhig war.

»Könntest du den Kopf ein bisschen drehen?«, bat sie. »Ich muss an die Stelle an deinem Ohr.«

Er tat wie ihm geheißen, und sie beugte sich noch näher über ihn. Sie musste das Messer in einem bestimmten Winkel ansetzen, um ihn nicht zu verletzen. Sie war ihm so nahe, dass ihr Atem sein Haar zauste. Es wäre so leicht gewesen, jetzt nur zu seufzen, sich an ihn zu schmiegen, ihren Körper an seinem zu spüren.

»Cecilia?«

Sie hörte seine Stimme, doch sie war nicht dazu in der Lage zu reagieren. Sie fühlte sich beinahe freischwebend, als wäre die Luft dick genug, um sie zu tragen. Und dann, als hätte ihr Gehirn nur einen Moment gebraucht, um zum Rest ihres Körpers durchzudringen, trat sie einen Schritt zurück und blinzelte weg, was sie nur als Nebel der Begierde identifizieren konnte.

»Tut mir leid«, sagte sie abwesend. »Ich war in Gedanken versunken.«

Was nicht gelogen war.

»Es muss nicht perfekt werden«, erklärte er angespannt. »Solange du nur das meiste wegbekommst. Richtig glatt kann ich mich dann morgen selbst rasieren.«

»Natürlich«, erwiderte sie und trat unsicher einen Schritt zurück. »Ich … ähm … das geht dann viel schneller. Und du bist müde.«

»Genau.« Er nickte zustimmend.

»Willst du … ähm …« Sie blinzelte ein paarmal. Sein nackter Oberkörper übte eine höchst verwirrende Wirkung auf sie aus. »Möchtest du ein Hemd überziehen?«

»Vielleicht wenn wir fertig sind. Damit es nicht nass wird.«

»Natürlich«, sagte sie. Schon wieder. Sie blickte auf seine Brust. Ein kleiner Tupfen Seifenschaum klebte an der lichten

Behaarung direkt über der Brustwarze. Sie streckte die Hand aus, um ihn wegzuwischen, doch in dem Augenblick, da sie ihn berührte, fasste er sie ums Handgelenk.

»Nein«, sagte er.

Es war eine Warnung.

Er wollte sie.

Vielleicht sogar noch dringender, als sie ihn wollte.

Sie leckte sich über die Lippen, die plötzlich wie ausgetrocknet waren.

»Hör auf damit«, stieß er hervor.

Ihr Blick huschte zu ihm, und sie war wie gefesselt vom Blick seiner strahlend blauen Augen. Sie spürte es in der Brust, ein klopfendes, pulsierendes Ding, und einen Augenblick brachte sie keinen Ton heraus. Seine Hand fühlte sich warm an, seine Berührung war unerwartet sanft.

»Ich kann dich nicht so lassen«, sagte sie.

Verständnislos sah er sie an. Oder vielleicht glaubte er auch, er hätte sie falsch verstanden.

Sie deutete auf seinen Bart, der auf der anderen Seite noch voll war, auf der anderen komplett abrasiert. »Du wirkst etwas aus dem Gleichgewicht geraten.«

Er fasste sich ans Kinn, an die Stelle, wo Bart und glatte Haut aufeinandertrafen, und schnaubte belustigt.

»Du siehst albern aus«, stellte sie fest.

Er strich sich über die eine Seite seines Gesichts und dann über die andere.

Cecilia hielt das Rasiermesser und den Pinsel hoch. »Vielleicht sollte ich es zu Ende bringen.«

Seine rechte Braue wölbte sich in einem perfekten Bogen. »Du glaubst, ich sollte Major Wilkins nicht so gegenübertreten?«

»Ich glaube, ich würde gutes Geld dafür zahlen, um das zu sehen.« Sie eilte zur anderen Seite des Betts, erleichtert, dass sich die Anspannung anscheinend gelöst hatte. »Wenn ich Geld hätte.«

Edward rollte sich über die Matratze, sodass er näher am Rand zu liegen kam, und hielt dann still, während sie ihn einseifte. »Du bist knapp bei Kasse?«

Cecilia fragte sich, wie viel sie ihm erzählen sollte. Sie entschied sich für: »Die Reise hat sich als teurer entpuppt, als ich dachte.«

»Das gilt wohl für die meisten Reisen, denke ich.«

»So heißt es, ja.« Sie spülte die Klinge in der Wanne aus. »Das ist das erste Mal, dass ich mehr als zwanzig Meilen über Derbyshire hinausgekommen bin.«

»Wirklich?«

»Nicht bewegen«, schalt sie. Sie hatte die Klinge gerade an seiner Kehle, als er die Frage stellte.

»Tut mir leid, aber – wirklich? Das erste Mal?«

Sie zuckte mit den Schultern und spülte wieder die Klinge ab. »Wohin hätte ich denn gehen sollen?«

»Nach London?«

»Kein Grund, dort hinzufahren.« Die Harcourts waren ehrbare Leute, das ja, aber sie gehörten nicht zu der Gesellschaftsschicht, die eine Tochter zur Saison in die Hauptstadt schickte. Außerdem hasste ihr Vater die Stadt. Er regte sich schon auf, wenn er einmal nach Sheffield musste. Als er einmal gezwungen gewesen war, aufgrund von Geschäften nach Manchester zu reisen, hatte er sich tagelang beschwert. »Es hätte mich auch niemand begleiten können.«

»Ich nehme dich mit.«

Ihre Hand verharrte in der Bewegung. Er glaubte, sie wären verheiratet. Natürlich dachte er, dass er mit ihr eines Tages nach London fahren würde.

»Also, wenn du möchtest«, fügte er hinzu, weil er ihr Zögern missverstand.

Sie rang sich ein Lächeln ab. »Das wäre schön.«

»Dann gehen wir ins Theater«, sagte er gähnend. »Oder in die Oper. Magst du die Oper?«

Plötzlich wollte sie dieses Gespräch umgehend beenden. In ihren Gedanken drängten sich Visionen einer Zukunft, die ihnen beiden gehörte, einer Zukunft, in der sie wirklich Rokesby hieß und sie in einem reizenden Haus in Kent lebten mit drei kleinen Kindern, alle mit den fesselnden blauen Augen ihres Vaters.

Es war eine wunderbare Zukunft. Nur nicht die ihre.

»Cecilia?«

»Wir sind fertig«, verkündete sie ein wenig zu laut.

»Schon?« Stirnrunzelnd betastete er seine rechte Wange. »Du hast diese Seite viel schneller rasiert als die andere.«

Sie zuckte mit den Schultern. »Da hatte ich ja auch schon ein wenig Übung.« Auf der rechten Seite war sie nicht ganz so gewissenhaft vorgegangen, doch das fiel nur auf, wenn man ihn aus der Nähe betrachtete. Außerdem hatte er ja gesagt, dass er die Rasur am nächsten Tag selbst beenden wolle.

»Ich sollte dich jetzt schlafen lassen. Du bist müde, und später haben wir diese Verabredung.«

»Du brauchst nicht rauszugehen.«

Doch. Um ihrer selbst willen. »Ich würde dich doch nur stören«, sagte sie.

»Nicht wenn ich schlafe.« Er gähnte noch einmal und lächelte dann, und Cecilia wurde schier umgeworfen von der Macht seiner Schönheit.

»Was denn?«, fragte er und fasste sich noch einmal ins Gesicht. »Hast du eine Stelle übersehen?«

»Du siehst rasiert so anders aus«, meinte sie. Oder flüsterte sie es nur?

Er grinste schief. »Attraktiver, möchte ich hoffen.«

Sehr viel attraktiver. Sie hätte es nicht für möglich gehalten.

»Ich sollte gehen. Jemand muss sich um das Badewasser kümmern, und ...«

»Bleib«, sagte er einfach. »Ich habe es gern, wenn du hier bist.«

Und als Cecilia sich vorsichtig auf der Bettkante niederließ, schien es ihr unmöglich zu sein, dass er nicht hörte, wie ihr das Herz brach.

7. KAPITEL

Ach, zum Kuckuck, ich weiß selbst, dass ich keine außergewöhnlich riesige Nase habe. Mir geht es hier ums Prinzip. Du kannst nicht erwarten, dass Mr. Rokesby ehrlich zu Dir ist, wenn das Gesprächsthema Deine Schwester ist. Da muss er doch höflich sein. Das ist, glaube ich, ein ungeschriebenes Gesetz unter Männern.
Wie sieht Leutnant Rokesby eigentlich aus?
– CECILIA HARCOURT AN IHREN BRUDER THOMAS

Als sie an diesem Abend um halb sechs nach unten gingen, erwartete Major Wilkins sie bereits im Speisesaal. Er saß in der Nähe der Wand mit einem Krug Bier und einer Portion Brot und Käse. Edward verneigte sich forsch, als sich der Major zur Begrüßung erhob. Er hatte zwar nicht unter ihm gedient, doch ihre Wege hatten sich des Öfteren gekreuzt. Wilkins leitete die britische Garnison in New York; wenn man nach einem vermissten Soldaten suchte, war er gewiss die richtige Anlaufstelle.

Edward hatte ihn immer ein wenig wichtigtuerisch gefunden, doch damit einher ging eine strenge Einhaltung der Regeln und Vorschriften, was bei einem militärischen Verwaltungsbeamten wohl ein notwendiger Charakterzug war. *Er* hätte einen solchen Posten nicht bekleiden wollen, wenn er ehrlich war.

Sobald sie saßen, kam Cecilia zur Sache. »Haben Sie Nachricht von meinem Bruder?«

Major Wilkins warf ihr einen Blick zu, den selbst Edward als herablassend bezeichnet hätte, und sagte: »Es handelt sich um einen sehr großen Kriegsschauplatz, meine Liebe. Wir können nicht damit rechnen, einen Mann so rasch zu finden.« Er deutete auf den Teller in der Mitte des Tisches. »Käse?«

Kurzzeitig war Cecilia von diesem Themenwechsel verblüfft, doch unbeirrt nahm sie den Gesprächsfaden wieder auf. »Es handelt sich doch um die Armee!«, protestierte sie. »Die britische Armee. Sind unsere Truppen nicht die modernsten, die bestorganisierten der ganzen Welt?«

»Natürlich, aber ...«

»Wie können wir dann einen Mann verlieren?«

Edward legte ihr sanft die Hand auf den Arm. »Im Kriegschaos kann selbst das bestorganisierte Militär versagen. Ich wurde ja auch monatelang vermisst.«

»Aber er war nicht vermisst, als er vermisst wurde!«, rief sie.

Wilkins gluckste vor Freude über diese widersprüchliche Aussage, worauf Edward ob dieser Kaltschnäuzigkeit beinahe laut aufgestöhnt hätte.

»Ha, ein guter Witz«, sagte der Major und schnitt sich ein dickes Stück Cheddar ab. »War nicht vermisst, als er vermisst wurde. He he. Der Colonel wird begeistert sein.«

»Ich habe mich schlecht ausgedrückt«, erklärte Cecilia knapp.

Edward beobachtete sie aufmerksam. Erst hatte er ihr beistehen wollen, doch sie schien die Lage gut im Griff zu haben. Und wenn schon nicht die Lage, so doch zumindest sich selbst.

»Was ich sagen wollte«, fuhr sie fort, und ihr Gesichtsausdruck wurde so kalt, dass es Major Wilkins hätte erschrecken sollen, »Thomas war hier in New York. Im Lazarett. Und plötzlich ist er verschwunden. Es ist ja nicht so, dass er auf dem Schlachtfeld oder als Späher im Feindesland verloren gegangen wäre.«

Als Späher im Feindesland. Stirnrunzelnd überdachte Edward diese Worte. War er selbst vielleicht als Späher in Connecticut unterwegs gewesen? Das schien ihm das wahrscheinlichste Szenario zu sein. Aber warum? Er konnte sich nicht entsinnen, dergleichen schon einmal getan zu haben.

»Nun, das ist es ja«, meinte Major Wilkins. »Ein Krankenhausaufenthalt Ihres Bruders ist nirgendwo dokumentiert.«

»Was?« Cecilia sah zu Edward und dann wieder zum Major. »Das ist doch unmöglich.«

Wilkins zuckte gleichmütig mit den Schultern. »Ich habe einen Mann abgestellt, damit er die Krankenblätter durchsieht. Name und Rang eines jeden Soldaten, der ins Lazarett gebracht wird, wird in einem Verzeichnis erfasst. Wir notieren den Tag der Ankunft und der, ähm, Entlassung.«

»Entlassung?«

»Oder das Todesdatum.« Wilkins besaß immerhin so viel Anstand, etwas unbehaglich dreinzusehen, als er diese Möglichkeit erwähnte. »Wie dem auch sei, wir konnten keinen Eintrag von Ihrem Bruder finden.«

»Aber er war verletzt«, protestierte Cecilia. »Wir wurden verständigt.« Sichtlich verstört wandte sie sich an Edward. »Mein Vater bekam einen Brief von General Garth. Er schrieb, dass Thomas verwundet worden sei, aber nicht

119

lebensgefährlich verletzt, und dass er sich im Lazarett erholt. Gibt es noch ein anderes Lazarett?«

Edward blickte zu Major Wilkins.

»Nicht auf diesem Teil der Insel.«

»Nicht auf diesem Teil?«, wiederholte Cecilia.

»In Harlem gibt es eine Art Krankenstube«, entgegnete Wilkins mit einem Seufzer, der verriet, dass er bereute, es überhaupt angesprochen zu haben. »Lazarett würde ich es nicht nennen.« Er bedachte Edward mit einem bedeutsamen Blick. »Ich würde mich da nicht gern kurieren lassen, wenn Sie wissen, was ich meine.«

Cecilia wurde bleich.

»Zum Kuckuck«, stieß Edward aus. »Sie sprechen vom Bruder der Dame.«

Der Major wandte sich mit reuiger Miene an Cecilia. »Verzeihen Sie, Madam.«

Sie nickte, eine kleine, ruckartige Bewegung, und schluckte schwer. Edward zerriss es fast das Herz.

»Die Krankenstube in Harlem ist ziemlich rückständig«, sagte Major Wilkins zu Cecilia. »Ihr Bruder ist Offizier. Man hätte ihn nicht an einen solchen Ort gebracht.«

»Aber wenn es die nächstbeste Einrichtung war …?«

»Seine Verletzung war nicht lebensgefährlich. Man hätte ihn verlegt.«

Edward gefiel die Vorstellung nicht, dass einfache Soldaten im Falle einer Verletzung nur aufgrund ihres Ranges mit einer schlechteren ärztlichen Versorgung vorliebnehmen mussten, andererseits war die Bettenzahl hier an der Südspitze Manhattans begrenzt. »Er hat recht«, sagte er zu Cecilia. Die Armee würde die Offiziere immer zuerst verlegen.

»Vielleicht hatte Thomas einen Grund, sich der Verlegung

zu widersetzen«, meinte Cecilia. »Wenn er bei seinen Männern war, wollte er sie vielleicht nicht im Stich lassen.«

»Das alles muss Monate zurückliegen«, sagte Edward, und es war ihm zuwider, ihre Hoffnungen so zunichtezumachen. »Selbst wenn er anfangs bei seinen Männern geblieben wäre, wäre er doch inzwischen hierhergekommen.«

»Oh, ganz gewiss«, meldete Major Wilkins sich nüchtern zu Wort. »In Harlem kann er auf keinen Fall mehr sein.«

»Man kann es noch nicht mal Stadt nennen«, sagte Edward zu Cecilia. »Es gibt dort zwar ein Herrenhaus, das Morris-Jumel Mansion, aber davon abgesehen, besteht es eher aus verlassenen Kolonistenlagern.«

»Aber wir haben dort keine Leute?«

»Nur gerade so viele, um zu verhindern, dass es wieder in feindliche Hände fällt«, antwortete Major Wilkins. »Da oben ist gutes Ackerland. Wir haben dort oben einiges angebaut, was bald geerntet werden kann.«

»Wir?«, fragte Edward unwillkürlich.

»Die Bauern in Harlem sind königstreu«, sagte der Major entschieden.

Edward war sich dessen nicht so sicher, aber jetzt schien kaum der geeignete Zeitpunkt zu sein, sich über die politischen Neigungen der Siedler auszutauschen.

»Was das Lazarett angeht, so haben wir die Krankenakten der letzten sechs Monate durchgesehen«, sagte Major Wilkins, der damit wieder auf das eigentliche Thema zu sprechen kam. Er streckte die Hand nach einem weiteren Stück Brot und Käse aus und schnitt eine finstere Grimasse, als der Cheddar unter dem Messer zerkrümelte. »Wir haben den Namen Ihres Bruders nirgends entdeckt. Wirklich, es ist, als hätte er nie existiert.«

Edward unterdrückte ein Aufstöhnen. Himmel, der Mann hatte wirklich keinerlei Taktgefühl.

»Aber Sie werden auch weiterhin Erkundigungen einziehen?«, fragte Cecilia.

»Natürlich, natürlich.« Der Major blickte zu Edward. »Das ist das Mindeste, was ich tun kann.«

»Das Allermindeste«, brummte Edward.

Major Wilkins richtete sich auf. »Wie bitte?«

»Warum haben Sie meiner Frau diese Informationen denn nicht schon zukommen lassen, als Sie letzte Woche mit ihr gesprochen haben?«, fragte Edward.

Der Major erstarrte, das Käsebrot nur wenige Zoll vor dem Mund. »Ich wusste ja nicht, dass sie Ihre Frau ist.«

Edward hätte ihn mit Freuden erdrosselt. »Inwiefern macht das einen Unterschied?«

Major Wilkins starrte ihn an.

»Sie war immer noch Captain Harcourts Schwester. Sie hat Ihren Respekt und Ihr Entgegenkommen verdient, völlig unabhängig von ihrem Familienstand.«

»Wir sind es nicht gewohnt, Fragen von Familienangehörigen zu beantworten«, gab der Major steif zurück.

Edward fielen darauf ungefähr sechs verschiedene Antworten ein, doch er entschied, dass nichts damit gewonnen wäre, wenn er den Major weiter gegen sich aufbrächte. Stattdessen wandte er sich an Cecilia. »Hast du den Brief von General Garth dabei?«

»Natürlich.« Sie griff in ihre Rocktasche. »Ich habe ihn immer dabei.«

Edward nahm ihn entgegen und entfaltete ihn. Er las schweigend und reichte ihn dann an Major Wilkins weiter.

»Was ist denn?«, fragte Cecilia. »Stimmt etwas nicht?«

Der Major zog die buschigen Augenbrauen zusammen und blickte nicht vom Brief auf, als er sagte: »Das klingt nicht nach General Garth.«

»Was soll das heißen?« Cecilia sah alarmiert zu Edward. »Was will er damit sagen?«

»Irgendetwas stimmt nicht damit«, erklärte Edward. »Ich bekomme es aber auch nicht zu fassen.«

»Aber warum sollte mir irgendwer so einen Brief schicken?«

»Ich weiß nicht.« Er presste sich die Finger an die Schläfen, hinter denen es zu pochen begonnen hatte.

Cecilia bemerkte die Geste sofort. »Alles in Ordnung?«

»Mir geht es gut.«

»Wir können nämlich ...«

»Wir sind hier wegen Thomas«, unterbrach er sie scharf. »Nicht meinetwegen.« Er atmete tief durch. Es würde ihm gelingen, dieses Gespräch durchzustehen. Danach würde er sich möglicherweise sofort hinlegen müssen, würde vielleicht sogar die Dosis Laudanum schlucken müssen, mit der sie ihm dauernd drohte, aber er würde dieses eine verdammte Gespräch mit Major Wilkins mit Anstand hinter sich bringen.

So lädiert war er nun auch wieder nicht.

Er sah auf und bemerkte, dass sowohl Cecilia als auch der Major ihn besorgt betrachteten.

»Hoffentlich beeinträchtigt Sie Ihre Verletzung nicht allzu sehr«, meinte Wilkins rau.

»Ich habe höllische Schmerzen«, stieß Edward mit zusammengebissenen Zähnen hervor, »aber ich bin immerhin noch am Leben, und dafür versuche ich dankbar zu sein.«

Cecilia riss überrascht die Augen auf. Kein Wunder – normalerweise war er nicht so verbittert.

Wilkins räusperte sich. »Tja, nun. Wie dem auch sei, ich war sehr erleichtert, als ich von Ihrer sicheren Rückkehr erfuhr.«

Edward seufzte. »Tut mir leid«, sagte er. »Mitunter verliere ich die Beherrschung, wenn mir der Kopf mehr als sonst wehtut.«

Cecilia beugte sich vor und fragte ruhig: »Soll ich dich nach oben bringen?«

»Das ist nicht nötig«, erwiderte Edward. Er hielt den Atem an, als sich der Schmerz in seinen Schläfen verstärkte. »Jedenfalls jetzt noch nicht.« Er sah wieder zu Wilkins, der sich den Brief des Generals noch einmal stirnrunzelnd zu Gemüte führte.

»Was ist?«, fragte Edward.

Der Major kratzte sich am Kinn. »Warum sollte Garth ...« Er schüttelte den Kopf. »Egal.«

»Nein«, widersprach Cecilia rasch. »Sagen Sie es.«

Major Wilkins zögerte, als suchte er nach den richtigen Worten. »Ich finde, diese Informationen sind irgendwie merkwürdig zusammengestellt«, sagte er schließlich.

»Was meinen Sie damit?«, hakte Cecilia nach.

»Der Familie eines Soldaten würde man normalerweise etwas anderes schicken«, erklärte der Major und blickte Edward nach Bestätigung suchend an.

»Vermutlich«, erwiderte Edward, der sich immer noch die Schläfen rieb. Es nutzte zwar nichts, aber er konnte dennoch nicht damit aufhören. »Ich habe bisher noch keinen derartigen Brief geschrieben.«

»Ich schon«, sagte Major Wilkins. »Viele sogar.«

»Und ...?« Cecilia sah ihn auffordernd an.

Er atmete tief durch. »Und ich würde niemals schreiben, dass ein Mann verletzt wurde, es aber nicht lebensgefährlich sei. Man kann das doch gar nicht wissen. Die Familie zu benachrichtigen dauert einen ganzen Monat. In der Zeit könnte alles Mögliche passieren.«

Während Cecilia nickte, fuhr der Major fort: »Ich habe weitaus öfter mit ansehen müssen, dass ein Soldat am Wundbrand stirbt als an der Wunde selbst. Letzten Monat habe ich einen Mann wegen einer Blase verloren.« Mit ungläubiger Miene wiederholte er: »Wegen einer Blase!«

Edward warf Cecilia einen raschen Blick zu. Sie hielt sich ganz still, der Inbegriff britischer Gefasstheit, doch ihr Ausdruck war gequält, und er hatte das schreckliche Gefühl, dass sie, wenn er sie jetzt berührte – nur mit einem Finger –, zersplittern würde.

Und doch hätte er sie so gern in die Arme genommen. Er wollte sie so fest halten, dass sie nicht zerbrach. So lang, dass ihre Ängste und Sorgen von ihr wichen und auf ihn übergingen.

Er wollte ihren Schmerz in sich aufnehmen.

Er wollte ihr Halt geben.

Und das würde er auch, gelobte er sich. Er würde genesen. Er würde sich erholen. Er würde der Ehemann werden, den sie verdient hatte.

Der Ehemann, der er zu sein verdiente.

»Er hatte sie am Fuß«, sagte der Major gerade, ohne Cecilias Kummer zu bemerken. »Seine Strümpfe haben wohl gescheuert. Er ist durch Sumpfgelände marschiert. Da kann man die Füße unmöglich trocken halten, wissen Sie.«

Es machte Cecilia alle Ehre, dass sie mitfühlend nickte.

Major Wilkins legte die Hand an seinen Bierkrug, hob ihn jedoch nicht hoch. Er schien ein wenig in sich zusammenzusacken, als würde ihn die Erinnerung immer noch verstören. »Das verdammte Ding muss wohl aufgegangen sein, denn innerhalb eines Tages hatte es sich entzündet, und nach einer Woche war er tot.«

Cecilia schluckte. »Das tut mir sehr leid.« Sie blickte auf ihre Hände, die sie auf dem Tisch verschränkt hatte, und Edward hatte den Eindruck, dass sie versuchte, sie am Zittern zu hindern. Als könnte sie das nur tun, indem sie ihre Finger nicht aus den Augen ließ und nach Anzeichen von Schwäche Ausschau hielt.

Sie war so stark, seine Frau. Ob ihr das überhaupt bewusst war?

Der Major blinzelte, als hätte ihn ihre Beileidsbezeugung überrascht. »Danke«, sagte er verlegen. »Es war … nun ja, es war wirklich ein Verlust.«

»Das sind sie alle«, warf Edward ruhig ein, und einen Augenblick waren er und der Major, mit dem er doch so wenig gemeinsam hatte, in Kameradschaft vereint.

Ein paar Momente verstrichen, in denen keiner etwas sagte. Schließlich räusperte sich Major Wilkins und fragte: »Darf ich das behalten?« Er wedelte mit General Garth' Brief.

Cecilia regte sich kaum, doch Edward sah den inneren Aufruhr, der sich in ihren hellgrünen Augen spiegelte. Ihre Unterlippe zitterte, bevor sie sich darauf biss. Der Brief des Generals war ihre einzige Verbindung zu ihrem Bruder, und sie trennte sich ganz offensichtlich nur ungern davon.

»Gib es ihm«, sagte er zu ihr, als sie ihn Rat suchend ansah. Wilkins konnte ein Trampel sein, aber er war ein guter Soldat, und wenn er bei der Suche nach Thomas weiterkommen wollte, brauchte er den Brief.

»Ich werde gut darauf achtgeben«, versicherte Wilkins ihr. Er steckte das gefaltete Papier in eine Rockinnentasche und klopfte darauf. »Das verspreche ich Ihnen.«

»Danke«, sagte Cecilia. »Entschuldigen Sie, wenn ich undankbar wirke. Ich weiß Ihre Hilfe wirklich zu schätzen.«

Eine sehr nachsichtige Einstellung, fand Edward, vor allem, wenn man sich vor Augen hielt, wie wenig hilfreich der Major bis vor Kurzem noch gewesen war.

»Also, schön. Ich mache mich dann auf den Weg.« Major Wilkins erhob sich, nickte Cecilia höflich zu und wandte sich dann an Edward. »Ich wünsche Ihnen baldige Besserung.«

Edward nahm es mit einem Nicken zur Kenntnis. »Sie sehen es mir sicher nach, wenn ich nicht aufstehe.« Plötzlich war ihm ziemlich übel, und er hatte den schrecklichen Verdacht, dass er sich würde übergeben müssen, wenn er jetzt aufstünde.

»Natürlich, natürlich«, meinte der Major in seiner barschen Art. »Machen Sie sich keine Gedanken deswegen.«

»Warten Sie!«, rief Cecilia und sprang auf, als Wilkins davongehen wollte.

Er neigte den Kopf. »Madam?«

»Würden Sie mich morgen nach Harlem begleiten?«

»Was?« Trotz der Übelkeit kämpfte Edward sich auf die Beine.

»Ich würde dieser Krankenstube gern einen Besuch abstatten«, sagte Cecilia zum Major.

»Ich bring dich hin«, mischte sich Edward ein.

»Ich glaube nicht, dass du in deinem Zustand ...«

»*Ich* werde dich hinbringen.«

Wilkins blickte mit kaum verhohlener Belustigung zwischen den beiden hin und her und meinte dann mit einem Schulterzucken: »Den Wünschen eines Ehemanns kann ich nicht zuwiderhandeln.«

»Aber ich muss dorthin«, wandte Cecilia ein. »Thomas könnte ...«

»Wir haben doch schon darüber gesprochen, wie unwahrscheinlich es ist, dass er sich in Harlem aufhält«, meinte Edward. Er klammerte sich am Tischrand fest und hoffte, dass sein geschwächter Zustand nicht allzu offensichtlich war. Seitdem er sich so hastig erhoben hatte, war ihm ein wenig schwindelig.

»Aber vielleicht war er dort«, gab Cecilia zu bedenken. »Und wenn das der Fall ist, wird sich irgendwer an ihn erinnern.«

»Ich bringe dich hin«, sagte Edward noch einmal. Harlem lag nur zehn Meilen entfernt, doch seit die Briten das Gebiet 1776 erst verloren (und dann wieder erobert) hatten, wurde es eher als ein Außenposten in der Wildnis betrachtet statt als das niederländische Dörfchen, das es einmal gewesen war. Für eine alleinstehende Dame war es nicht der richtige Ort, und auch wenn er nicht an Major Wilkins' Fähigkeiten zweifelte, auf Cecilia achtzugeben, hatte er doch das Gefühl, dass es seine Pflicht als Ehemann war, sich um ihre Sicherheit zu kümmern.

»Wenn Sie gestatten, möchte ich mich jetzt verabschieden«, sagte Major Wilkins und verneigte sich noch einmal vor Cecilia.

Sie nickte knapp. Edward war sich jedoch ziemlich sicher, dass sich ihr Unmut nicht gegen den Major richtete. Und tatsächlich, kaum war der Major verschwunden, reckte sie das Kinn und sagte: »Ich muss in diese Krankenstube.«

»Und das wirst du auch.« Er ließ sich wieder auf seinen Platz sinken. »Nur nicht morgen.«

»Aber ...«

»Ein Tag ändert doch nichts«, unterbrach er sie, viel zu erschöpft, um sich auf Diskussionen einzulassen. »Wilkins zieht Erkundigungen ein. Er wird von General Garth' Attaché weitaus mehr Informationen erhalten als wir von einer Fahrt auf die Nordseite der Insel.«

»Besser wäre es doch gewiss, wenn wir beide Wege verfolgten.« Cecilia setzte sich ebenfalls wieder hin.

»Darüber streite ich mit dir nicht«, entgegnete er. Er schloss kurz die Augen, kämpfte gegen die Müdigkeit, die sich wie eine Decke auf ihn herabgesenkt hatte. »Wir verlieren doch nichts, wenn wir jetzt noch ein, zwei Tage warten. Ich verspreche es dir.«

»Wie kannst du das versprechen?«

Gott, sie war wie ein Hund mit einem Knochen. Wenn er nicht so krank gewesen wäre, hätte er ihre Hartnäckigkeit bewundert. »Von mir aus«, fuhr er sie an. »Dann kann ich es eben nicht versprechen. Es wäre auch gut möglich, dass morgen schon die Kontinentalarmee anrückt und wir sterben, noch bevor wir die Krankenstube aufgesucht haben, wer weiß das schon. Aber ich kann versprechen, dass nach allem, was ich weiß – was zugegebenermaßen nicht viel ist, aber immer noch mehr als das, was du weißt –, ein paar Tage mehr oder weniger keinen Unterschied machen.«

Entsetzt starrte sie ihn an. Ihm kam der Gedanke, dass er vielleicht keine Frau mit so außergewöhnlichen Augen hätte heiraten sollen. Denn wenn sie ihn so ansah, kostete es ihn all seine innere Kraft, sich nicht auf seinem Platz zu winden.

Wenn es ihm nicht ein wenig kitschig vorgekommen wäre, hätte er geglaubt, dass sie ihm direkt in die Seele blicken konnte.

»Major Wilkins hätte mich begleiten können«, sagte sie mit leiser Herausforderung.

Er unterdrückte ein Stöhnen. »Hättest du den Tag wirklich gern mit Major Wilkins verbracht?«

»Natürlich nicht, aber …«

»Und wenn du gezwungen gewesen wärst, dort zu übernachten? Ist dir dieser Gedanke schon einmal gekommen?«

»Ich bin allein über den Atlantik gesegelt, Edward. Da hätte ich eine Nacht in Harlem sicher überstanden.«

»Aber du solltest es nicht müssen«, stieß er hervor. »Du hast mich geheiratet, Cecilia. Dann lass dich um Himmels willen auch von mir beschützen.«

»Aber das kannst du doch nicht.«

Edward taumelte im Sitzen. Ihre Worte waren leise geäußert worden, doch auch wenn sie ausgeholt und ihm die Faust in den Nacken gerammt hätte, hätte sie keinen treffsichereren Schlag landen können.

»Tut mir leid«, sagte sie rasch. »Es tut mir so leid. Ich wollte damit nicht sagen …«

»Ich weiß, was du sagen wolltest.«

»Nein, das glaube ich nicht.«

Sein Zorn, der bisher nur unter der Oberfläche gebrodelt hatte, begann plötzlich zu zischen und zu spucken. »Du hast recht«, meinte er mit harter Stimme. »Ich weiß es nicht. Und weißt du, warum nicht? Weil ich dich nicht kenne. Ich bin mit dir verheiratet, zumindest hat man mich darüber in Kenntnis gesetzt …«

Sie zuckte zusammen.

»… und auch wenn ich mir eine ganze Reihe von Gründen vorstellen kann, warum es zu einer solchen Verbindung gekommen sein soll, kann ich mich an keinen einzigen erinnern.«

Sie schwieg, zeigte keinerlei Regung bis auf ein leises Zittern, das über ihre Lippen huschte.

»Du bist doch meine Frau, oder nicht?«, fragte er, doch sein Ton war so unfreundlich, dass er die Frage sofort wieder zurückzog. »Entschuldige«, brummte er. »Das war unangebracht.«

Sie betrachtete ihn noch ein paar Augenblicke, ihre Miene verriet gar nichts. Doch sie war bleich, schrecklich bleich, als sie sagte: »Ich glaube, du solltest dich jetzt ein wenig ausruhen ...«

»Ich weiß, dass ich mich ausruhen sollte«, unterbrach er sie ärgerlich. »Glaubst du, an mir ist das alles spurlos vorbeigegangen? Es ist, als würde mir jemand mit dem Hammer den Schädel einschlagen. Von innen.«

Sie streckte die Hand aus und legte sie auf seine.

»Mir geht es nicht gut«, sagte er. Fünf kleine Worte, doch für einen Mann waren sie so schwer auszusprechen. Trotzdem fühlte er sich jetzt besser.

Nein, nicht besser. Erleichtert. Was vermutlich auch als besser einzustufen war.

»Du machst erstaunliche Fortschritte«, stellte sie fest. »Vergiss nicht, dass du erst vor einem Tag wieder aufgewacht bist.«

Er betrachtete sie lauernd. »Sag jetzt nicht, dass Rom auch nicht an einem Tag erbaut wurde.«

»Das würde ich nie«, versprach sie. Er konnte das Lächeln in ihrer Stimme hören.

»Heute Nachmittag habe ich mich besser gefühlt«, sagte er. Seine Stimme klang leise, beinahe kindlich in seinen Ohren.

»Besser? Oder auf dem Weg der Besserung?«

»Auf dem Weg der Besserung«, räumte er ein. »Obwohl, als ich dich geküsst habe ...«

Er lächelte. Als er sie geküsst hatte, hatte er sich beinahe wieder gesund gefühlt.

Cecilia stand auf und nahm ihn sanft am Arm. »Gehen wir nach oben.«

Er hatte nicht die Energie zu widersprechen.

»Ich lasse uns das Essen nach oben bringen«, sagte sie, als sie zur Treppe gingen.

»Aber nicht viel«, entgegnete er. »Mein Magen ... Ich weiß nicht, was ich bei mir behalten könnte.«

Sie betrachtete ihn forschend.

»Brühe«, sagte sie. »Du musst etwas essen. Sonst kommst du nicht zu Kräften.«

Er nickte. Der Gedanke an Brühe verursachte ihm immerhin keine Übelkeit.

»Vielleicht etwas Laudanum«, fuhr sie ruhig fort.

»Aber nur wenig.«

»Sehr wenig, versprochen.«

Als sie oben an der Treppe angekommen waren, holte er den Schlüssel aus der Tasche. Wortlos reichte er ihn ihr und lehnte sich an die Wand, während sie die Tür aufschloss.

»Ich helfe dir mit den Stiefeln«, meinte sie, und dann erkannte er, dass sie ihn ins Zimmer geführt und auf dem Bett abgesetzt hatte, ohne dass er sich dessen bewusst gewesen wäre.

»Ich würde dich ja gern daran erinnern, dass du dich nicht übernehmen sollst«, sagte sie, während sie ihm einen Stiefel auszog, »doch mir ist klar, dass du die Anstrengungen heute für Thomas unternommen hast.«

»Und für dich«, erwiderte er.

Sie hielt inne, doch nur für einen Augenblick. Er hätte es vielleicht gar nicht bemerkt, wenn er sich ihrer Berührungen nicht ganz besonders bewusst gewesen wäre.

»Danke.« Sie fasste den zweiten Stiefel um die Ferse, zog energisch daran und streifte ihn ab. Edward kroch unter die Decken, während sie die Stiefel ordentlich in eine Ecke stellte. »Ich messe das Laudanum ab«, sagte sie.

Er schloss die Augen. Er war nicht müde, doch sein Kopf fühlte sich besser an, wenn er die Augen geschlossen hielt.

»Ich frage mich, ob du nicht vielleicht vernünftigerweise noch einen Tag im Lazarett hättest bleiben sollen.« Er hörte, wie sie eine kleine Flasche schüttelte.

»Nein«, gab er zurück, »ich bin lieber hier bei dir.«

Wieder hielt sie inne. Er brauchte sie nicht zu sehen, um das zu wissen.

»Im Lazarett war es schrecklich«, fügte er hinzu. »Ein paar von den Männern ...« Er wusste nicht, wie viel er ihr erzählen sollte, wie viel sie bereits wusste. Hatte sie die Nacht an seiner Seite verbracht, während er bewusstlos dalag? Wusste sie, was es hieß, einzuschlafen zu versuchen, während auf der anderen Seite ein Mann vor Schmerzen stöhnte und nach seiner Mutter rief?

»Das stimmt«, sagte sie und stupste ihn vorsichtig an, damit er sich ein wenig aufrichtete. »Das hier ist ein viel schönerer Ort, um zu genesen. Aber der Arzt ist im Lazarett.«

»Glaubst du?«, entgegnete er mit leisem Lächeln. »Ich möchte wetten, dass er unten bei einem Glas Bier sitzt. Oder vielleicht drüben im Fraunces. Dort ist das Bier besser, glaube ich.«

»Apropos Getränke«, meinte Cecilia ebenso freundlich wie energisch, »hier ist dein Laudanum.«

»Weitaus wirksamer als ein Glas Bier.« Edward öffnete die Augen. Es war nicht mehr so hell im Raum, da Cecilia die Vorhänge zugezogen hatte.

Sie hielt ihm den Becher an die Lippen, doch er schüttelte den Kopf und sagte: »Ich kann das selbst machen.«

»Es ist eine sehr kleine Dosis«, versprach sie.

»Der Arzt hat dir Anweisungen gegeben?«

»Ja, und ich habe etwas Erfahrung im Umgang mit Arzneien. Mein Vater hatte hin und wieder Migräne.«

»Wusste ich nicht«, murmelte er.

»Er litt nicht sehr oft darunter.«

Er trank und verzog ob des bitteren Geschmacks das Gesicht.

»Ich weiß, ekelhaft«, sagte sie, klang aber nicht sehr mitfühlend.

»Man möchte meinen, dass der Alkohol es erträglicher machen würde.«

Das entlockte ihr ein Lächeln. »Das Einzige, was es erträglich macht, ist die Aussicht auf Linderung, glaube ich.«

Er rieb sich die Schläfe. »Es tut weh, Cecilia.«

»Ich weiß.«

»Ich will mich nur wieder wie ich selbst fühlen.«

Ihre Lippen zitterten. »Das wollen wir alle.«

Er gähnte, obwohl es eigentlich noch zu früh dafür war, dass das Opiat Wirkung zeigte. »Du musst mir immer noch erzählen«, sagte er und schlüpfte zurück unter die Decken.

»Was soll ich dir erzählen?«

»Hmmm …«, er stieß ein merkwürdiges hohes Geräusch aus, während er nachdachte, »… alles.«

»Alles, was? Das könnte vielleicht ein wenig viel auf einmal sein.«

»Wir haben doch Zeit.«

»Ach ja?« Nun klang sie amüsiert.

Er nickte, und dann merkte er, dass die Arznei wohl ihre

Wirkung entfaltet hatte, denn er hatte auf einmal eine höchst merkwürdige Empfindung – er war zu müde zum Gähnen. Aber er war immer noch in der Lage, ein paar Worte herauszubringen.

»Wir sind verheiratet. Wir haben den Rest unseres Lebens Zeit.«

8. KAPITEL

*Edward Rokesby sieht aus wie ein Mann, so sieht er aus.
Wirklich, Cecilia, Du solltest es doch besser wissen, als
mich zu bitten, Dir einen anderen Mann zu beschreiben. Er hat braune Haare. Was soll ich denn sonst noch
sagen?*

*Außerdem, wenn Du es unbedingt wissen willst, zeige
ich Deine Miniatur überall herum. Ich weiß, dass ich
nicht so sentimental veranlagt bin, wie Du das gerne
hättest, aber ich liebe Dich, Schwesterherz, und ich
bin stolz auf dich. Außerdem schreibst Du mir weitaus
mehr Briefe, als irgendeiner der anderen Männer hier
bekommt, und ich genieße es, mich in ihrem Neid zu
sonnen.*

*Vor allem Edward ist schier zerfressen vor Eifersucht,
wenn die Post eintrifft. Er hat drei Brüder und eine
Schwester, und du überflügelst sie alle zusammen, zumindest was die Korrespondenz betrifft.*

– THOMAS HARCOURT AN SEINE SCHWESTER

Drei Stunden später gingen ihr seine Worte immer noch nach.

Wir sind verheiratet.

Wir haben den Rest unseres Lebens Zeit.

Cecilia saß an dem kleinen Tisch, der in der Ecke ihres
Zimmers im Devil's Head stand, und stützte den Kopf in die

Hände. Sie musste Edward die Wahrheit erzählen. Sie musste ihm alles erzählen.

Aber wie?

Und vor allem, wann?

Sie hatte sich gesagt, dass sie bis nach ihrem Gespräch mit Major Wilkins warten musste. Nun, das lag hinter ihnen, doch nun schien Edward einen Rückfall erlitten zu haben. Jetzt durfte sie ihn nicht aufregen. Er brauchte sie noch.

Oh, hör auf, dir etwas vorzumachen, hätte sie beinahe laut gesagt. Er brauchte sie nicht. Möglich, dass sie ihm die Genesung angenehmer machte, sie vielleicht sogar beschleunigte, aber wenn sie plötzlich aus seinem Leben verschwände, käme er auch ohne sie wieder auf die Beine.

Solange er bewusstlos dalag, hatte er sie gebraucht, aber jetzt, da er aufgewacht war, war ihre Anwesenheit bei Weitem nicht mehr so wichtig.

Sie sah zu ihm hinüber, wie er friedlich im Bett lag und schlief. Das dunkle Haar war ihm in die Stirn gefallen. Es musste geschnitten werden, aber sie stellte fest, dass es ihr wild und ungebändigt gefiel. Es verlieh ihm einen Anstrich von Verwegenheit, der in einem ganz entzückenden Widerspruch zu seinem aufrechten Charakter stand. Seine widerspenstigen Locken erinnerten sie daran, dass dieser ehrenhafte Mann einen trockenen, beißenden Humor hatte und dass auch er Enttäuschung und Ärger zum Opfer fallen konnte.

Er war nicht perfekt.

Er war real.

Und irgendwie fühlte sie sich dadurch nur noch schlechter.

Ich mache es wieder gut, gelobte sie.

Sie würde sich seine Vergebung verdienen.

Aber es fiel ihr immer schwerer, sich einen Weg zu denken,

wie sie das bewerkstelligen könnte. Edwards eiserne Ehrenhaftigkeit – genau das, was sie dazu bewogen hatte, ihm ihre Lüge vor dem Gespräch mit Major Wilkins nicht zu offenbaren – bedeutete nun, dass sie in einer neuen Zwickmühle steckte.

In seinen Augen hatte er sie kompromittiert.

Auch wenn sie nicht im selben Bett schliefen, teilten sie sich doch das Zimmer. Sobald Edward erfuhr, dass sie in Wirklichkeit gar nicht seine Frau war, würde er darauf bestehen, sie zu heiraten. Er war vor allem Gentleman, und seine Ehre als Gentleman würde ihm diesen Weg vorschreiben.

Und auch wenn Cecilia es sich nicht verkneifen konnte, von einem Leben als Mrs. Edward Rokesby zu träumen, zumindest ein bisschen – wie sollte sie damit leben, wenn sie ihn auf diese Weise in die Falle lockte?

Er würde ihr grollen. Nein, er würde sie hassen.

Nein, hassen würde er sie auch nicht, aber er würde ihr niemals verzeihen.

Sie seufzte. Er würde ihr niemals verzeihen, Punktum.

»Cecilia?«

Sie zuckte zusammen. »Du bist ja wach.«

Edward lächelte sie schläfrig an. »Kaum.«

Cecilia stand auf und trat ans Bett. Edward war vollständig bekleidet eingeschlafen, doch nachdem er etwa eine Stunde geschlafen hatte, hatte sie befunden, es sehe ungemütlich aus, und ihm das Krawattentuch abgenommen. Es sprach für die Wirkung des Laudanums, dass er sich dabei kaum gerührt hatte.

»Wie geht es dir?«, fragte sie.

Er runzelte die Stirn. Cecilia hielt es für ein gutes Zeichen, dass er darüber erst einmal nachdenken musste. »Besser«, sagte er.

»Hast du Hunger?«

Auch darüber musste er nachdenken. »Ja, aber ich bin mir nicht sicher, ob ich das Essen auch bei mir behalten würde.«

»Versuch es mit etwas Brühe«, sagte sie. Sie stand auf und holte die kleine Suppenschale, die sie sich vor zehn Minuten in der Küche hatte geben lassen. »Sie ist noch warm.«

Er setzte sich im Bett auf. »Habe ich lange geschlafen?«

»Ungefähr drei Stunden. Das Laudanum hat rasch gewirkt.«

»Drei Stunden«, murmelte er. Er klang überrascht. Er runzelte die Stirn und blinzelte ein paarmal.

»Versuchst du zu entscheiden, ob dir der Kopf noch wehtut?«, fragte Cecilia mit einem Lächeln.

»Nein«, antwortete er geradeheraus. »Er tut mir auf alle Fälle noch weh.«

»Oh.« Sie wusste nicht recht, was sie darauf erwidern sollte, und fügte nur hinzu: »Tut mir leid.«

»Aber anders.«

Sie stellte die Suppenschale auf dem Tisch neben dem Bett ab und setzte sich zu ihm. »Anders?«

»Nicht so stechend. Eher dumpf.«

»Das ist doch sicher ein Zeichen der Besserung.«

Er fasste sich kurz an die Schläfe. »Glaube ich auch.«

»Brauchst du Hilfe?«, fragte Cecilia und deutete auf die Suppe.

Er lächelte sie leise an. »Ich komme schon zurecht. Ein Löffel wäre allerdings hilfreich.«

»Oh!« Sie sprang auf. »Tut mir leid. Weißt du was, ich glaube, die haben vergessen, mir einen dazuzulegen.«

»Egal. Dann trinke ich sie eben.« Er hob sich die Suppenschale an die Lippen und nippte an der warmen Flüssigkeit.

139

»Ist sie gut?«, fragte Cecilia, als er zufrieden aufseufzte.

»Ziemlich. Danke, dass du sie mir gebracht hast.«

Sie wartete ab, bis er noch ein wenig mehr davon getrunken hatte, und sagte dann: »Du siehst jetzt wirklich besser aus als bei unserem Gespräch mit Major Wilkins.« Dann kam ihr der Gedanke, dass er vielleicht glauben könnte, sie wolle ihn dazu überreden, sie umgehend nach Harlem zu begleiten, und so ergänzte sie rasch: »Aber nicht so gut, als dass wir gleich morgen gen Norden aufbrechen könnten.« Sie schluckte und fügte dann hinzu, wobei sie nicht sicher war, wen von beiden sie damit beruhigen wollte: »Ich werde mich in Geduld üben.«

Was blieb ihr auch anderes übrig?

Er stellte die Suppe auf dem Tisch ab und ergriff Cecilias Hand. »Ich will Thomas genauso dringend finden wie du.«

»Ich weiß.« Cecilia blickte auf ihre ineinander verschlungenen Hände. Merkwürdig, wie gut sie zusammenpassten. Seine Hände waren groß und breit, die Haut gebräunt und arbeitsrau. Und ihre – nun, sie waren auch nicht mehr weiß und zart, aber sie war stolz auf ihre neuen Schwielen. Sie schienen zu sagen, dass sie dazu in der Lage war, ihr Schicksal selbst in die Hand zu nehmen. Sie sah die Kraft in ihren Händen, eine Kraft, von der sie nicht gewusst hatte, dass sie ihr innewohnte.

»Wir werden ihn finden«, sagte Edward.

Sie blickte auf. »Vielleicht nicht.«

Er sah sie an. Seine Augen wirkten im schwindenden Licht beinahe dunkelblau.

»Ich muss mich der Realität stellen«, meinte sie.

»Ja, vielleicht«, sagte er. »Aber verfalle dabei bitte nicht in Trübsinn.«

»Nein.« Sie rang sich ein Lächeln ab. »Das tue ich auch nicht.«

Jedenfalls noch nicht.

Ein paar Moment sagte keiner von beiden etwas, und das Schweigen, das anfangs durchaus einvernehmlich gewesen war, wurde allmählich drückend. Cecilia wurde klar, dass Edward ein unangenehmes Thema anschneiden wollte und nicht recht wusste, wie er es anstellen sollte. Nach mehrmaligem Räuspern sagte er schließlich: »Ich würde gern mehr über unsere Ehe erfahren.«

Ihr blieb schier das Herz stehen. Natürlich hatte sie damit gerechnet, und doch blieb ihr jetzt einen kurzen Augenblick die Luft weg.

»Ich ziehe dein Wort nicht in Zweifel«, sagte er. »Du bist Thomas' Schwester, und ich hoffe, dass du es nicht zu kühn findest, wenn ich dir jetzt sage, dass ich schon lang das Gefühl hatte, dich aus deinen Briefen an ihn zu kennen.«

Sie musste den Blick abwenden.

»Aber ich würde gern wissen, wie das alles zustande gekommen ist.«

Cecilia schluckte. Sie hatte ein paar Tage Zeit gehabt, sich eine Geschichte auszudenken, aber eine Lüge zu erfinden war nicht dasselbe, wie sie dann auch laut auszusprechen. »Es war Thomas' Wunsch«, sagte sie. Das zumindest stimmte, wenigstens nahm sie das an. Ihr Bruder würde doch sicher wollen, dass sein bester Freund seine Schwester heiratete. »Er hat sich um mich gesorgt«, fügte sie hinzu.

»Weil euer Vater gestorben ist?«

»Das weiß er noch gar nicht«, erwiderte Cecilia wahrheitsgemäß. »Aber ich weiß, dass er sich schon lang Sorgen wegen meiner Zukunft macht.«

141

»Das hat er mir auch gesagt«, bestätigte Edward.

Überrascht sah sie auf. »Wirklich?«

»Verzeih mir. Ich möchte nicht schlecht von den Toten reden, aber Thomas hat angedeutet, dass sich euer Vater weniger für deine Zukunft als für seine eigene Gegenwart interessiert hat.«

Cecilia schluckte. Ihr Vater war ein guter Mensch gewesen, wenn auch von Grund auf selbstsüchtig. Trotzdem hatte sie ihn geliebt. Und sie hatte gewusst, dass auch er sie geliebt hatte, soweit er eben dazu fähig gewesen war. »Ich habe meinem Vater das Leben angenehm gemacht«, erzählte sie, wählte dabei ihre Worte besonders sorgfältig, als ginge sie durch eine Blumenwiese. Es hatte auch gute Zeiten gegeben, und die wollte sie zu einem Strauß pflücken. »Und er hat mir eine Aufgabe gegeben.«

Edward hatte sie genau beobachtet, und als sie ihm zufällig in die Augen sah, entdeckte sie in seinem Blick etwas, das sie für Stolz hielt. Neben einer gewissen Skepsis. Er durchschaute ihre Worte, bewunderte sie aber dafür, sie ausgesprochen zu haben.

»Jedenfalls«, fuhr sie fort, um Leichtigkeit bemüht, »wusste Thomas, dass Vater krank war.«

Edward legte den Kopf schief. »Hast du nicht gesagt, es sei alles ganz plötzlich gegangen?«

»Ist es auch«, entgegnete sie hastig. »Ich glaube, so ist es oft. Erst scheint es sich in die Länge zu ziehen, und dann geht es ganz schnell.«

Er schwieg.

»Oder vielleicht auch nicht«, sprach sie hastig weiter. Lieber Gott, sie klang wie eine Idiotin, aber es gelang ihr einfach nicht, den Mund zu halten. »Ich habe nicht viel Erfahrung mit dem Tod. Abgesehen von meinem Vater.«

»Ich auch nicht«, meinte Edward. »Zumindest nicht mit einem natürlichen Tod.«

Cecilia sah ihn an. Er wirkte bedrückt.

»Das Schlachtfeld betrachte ich nämlich nicht als natürlich«, erklärte er ruhig.

»Nein, natürlich nicht.« Cecilia wollte nicht einmal daran denken, was er alles gesehen hatte. Der Tod eines jungen Menschen in der Blüte seiner Jahre war etwas ganz anderes als der eines Menschen, der so alt gewesen war wie ihr Vater.

Edward nahm noch einen Schluck Brühe, und Cecilia beschloss, mit ihrer Geschichte fortzufahren. »Dann hat mein Vetter um meine Hand angehalten«, sagte sie.

»Deinem Ton entnehme ich, dass dir dieser Heiratsantrag nicht willkommen war.«

Sie presste die Lippen zusammen. »Nein.«

»Dein Vater hat ihn nicht fortgeschickt? Moment...«, Edward hob die Hand und ließ den Zeigefinger nach oben schnellen, wie man es tat, wenn man eine Zwischenfrage stellen wollte, »... war das vor oder nach seinem Tod?«

»Davor«, antwortete Cecilia. Ihr sank das Herz. Hier begannen die Lügen. Harcourt war erst nach dem Tod ihres Vaters zu einer Bedrohung geworden, und Thomas hatte überhaupt nie erfahren, dass er angefangen hatte, Cecilia unter Druck zu setzen, damit sie ihn heiratete.

»Natürlich. Das muss es ja auch, weil ...« Edward runzelte die Stirn, löste seine Hand von ihrer und rieb sich das Kinn. »Vielleicht liegt es an meinem Kopf, aber mir ist der zeitliche Ablauf nicht klar. Ich glaube, ich bräuchte das alles schriftlich, vielleicht könntest du es für mich aufschreiben.«

»Klar«, entgegnete Cecilia, doch die Schuldgefühle in ihr waren kaum zu übertönen. Sie konnte nicht fassen, dass sie ihn in dem Glauben beließ, es läge an *ihm*, dass er der Geschichte so schwer folgen konnte. Sie versuchte zu lächeln, war sich aber nicht sicher, ob sie mehr schaffte, als nur die Lippen zu verziehen. »Ich kann es selbst kaum glauben.«

»Wie bitte?«

Sie hätte wissen müssen, dass er diesen Kommentar würde erklärt haben wollen. »Ich meine nur, ich kann kaum glauben, dass ich hier bin. In New York.«

»Bei mir.«

Sie sah ihn an, diesen ehrenhaften und großzügigen Mann, den sie nicht verdient hatte. »Bei dir.«

Er nahm ihre Hand und führte sie sich an die Lippen. Cecilia schmolz das Herz, während ihr Gewissen aufschluchzte. Warum musste dieser Mann nur so verdammt nett sein?

Sie atmete tief durch. »Marswell ist in einem Fideikommiss gebunden. Horace wird erben, wenn Thomas etwas zustoßen sollte.«

»Hat er dir deswegen einen Antrag gemacht?«

Sie warf ihm einen Blick zu. »Meinst du nicht, dass er das aufgrund meines natürlichen Liebreizes und meiner Schönheit getan hat?«

»Nein, deswegen habe *ich* dir einen Heiratsantrag gemacht.« Edward begann zu lächeln, doch das Lächeln ging bald in eine Grimasse über. »Ich habe dir doch einen Heiratsantrag gemacht, oder?«

»Gewissermaßen. Ah …« Ihr Gesicht brannte. »Es war eher, ah …« Sie stürzte sich auf die einzig mögliche Antwort. »Eigentlich hat Thomas das meiste arrangiert.«

Edward schien nicht glücklich über diese Wendung zu sein.

»Anders hätte es doch gar nicht zustande kommen können«, erklärte Cecilia.

»Wo fand die Hochzeit statt?«

Darauf war sie vorbereitet. »Auf dem Schiff«, sagte sie.

»Wirklich?« Er wirkte ehrlich verblüfft von der ganzen Geschichte. »Wie bin ich dann …«

»Das weiß ich nicht so genau«, unterbrach Cecilia ihn.

»Aber wenn du auf dem Schiff warst, *wann* habe dann ich …?«

»Kurz bevor du nach Connecticut aufgebrochen bist«, log Cecilia.

»Ich habe die Zeremonie drei Monate vor dir absolviert?«

»Man muss das Gelübde nicht zur gleichen Zeit ablegen«, behauptete Cecilia. Sie war sich bewusst, dass sie sich immer weiter hineinritt. Sie hatte weitere Ausreden parat – dass der Pfarrer im Dorf sich geweigert hätte, eine Trauung per Stellvertreter durchzuführen, dass sie ihr Gelübde erst dann ablegen wollte, als es unbedingt notwendig wurde, damit Edward von der Ehe hätte zurücktreten können, wenn er es sich anders überlegt hätte. Doch bevor sie sich noch zu einer weiteren Lüge durchringen konnte, merkte sie, dass er ihr über die Finger strich, dort, wo ein Ring hätte sitzen müssen.

»Du hast nicht mal einen Ring«, stellte er fest.

»Ich brauche auch keinen«, erwiderte sie rasch.

Er zog die Brauen zusammen. »Natürlich brauchst du einen.«

»Aber das kann warten.«

Und dann, in einer raschen Bewegung, die sie ihm in seinem Zustand gar nicht zugetraut hätte, stemmte er sich hoch und berührte sie am Kinn.

»Küss mich«, sagte er.

»Was?«, kreischte sie beinahe.

»Küss mich.«

»Du bist verrückt.«

»Schon möglich«, meinte er freundlich, »aber eigentlich finde ich es vollkommen vernünftig, dich küssen zu wollen. Das würde doch jeder Mann wollen.«

»Jeder Mann«, wiederholte sie, bemüht, diese neue Wendung zu verstehen.

»Vielleicht nicht.« Er tat, als überlegte er. »Ich glaube, ich wäre da recht eifersüchtig. Es wäre also ziemlich dumm von ihnen.«

Sie schüttelte den Kopf. Verdrehte die Augen. Dann tat sie beides. »Du musst dich ausruhen.«

»Zuerst einen Kuss.«

»*Edward.*«

Er imitierte ihren Ton perfekt. »*Cecilia.*«

Ihr blieb der Mund offen stehen. »Wirfst du mir da gerade einen Hundeblick zu?«

»Funktioniert es?«

Ja.

»Nein.«

Er schnaubte. »Du bist keine sehr gute Lügnerin, was?«

Ach, er hatte ja keine Ahnung.

»Trink deine Brühe aus«, befahl sie und bemühte sich dabei – ohne Erfolg –, streng zu klingen.

»Willst du damit andeuten, ich wäre nicht kräftig genug, dich zu küssen?«

»Ach, du liebe Güte, du bist einfach unerträglich!«

Er hob eine Braue zu einem vollkommen arroganten Bogen. »Denn lass dir gesagt sein, das würde ich als Herausforderung betrachten.«

Sie presste die Lippen zusammen in einem vergeblichen Versuch, ein Lächeln zu unterdrücken. »Was ist nur in dich gefahren?«

Er zuckte mit den Schultern. »Ich bin glücklich.«

Nur drei Worte, doch sie raubten ihr den Atem. Hinter seinem respektablen Auftreten steckte in Edward Rokesby eine riesige Portion Schelmerei. Vermutlich hätte sie das nicht so überraschen sollen. Seine Briefe hatten genügend Hinweise darauf gegeben.

Alles, was er gebraucht hatte, um dem freien Lauf zu lassen, war ein wenig Freude gewesen.

»Küss mich«, sagte er noch einmal.

»Du brauchst Ruhe.«

»Ich habe gerade drei Stunden geschlafen. Jetzt bin ich vollkommen munter.«

»Ein Kuss«, hörte sie sich sagen, noch während eine warnende innere Stimme ihr riet, davon abzusehen.

»Nur einen.« Er lächelte und fügte dann hinzu: »Das war natürlich gelogen.«

»Ich bin nicht sicher, ob es als Lüge zählt, wenn man die Lüge im selben Atemzug zugibt.«

Er tippte sich an die Wange, als Mahnung an sie.

Cecilia biss sich auf die Unterlippe. Ein Kuss konnte doch sicher nicht schaden. Und dann auch noch auf die Wange. Sie beugte sich vor.

Er drehte den Kopf. Seine Lippen trafen die ihren.

»Du hast mich ausgetrickst!«

Er fasste sie um den Hinterkopf. »Ach, wirklich?«

»Das weißt du ganz genau.«

»Ist dir eigentlich klar«, murmelte er, während sein Atem ihr warm und verführerisch über die Lippen fächelte, »dass es sich wie ein Kuss anfühlt, wenn du an meinen Lippen sprichst?«

Beinahe hätte sie aufgestöhnt. Sie konnte ihm einfach nicht widerstehen. Nicht wenn er so wie jetzt war – so witzig und liebenswert und offensichtlich entzückt darüber, dass er mit ihr verheiratet war.

Und nun bewegten sich seine Lippen an den ihren, strichen langsam darüber in einem Kuss, der eigentlich keusch hätte sein sollen. Aber an der Art, wie Cecilia sich an ihn schmiegte, begierig nach mehr, war nichts Unschuldiges. Sie war schon halb in diesen Mann verliebt gewesen, bevor sie ihn überhaupt kennengelernt hatte, und nun begriff ihr Körper, was ihr Geist nicht zugeben wollte – dass sie ihn begehrte, verzweifelt begehrte, auf jede nur erdenkliche Weise.

Sie war sich nicht sicher, ob sie die Kraft aufbringen würde, sie beide davon abzuhalten, eine Ehe zu vollziehen, die gar nicht existierte.

»Du bist die beste Medizin«, murmelte Edward an ihrer Wange.

»Unterschätz das Laudanum nicht«, versuchte sie zu scherzen. Sie musste den Moment entschärfen.

»Tue ich ja nicht«, sagte er und rückte ein Stückchen von ihr ab, um ihr in die Augen zu sehen. »Danke, dass du darauf bestanden hast, dass ich es einnehme. Ich glaube wirklich, dass es geholfen hat.«

»Bitte«, gab Cecilia ein wenig zögernd zurück. Der Themenwechsel verstörte sie etwas.

Er strich ihr über die Wange. »Das ist zum Teil der Grund, warum ich gesagt habe, du seiest die beste Medizin. Ich habe mit den Leuten im Lazarett gesprochen, weißt du. Gestern, nachdem du gegangen bist.«

Sie schüttelte den Kopf. Sie war sich nicht sicher, worauf er hinauswollte.

»Sie haben mir berichtet, wie gut du dich meiner angenommen hast. Sie haben gesagt, du habest dafür gesorgt, dass man sich anständig um mich kümmert. Ohne dich hätte ich wohl keine so gute Pflege bekommen.«

»Na…natürlich«, stammelte sie. Dies hatte nichts damit zu tun, dass sie angeblich seine Frau war. Sie hätte es ohnehin getan.

»Einer sagte sogar, dass ich ohne dich vielleicht gar nicht mehr aufgewacht wäre.«

»Das ist bestimmt nicht wahr«, widersprach sie, da sie sich das nicht als Verdienst anrechnen konnte. Und sie durfte ihn auch nicht in dem Glauben lassen, dass er ihr deswegen etwas schuldig wäre.

»Es ist komisch«, murmelte er. »Ich kann mich nicht daran erinnern, dass ich je viel über eine Heirat nachgedacht hätte. Noch weniger erinnere ich mich daran, dass ich mich einmal als verheiratet *betrachtet* hätte. Aber ich glaube, es gefällt mir.«

Cecilia stiegen die Tränen in die Augen. Er streckte die Hand aus und wischte sie weg.

»Wein doch nicht«, flüsterte er.

»Tue ich doch gar nicht«, erwiderte sie, auch wenn es nicht stimmte.

Er lächelte nachsichtig. »Ich glaube, das ist das erste Mal, dass ich eine Frau geküsst und dadurch zum Weinen gebracht habe.«

»›Wenn die alten Mädchen weinen, da ein Freier um sie wirbt‹«, flüsterte sie, dankbar für diese Ablenkung.

Das schien ihn zu amüsieren. »Na, so alt bist du auch wieder nicht.«

Sie wich ein wenig zurück, weil sie etwas Distanz brauchte. Doch seine Hand glitt von ihrer Wange zu ihrer Schulter und dann den Arm hinab zu ihrer Hand. Er gab sie einfach nicht frei, und im Innersten ihres Herzens wusste sie auch, dass sie das gar nicht wollte.

»Es wird spät«, stellte er fest.

Sie blickte zum Fenster. Auch wenn die Vorhänge längst zugezogen waren, konnte sie sehen, dass es draußen dämmerte und bald Nacht wurde.

»Wirst du heute Nacht schlafen?«, fragte er.

Sie wusste, worauf er abzielte. Würde sie in diesem Bett schlafen?

»Du brauchst dich nicht unwohl dabei zu fühlen«, sagte er. »Sosehr ich es mir auch wünschen würde, ich bin nicht in der Verfassung, mit dir zu schlafen.«

Das Blut schoss ihr in die Wangen. Sie konnte nichts dagegen unternehmen. »Du hast aber doch gesagt, du bist nicht müde«, murmelte sie.

»Bin ich auch nicht. Aber du bist es.«

Er hatte recht. Sie war erschöpft. Normalerweise hätte sie etwas geschlafen, als er es vorhin getan hatte, doch sie hatte das Gefühl gehabt, bei ihm wachen zu müssen. Er hatte so schrecklich ausgesehen, als sie ihn vorhin zu Bett gebracht hatte. Fast noch schlimmer als im Lazarett.

Wenn ihm irgendetwas zustieß, nach allem, was passiert war ...

Sie konnte den Gedanken nicht ertragen.

»Hast du etwas gegessen?«, fragte er.

Sie nickte. Sie hatte ein leichtes Mahl zu sich genommen, als sie nach unten gegangen war, um die Brühe zu besorgen.

»Gut. Wir wollen doch nicht, dass die Krankenschwester zur Patientin wird. Ich versichere dir, dass ich in dieser Rolle bei Weitem nicht so kompetent wäre wie du.« Seine Miene wurde ernst. »Du musst dich ausruhen.«

Das war ihr klar. Sie sah nur nicht recht, wie das gehen sollte.

»Bestimmt möchtest gern noch etwas Sittsamkeit walten lassen«, sagte er, und auch sein Gesicht verfärbte sich ein wenig. Cecilia fühlte sich ein bisschen besser, als sie sah, dass auch ihm die Regelwidrigkeit ihrer Lage bewusst war.

»Ich gebe dir mein Wort, dass ich mich umdrehe«, sagte er. Sie starrte ihn nur an.

»Während du dir dein Nachtgewand anziehst«, erklärte er.

»Oh, natürlich.« Was für eine Närrin sie doch war.

»Ich ziehe mir sogar die Decke über den Kopf.«

Zitternd erhob sie sich. »Das wird nicht nötig sein.«

Darauf trat eine bedeutungsvolle Pause ein, und dann sagte er mit ziemlich heiserer Stimme: »Vielleicht ja doch.«

Cecilia keuchte vor Überraschung über dieses Geständnis kurz auf und ging dann zu dem Schrank, in dem sie ihre spärliche Kleidung verstaut hatte. Sie hatte ein Nachthemd mitgebracht, ein praktisches Gewand aus weißer Baumwolle ohne jeden Spitzen- oder Rüschenbesatz. Kein Kleidungsstück, das eine Dame in ihr Hochzeitsgepäck stecken würde.

»Ich gehe nur rüber in die Ecke«, sagte sie.

»Ich liege schon unter der Decke.«

Das tat er allerdings. Während sie ihr Nachthemd aus dem Schrank geholt hatte, war er ins Bett getaucht und hatte sich die Decke über das Gesicht gezogen.

Sie hätte gelacht, wenn sie selbst nicht so furchtbar verlegen gewesen wäre.

Mit raschen, effizienten Bewegungen kleidete Cecilia sich aus und schlüpfte in ihr Nachthemd. Es bedeckte sie von Kopf bis Fuß, genau wie ihre Tageskleider und weitaus mehr, als es ein Abendkleid getan hätte, aber sie fühlte sich dennoch unsittlich entblößt.

Normalerweise kämmte sie ihr Haar mit fünfzig Bürsten-strichen, aber das kam ihr nun übertrieben vor, vor allem während er sich die Decke über den Kopf gezogen hatte, und so flocht sie es stattdessen zu einem Zopf. Was ihre Zähne an-ging ... Sie blickte auf die Zahnbürste und das Pulver, das sie aus England mitgebracht hatte, und dann wieder zum Bett. Edward hatte sich nicht gerührt.

»Das Zähneputzen lasse ich heute einmal ausfallen«, sagte sie. Vielleicht würde er sie dann am nächsten Morgen nicht so gern küssen.

Sie legte die Zahnbürste in den Schrank zurück und ging zur anderen Seite des Bettes. Vorsichtig – um das Bettzeug möglichst wenig durcheinanderzubringen – hob sie die Decke an und schlüpfte darunter.

»Du kannst die Augen jetzt aufmachen«, sagte sie.

Er schob die Decke von seinem Gesicht weg. »Du bist sehr weit weg«, meinte er.

Cecilia zog das rechte Bein, das halb aus dem Bett hing, zu-rück ins Bett. »Ich halte es so für das Beste«, entgegnete sie. Sie beugte sich vor und blies die Kerze aus. Dunkelheit senkte sich über den Raum.

»Gute Nacht, Cecilia«, sagte er.

»Gute Nacht.« Sie veränderte die Lage, drehte sich unge-schickt auf die Seite und kehrte ihm den Rücken zu. So schlief sie normalerweise, auf der rechten Seite, die Hand unter der Wange. In dieser Nacht fühlte es sich nicht behaglich an, und normal ganz gewiss auch nicht.

Sie würde nie einschlafen. Niemals.

Und tat es irgendwann dann doch.

9. KAPITEL

Entbiete Leutnant Rokesby doch bitte meine Grüße und versichere ihm, dass seine Geschwister ihm gewiss nur deswegen nicht so oft schreiben wie ich Dir, weil sie ein weitaus aufregenderes Leben führen. Derbyshire ist um diese Jahreszeit äußerst öde. Ach, was rede ich da? Derbyshire ist immer äußerst öde. Wie gut, dass ich ein ereignisloses Leben vorziehe.

– CECILIA HARCOURT AN IHREN BRUDER THOMAS

Am folgenden Morgen erwachte Edward nur langsam, weil es ihm widerstrebte, sich von seinem überaus entzückenden Traum zu lösen. Er lag in einem Bett, was an sich schon bemerkenswert war – er war sich ziemlich sicher, dass er seit Monaten in keinem richtigen Bett mehr gelegen hatte. Und ihm war warm. Warm und gemütlich, aber nicht zu heiß, wie es einem in diesen drückenden New Yorker Sommern immer passierte.

Komisch, dass in diesem Traum gar nichts geschah, es ging nur darum, wie sich alles anfühlte. Der kuschelige Komfort. Selbst sein eigener Körper schien erpicht darauf zu sein, sich in den beglückenden Sinneswahrnehmungen zu wälzen. Als er aufwachte, war seine Männlichkeit hoch aufgerichtet gewesen, wie so oft, aber diesmal ohne die Enttäuschung, dass nichts dabei herauskommen würde. In seinem Traum schmiegte er sich nämlich an ein entzückendes Hinterteil, warm und rund, mit einer verlockenden kleinen Spalte.

Seine Hand stahl sich nach unten, um eine der Pobacken zu umfassen.

Er seufzte. Perfektion.

Er hatte Frauen immer gemocht, die weichen Rundungen ihres Körpers, ihre zarte, helle Haut an seiner. Er hatte sich nie wie ein Schuft verhalten und war auch nie unvorsichtig gewesen. Vor Jahren hatte sein Vater ihn einmal beiseitegenommen und ihm eine Höllenangst vor der Lustseuche eingejagt. Und so hatte Edward zwar gemeinsam mit seinen Freunden Bordelle besucht, aber nie von den dort angebotenen Freuden gekostet. Es war weitaus sicherer und seiner Einschätzung nach auch viel angenehmer, bei einer Frau zu liegen, die man auch kannte. Bei diskreten Witwen. Hin und wieder einer Opernsängerin.

Aber in den amerikanischen Kolonien waren die diskreten Witwen und Opernsängerinnen rar gesät, und so war es schon eine ganze Weile her, seit er das letzte Mal so selig verflochten mit weiblichen Gliedmaßen dagelegen hatte.

Er liebte es, die Wärme einer Frau neben sich zu spüren. Unter ihm.

Um sich.

Er zog sie an sich, diese perfekte Frau seiner Träume, und dann …

Wachte er auf.

Richtig.

Himmel.

Das war keine geheimnisvolle Frau aus seinen Träumen, die er in den Armen hielt, es war Cecilia, und ihr Nachthemd hatte sich nach oben geschoben und offenbarte ihr sehr nacktes, sehr verlockendes Hinterteil.

Er war größtenteils noch angezogen, nachdem er zweimal voll bekleidet eingeschlafen war, doch seine Männlichkeit drängte mächtig gegen den beengten Raum, und er konnte ihr wirklich keinen Vorwurf machen, so nah an Cecilias Hinterteil.

In einer so auserlesen quälenden Situation hatte sich bestimmt noch kein Mann befunden. Sie war seine *Frau*. Da hatte er doch sicher das Recht, sie an sich zu ziehen, zu sich herumzurollen und zu küssen, bis sie vor Lust von Sinnen war. Er würde an ihren Lippen beginnen, sich dann an ihrem langen, eleganten Hals nach unten bis zu ihrem Schlüsselbein vorarbeiten.

Von dort wäre es nur noch ein kurzes Stück bis zu ihren Brüsten, die er zwar noch nicht gesehen hatte, von denen er aber jetzt schon wusste, dass sie genau die richtige Größe und Form für seine Hände haben würden. Ihm war nicht ganz klar, woher er das wissen wollte, nur dass sich bisher alles an ihr als perfekt erwiesen hatte, warum also nicht auch das?

Und er hatte das Gefühl, dass er eine dieser Brüste irgendwann im Lauf der letzten Nacht umfasst hatte. Seine Seele schien sich daran zu erinnern, selbst wenn es sein Gedächtnis nicht tat.

Aber er hatte ihr versprochen, dass er diese erzwungene Nähe nicht ausnutzen würde. Sich selbst hatte er gelobt, dass er ihr eine richtige Hochzeitsnacht bieten würde, nicht irgendein hastiges Gefummel mit einem Mann, der nur mit halber Kraft und Standfestigkeit agierte.

Wenn er mit ihr schlief, würde sie all das romantische Liebeswerben bekommen, das sie verdiente.

Jetzt also musste er einen Weg finden, sich von ihr zu lösen, ohne sie zu wecken. Obwohl jede männliche Faser seines Körpers dagegen protestierte.

Manche Fasern stärker als andere.

Eins nach dem anderen, sagte er sich. *Nimm die Hand weg.*

Er stöhnte. Er wollte die Hand nicht dort wegnehmen.

Aber dann stieß Cecilia ein leises Geräusch aus, so als könnte sie gleich aufwachen, und das schien ihn zu aktivieren. Mit einer langsamen, vorsichtigen Bewegung zog er die Hand zurück und legte sie auf seiner Hüfte ab.

Sie murmelte etwas im Schlaf, das verdächtig nach »Lachsbrei« klang, seufzte tief auf und kuschelte sich erneut in die Kissen.

Die Katastrophe war abgewendet. Edward atmete auf.

Nun musste er den Arm unter ihr hervorziehen. Keine einfache Aufgabe, da sie seine Hand als eine Art Schmusedecke benutzte und sie liebevoll an die Wange gedrückt hielt.

Er zog ganz vorsichtig. Sie ließ nicht los.

Er zog kräftiger, nur um zu erstarren, als sie im Schlaf einen ärgerlichen Ton von sich gab und sich noch fester an seine Hand schmiegte.

Wie konnte man im Schlaf schimpfen?

Also gut, sagte er sich, nun wird es ernst. Ungeschickt verlagerte er sein Gewicht, bis er den Arm der Länge nach fest in die Matratze presste. Durch die so entstandene Kuhle konnte er den Arm unter ihr hervorziehen, ohne sie aufzustören.

Endlich entwirrt. Edward rückte von ihr ab, Zoll um Zoll um … Nein, streichen Sie das, weiter als bis die ersten beiden Zoll kam er nicht. Es stellte sich heraus, dass nicht er nachts auf die andere Seite des Bettes gerutscht war, sondern Cecilia.

156

Und für halbe Sachen hatte sie anscheinend auch nichts übrig, denn er balancierte nun ganz am Rand der Matratze.

Ihm blieb nichts anderes übrig. Er musste aufstehen und den Tag begrüßen.

Den Tag? Er blickte zum Fenster. Wohl eher die Morgendämmerung. Was wohl nicht weiter überraschend war, da er am Abend davor ja relativ früh eingeschlafen war.

Nachdem er noch einmal zu Cecilia hinübergeblickt hatte, um sich zu vergewissern, dass sie noch fest schlief, schwang Edward die Beine über die Bettkante und stand auf. So schwach wie am Tag davor fühlte er sich nicht, was durchaus einleuchtend war. Er hatte am Vorabend zwar nichts als ein wenig Brühe zu sich genommen, doch gleich bei ihrem Eintreffen im Devil's Head hatte er eine richtige Mahlzeit essen können. Erstaunlich, was ein wenig Fleisch und Kartoffeln bewirken konnten.

Sein Kopf fühlte sich ebenfalls besser an. Allerdings mahnte ihn irgendeine innere Stimme, keine plötzlichen, ruckartigen Bewegungen zu machen. Womit eine Fahrt ins zehn Meilen entfernte Harlem ausfiel, doch in dieser Hinsicht hatte Cecilia glücklicherweise ohnehin nachgegeben. Er glaubte auch tatsächlich nicht, dass sie in der Krankenstation im Norden irgendetwas über Thomas in Erfahrung bringen würde, aber er würde sie dort hinbegleiten, sobald er dazu in der Lage war. Bis dahin würden sie ihre Nachforschungen eben hier betreiben.

Er würde nicht eher ruhen, bis sie erfahren hatten, was mit Thomas passiert war. Das war Edward seinem Freund schuldig.

Und jetzt auch Cecilia.

Immer noch langsam legte er die kurze Entfernung zum

Fenster zurück und schob die Vorhänge ein wenig zurück. Über der Neuen Welt ging die Sonne auf und malte breite orange- und rosafarbene Streifen in den Himmel. Er dachte an seine Familie in England. Für sie hätte der Tag bereits begonnen. Ob sie gerade zu Mittag aßen? War es draußen warm genug, um einen Ausritt über die ausgedehnten Ländereien von Crake House zu unternehmen? Oder herrschte immer noch Frühlingswetter, das kühle Luft und kalten Wind mit sich brachte?

Er vermisste sein Zuhause, vermisste das tiefe Grün der Rasen und Hecken, den kühlen Dunst am Morgen. Er vermisste die Rosensträucher seiner Mutter, obwohl er den süßlichen Duft nie gemocht hatte. Hatte er schon früher Heimweh gehabt? Eigentlich konnte er sich das nicht vorstellen, aber vielleicht war dieser Schmerz während der Monate in ihm entstanden, die seinem Gedächtnis nun fehlten.

Vielleicht war es auch einfach neu. Er hatte jetzt eine Frau, und so Gott wollte, würden Kinder folgen. Nie hätte er erwartet, dass er hier in den Kolonien eine Familie gründen würde. Er hatte sich immer ausgemalt, wie er sich in Kent in einem eigenen Haus niederlassen würde, das sich nicht allzu weit von dem der Rokesbys entfernt befand.

Nicht dass in dieser verschwommenen Fantasie je eine spezielle Frau vorgekommen wäre. Bisher hatte er noch keiner ernsthaft den Hof gemacht, obwohl alle zu glauben schienen, dass er irgendwann seine Nachbarin Billie Bridgerton heiraten würde. Er hatte sich nie die Mühe gemacht, die Leute von dieser Vorstellung abzubringen, genauso wenig wie Billie, aber als Ehepaar wären sie beide gewiss die reinste Katastrophe. Ihr Verhältnis war viel zu geschwisterlich für eine Ehe.

Bei dem Gedanken an sie lachte er in sich hinein. Als Kinder hatten er und Billie sowie sein Bruder Andrew und seine Schwester Mary außergewöhnlich viel Freiraum gehabt. Ein Wunder, dass sie es heil ins Erwachsenenalter geschafft hatten. Bereits vor seinem achten Lebensjahr hatte er sich eine Schulter ausgekugelt und sich einen Milchzahn ausschlagen lassen. Andrew war immer in die eine oder andere Patsche geraten. Nur Mary hatte nicht ständig irgendwelche Verletzungen davongetragen, aber das war wohl eher dem Zufall geschuldet gewesen.

Und George natürlich. George hatte die Geduld ihrer Mutter niemals mit irgendwelchen Knochenbrüchen oder blauen Flecken auf die Probe gestellt. Andererseits war er auch ein paar Jahre älter als der Rest. Er hatte weitaus Wichtigeres zu tun gehabt, als mit seinen kleinen Geschwistern durch die Gegend zu toben.

Ob Cecilia seine Familie wohl mögen würde? Wohl ja. Eigentlich war er sich sicher, dass sie sie mögen würde. Er hoffte, dass sie Derbyshire nicht allzu sehr vermissen würde, aber es hatte sich nicht so angehört, als hätte sie noch viele Verbindungen dorthin. Thomas hatte nicht so geklungen, als empfände er große Zuneigung für sein Dorf; Edward wäre nicht überrascht gewesen, wenn er in der Armee bliebe und Marswell vermietete, jetzt, da es ihm gehörte.

Natürlich würden sie ihn zuerst finden müssen.

Er persönlich war nicht sehr optimistisch. Cecilia zuliebe hatte er gute Miene gemacht, aber Thomas' Verschwinden wies so viele Ungereimtheiten auf, dass ein glückliches Ende einfach nicht sehr wahrscheinlich war.

Andererseits war seine eigene Geschichte voller bizarrer Unwahrscheinlichkeiten – ein verlorenes Gedächtnis, eine dazugewonnene Ehefrau. Wer wollte da sagen, dass Thomas nicht ebenso viel Glück haben sollte?

Die warmen Himmelstöne begannen sich aufzulösen, und Edward ließ den Vorhang sinken. Er sollte sich anziehen – wieder anziehen –, bevor Cecilia erwachte. Auf frische Breeches würde er vermutlich verzichten, aber ein sauberes Hemd war angebracht. Seine Truhe war in der Nähe des Schranks abgestellt worden, und so ging er leise durchs Zimmer und öffnete sie. Erfreut stellte er fest, dass seine Habseligkeiten alle intakt zu sein schienen. Er hatte hauptsächlich Kleider und Ausrüstung mitgebracht, aber ein paar persönliche Gegenstände waren auch dabei. Ein schmales Gedichtbändchen, in dem er gern las, ein lustiges kleines Holzkaninchen, das er und Andrew in ihrer Jugend geschnitzt hatten.

Er lächelte in sich hinein, verspürte plötzlich das Bedürfnis, es sich anzusehen. Sie hatten beschlossen, dass jeder eine Hälfte schnitzen sollte, und das Ergebnis war das unförmigste, schiefste Nagetier, das je das Licht der Welt erblickt hatte. Billie hatte erklärt, wenn Kaninchen so aussähen, wären sie Raubtiere geworden, weil alle anderen Tiere bei ihrem Anblick vor Schreck in Ohnmacht fallen würden.

»Dann«, hatte sie mit ihrem typischen Sinn fürs Dramatische verkündet, »dann hätten sie mit ihren teuflischen kleinen Zähnen zugeschlagen ...«

In diesem Augenblick kam Edwards Mutter dazu und bereitete dem Gespräch ein Ende, indem sie erklärte, Kaninchen seien »Gottes sanfte Kreaturen« und Billie sollte ...

Genau in dem Moment hielt Edward der Mutter das hölzerne Kaninchen unter die Nase, worauf diese einen Schrei ausstieß, der so laut, so schrill war, dass die Kinder ihn noch wochenlang nachahmten.

So hatte ihn aber keiner von ihnen hinbekommen. Nicht einmal Mary, und die konnte wirklich kreischen. (Bei so vielen Brüdern hatte sie es schon in jungen Jahren gelernt.)

Edward kramte in seinen Sachen herum, wühlte zwischen Hemd und Breeches und den Socken, die er inzwischen selbst stopfen konnte. Er tastete nach den unregelmäßigen Formen des Kaninchens, aber davor stieß er auf ein kleines Bündel Papiere, das sauber mit einem Stück Bindfaden verschnürt war.

Briefe. Er hatte all die Briefe aufgehoben, die er von zu Hause bekommen hatte, nicht dass sein Stapel irgendeinem Vergleich mit Thomas' standgehalten hätte. Aber das kleine Häufchen repräsentierte alle, die ihm am Herzen lagen – seine Mutter mit ihrer großen, elegant fließenden Schrift, sein Vater, der nie viel schrieb, aber dennoch irgendwie auszudrücken wusste, wie ihm zumute war. Von Andrew nur ein einziger Brief. Doch Edward war nachsichtig: Sein jüngerer Bruder war in der Marine und sogar noch schwerer zu erreichen als Edward in New York.

Mit einem sentimentalen Lächeln blätterte er weiter durch den Stapel. Billie war eine schreckliche Schreiberin, aber ein paar Briefe hatte sie immerhin geschrieben. Seine Schwester Mary war da viel besser, und sie hatte ein paar Zeilen ihres jüngsten Bruders Nicholas mitgeschickt, den Edward, wie er zu seiner Schande gestehen musste, kaum kannte. Der Altersunterschied war groß, und da sie beide viel beschäftigt waren, hielten sie sich nur selten zur selben Zeit am selben Ort auf.

Ganz unten im Stapel, zwischen zwei Briefen von seiner Mutter, stieß Edward schließlich auf das Schreiben, das ihm von allen am wertvollsten war.

Cecilia.

Sie hatte ihn nie direkt angeschrieben, sie wussten beide, dass das höchst ungehörig gewesen wäre. Aber sie hatte den Briefen an ihren Bruder meist ein paar Zeilen hinzugefügt, die an ihn gerichtet waren, und im Lauf der Zeit sah Edward diesen Botschaften mit einer Sehnsucht entgegen, die er niemals zugegeben hätte.

Thomas sagte dann immer: »Ah, ein Brief von meiner Schwester«, worauf Edward nicht einmal aufsah und sagte: »Ach, wie schön, ich hoffe, es geht ihr gut.« Doch insgeheim schlug sein Herz ein wenig schneller, er bekam ein bisschen schlechter Luft, und während Thomas Cecilias Worte lässig überflog, beobachtete Edward ihn aus dem Augenwinkel und bemühte sich, nicht laut herauszuschreien: »Verdammt, jetzt lies mir endlich den Teil vor, der für mich bestimmt ist!«

Nein, es wäre wirklich überaus ungehörig gewesen, wenn er eingestanden hätte, wie sehr er sich auf Cecilias Briefe freute.

Und dann, eines Tages – Thomas war gerade unterwegs, und er ruhte sich in ihrem gemeinsamen Zimmer aus – ertappte er sich dabei, wie er wieder einmal an sie dachte. Daran war erst einmal nichts Ungewöhnliches. Er dachte weitaus öfter an die Schwester seines besten Freundes, als man hätte erwarten können, nachdem er sie noch nicht einmal persönlich kennengelernt hatte. Seit ihrem letzten Brief war jedoch ein Monat vergangen – was ungewöhnlich lang war –, und Edward machte sich allmählich Sorgen um sie, obwohl er wusste, dass die Verzögerung mit ziemlicher Sicherheit auf den Wind und die Meeresströmungen zurückzuführen war. Die transatlantische Post war alles andere als zuverlässig.

Während er auf dem Bett lag, wurde ihm klar, dass er sich nicht genau erinnern konnte, was sie in diesem letzten Brief geschrieben hatte, und aus irgendeinem Grund wurde es einfach unumgänglich für ihn, es zu erfahren. Hatte sie die örtliche Wichtigtuerin als überheblich oder überspannt beschrieben? Er wusste es nicht mehr, und es war wichtig. Es veränderte die Bedeutung, und ...

Bevor er noch wusste, was er da tat, war er schon an Thomas' Sachen und fischte Cecilias Briefe heraus, nur damit er die vier Sätze lesen konnte, die sie für ihn dazugeschrieben hatte.

Auf die Idee, dass dies ein Eingriff in die Privatsphäre seines Freundes sein könnte, kam er allerdings erst hinterher.

Dass es erbärmlich von ihm war, war ihm hingegen die ganze Zeit bewusst gewesen.

Sobald er einmal angefangen hatte, konnte er nicht mehr aufhören. Wann immer Thomas unterwegs war, ertappte er sich dabei, wie er in Cecilias Briefen herumkramte. Es war sein dunkles Geheimnis, und als er erfahren hatte, dass man ihn nach Connecticut schicken wollte, hatte er zwei Briefseiten stibitzt, wobei er nur die nahm, bei denen die letzte Seite fast ausschließlich an ihn gerichtet war. Thomas würde von den Worten seiner Schwester nur sehr wenig verlieren, und Edward würde ...

Nun, um ehrlich zu sein, dachte er, er würde ein wenig Normalität gewinnen. Vielleicht ein wenig Hoffnung.

Am Ende hatte er nur einen Brief nach Connecticut mitgenommen, den anderen hatte er sicher in seiner Truhe zurückgelassen. Daran hatte er anscheinend klug getan. Im Lazarett hatte er erfahren, dass er gar nichts bei sich gehabt hatte, als man ihn in Kips Bay gefunden hatte. Wo Cecilias Brief nun war, wusste der Himmel. Vermutlich am Grund eines Sees, oder vielleicht war ein Feuer damit entzündet worden. Edward hoffte, dass sich irgendein unternehmungslustiger Vogel das Papier geschnappt und zerrissen hatte, um damit sein Nest zu polstern.

Das würde Cecilia vermutlich gefallen, dachte er.

Ihm auch. Es tröstete ihn beinahe über den Verlust hinweg. Er hatte gedacht, er hätte ihn sicher aufgehoben, er war immer in seiner Rocktasche. Seltsam, dass ...

Edward erstarrte. Seitdem er aus der Bewusstlosigkeit erwacht war, war dies das erste Mal, dass er sich an so viel erinnerte. Nicht an das, was er getan oder gesagt hatte, nur dass er einen Brief seiner Frau in der Rocktasche gehabt hatte.

War sie damals überhaupt schon seine Frau gewesen? Wann *hatten* sie eigentlich geheiratet? Er hatte sie das schon einmal am Vortag gefragt, aber dann waren sie irgendwie vom Thema abgekommen, und dann – wirklich, er war selbst schuld daran – hatte er verlangt, dass sie ihn küsse.

Wenn er keine Antworten bekommen hatte, war er ganz allein schuld daran.

Der Brief jedoch – der, den er in der Hand hielt – war der, der ihm vor allem am Herzen lag. Es war das erste Mal, dass sie ausdrücklich an ihn geschrieben hatte. Er war nicht sonderlich vertraulich, es war, als hätte sie unwillkürlich gewusst, dass er vor allem Normalität brauchte. Sie hatte die Seite mit alltäglichen Dingen gefüllt, die nur durch ihre ironische Perspektive reizvoll wurden.

Edward blickte über die Schulter, um sich zu vergewissern, dass Cecilia noch schlief, und faltete den Brief dann vorsichtig aus.

Sehr geehrter Captain Rokesby,

Ihre Beschreibung der Wildblumen in den Kolonien hat in mir die Sehnsucht nach dem Frühling geweckt, der hier in Derbyshire soeben die grimmige Schlacht mit dem Winter verliert. Nein, das stimmt nicht. Die Schlacht ist nicht grimmig. Der Winter hat den Frühling einfach wie einen Käfer zertreten. Wir haben nicht einmal Gelegenheit, uns über frischen Pulverschnee zu freuen. Jedweder Niederschlag, den wir genossen haben, ist längst zu einem schmutzigen, unangenehmen Matsch geschmolzen, und ich fürchte, ich habe mir diese Saison schon zwei Schuhe ruiniert. Nicht zwei Paar, zwei einzelne Schuhe. Eine linke Sandale und einen rechten Stiefel. Meine sparsame Seele möchte aus den Überbleibseln gern ein Paar machen, aber ich fürchte, ich bin zu eitel, um mich auf eine solche Mode einzulassen, außerdem befürchte ich ein Ungleichgewicht. Ich bin mir sicher, dass ich über alles stolpern, die Treppe hinunterfallen und dabei vielleicht auch noch ein Fenster zertrümmern würde. Lassen Sie sich von Thomas die Geschichte erzählen, wie ich im Salon über den Teppich gestolpert bin. Daraus hat sich eine ganze Kette trauriger Unglücksfälle ergeben.

Achten Sie auf sich, und auch auf Thomas, ich werde ihn nötigen, dasselbe zu tun. Ich werde oft an Sie denken und Sie in meine Gebete mit einschließen.

Ihre Freundin

Cecilia Harcourt

Nachdem er alles gelesen hatte, starrte Edward ein paar Augenblicke auf die elegante Schrift, fuhr mit dem Finger die schwungvoll gesetzten Schnörkel ihres Namens nach. *Ihre*

Freundin, hatte sie geschrieben. Und das war sie tatsächlich gewesen, selbst bevor er sie kennengelernt hatte.

Seine Freundin.

Und nun seine Frau.

Hinter ihm waren untrügliche Geräusche zu hören, die ihm verrieten, dass Cecilia aufwachte. Rasch faltete er den Brief zusammen und steckte ihn wieder in den Stapel Familienbriefe.

»Edward?«, hörte er sie sagen. Ihre Stimme war immer noch schlaftrunken, als ob sie jeden Augenblick anfangen würde zu gähnen.

»Guten Morgen«, sagte er und drehte sich um.

»Was hast du denn da gelesen?«

Er klopfte sich auf den Schenkel. »Nur einen Brief von zu Hause.«

»Oh.« Sie schwieg einen Augenblick und sagte dann leise: »Du musst deine Familie schrecklich vermissen.«

»Ich ... ja«, sagte er. Und in diesem winzigen Augenblick fühlte er sich plötzlich wieder wie ein Grünschnabel, dem eine schöne junge Frau gegenübersaß, die sich keiner anzusprechen traute. Es war lächerlich, absolut verrückt. Er war ein erwachsener Mann, und seit über zehn Jahren hatte ihn keine Frau mehr so verschreckt, dass es ihm die Sprache verschlagen hätte. Aber er fühlte sich wie auf frischer Tat ertappt.

Wenn sie herausfand, dass er ihre Briefe gestohlen hatte ...

Er schämte sich in Grund und Boden, wenn er nur daran dachte.

»Ist irgendetwas?«, fragte sie.

»Nein, nein, natürlich nicht.« Er legte den gesamten Briefstapel in die Truhe zurück. »Nur ... du weißt schon ... ich habe an zu Hause gedacht.«

Sie nickte und setzte sich dann im Bett auf, wobei sie prüde die Bettdecke an sich presste.

»Ich habe sie schon so lang … au!« Edward hatte sich mit dem großen Zeh an der Truhe gestoßen und stieß einen Schwall an Flüchen aus. Er war so eifrig darauf bedacht gewesen, die Beweisstücke seiner liebeskranken Tölpeleien zu verbergen, dass er nicht aufpasste, wohin er den Fuß setzte.

»Alles in Ordnung?«, erkundigte sie sich und klang dabei ziemlich überrascht.

Edward fluchte noch einmal und bat sie dann umgehend um Verzeihung. Es sei aber schon so lang her, dass er sich in Gegenwart einer Dame befunden habe. Seine Manieren seien eingerostet.

»Du brauchst dich nicht zu entschuldigen«, meinte sie. »Es gibt nichts Schlimmeres, als sich den Zeh zu stoßen. Ich wünschte nur, ich könnte dasselbe sagen, wenn ich mir meinen anstoße.«

»Billie macht das«, sagte er.

»Wer?«

»Oh, Entschuldigung. Billie Bridgerton. Meine Nachbarin.« Anscheinend geisterte sie immer noch durch seine Gedanken. Vermutlich weil er eben die Briefe von zu Hause durchgesehen hatte.

»Oh ja. Du hast sie erwähnt.«

»Wirklich?«, entgegnete er abwesend. Er und Billie waren beste Freunde – wirklich, sie waren zusammen aufgewachsen. Und einen größeren Wildfang konnte man sich kaum ausmalen. Er war sich nicht sicher, ob ihm vor seinem achten Lebensjahr überhaupt klar gewesen war, dass sie ein Mädchen war.

Er lachte, als er daran dachte.

Cecilia wandte den Blick ab.

»Ich kann mir gar nicht vorstellen, warum ich dir von ihr hätte schreiben sollen«, sagte Edward.

»Hast du auch nicht«, erklärte sie. »Thomas hat sie erwähnt.«

»Thomas?« Das erschien ihm merkwürdig.

Sie zuckte lässig mit den Schultern. »Du musst ihm wohl von ihr erzählt haben.«

»Vermutlich.« Er griff in die Truhe und holte ein frisches Hemd heraus. Deswegen hatte er das verdammte Ding ja überhaupt erst geöffnet. »Wenn du mich bitte entschuldigen würdest«, sagte er, zog sich das alte Hemd über den Kopf und schlüpfte in das neue.

»Oh!«, rief Cecilia aus. »Du hast eine Narbe.«

»Was?«

»Du hast eine Narbe auf dem Rücken. Sie ist mir noch nie aufgefallen.« Sie runzelte die Stirn. »Das wundert mich auch nicht. Während ich dich versorgt habe, habe ich nie … Ach, egal.« Der Moment ging vorüber, und dann fragte sie: »Woher hast du die?«

Er streckte den Arm aus und deutete auf sein linkes Schulterblatt. »Meinst du das hier?«

»Ja.«

»Ich bin vom Baum gefallen.«

»Vor Kurzem?«

Er warf ihr einen Blick zu. Also ehrlich. »Ich war neun.«

Das schien sie zu interessieren. Sie setzte sich anders hin, im Schneidersitz unter den Decken. »Was ist passiert?«

»Ich bin vom Baum gefallen.«

Sie stöhnte. »Dazu gibt es doch bestimmt eine etwas ausführlichere Geschichte.«

»Eigentlich nicht«, erwiderte er. »Ungefähr zwei Jahre lang

habe ich gelogen und behauptet, mein Bruder hätte mich gestoßen, aber in Wahrheit habe ich einfach das Gleichgewicht verloren. Auf dem Weg nach unten bin ich an einem Ast hängen geblieben. Er hat mir das ganze Hemd zerrissen.«

Das brachte sie zum Lachen. »Du hast deiner Mutter das Leben bestimmt zur Hölle gemacht.«

»Meiner Mutter und dem- oder derjenigen, der alles wieder zusammenflickte. Das Hemd allerdings war wohl nicht mehr zu retten.«

»Besser ein Hemd als ein Arm oder ein Bein.«

»Na, die habe wir uns auch kaputt gemacht.«

»Du lieber Himmel!«

Er grinste sie an. »Billie hat sich beide Arme gebrochen.«

Cecilia machte große Augen. »Gleichzeitig?«

»Zum Glück nicht, aber Andrew und ich hatten großen Spaß dabei, uns vorzustellen, wie das wohl gewesen wäre. Als sie sich den zweiten brach, haben wir den heilen in eine Schlinge gesteckt, um zu sehen, wie sie zurechtkommt.«

»Und sie hat das zugelassen?«

»Zugelassen? Sie war es, die es vorgeschlagen hat.«

»Sie klingt ziemlich einmalig«, sagte Cecilia höflich.

»Billie?« Er schüttelte den Kopf. »So jemanden wie sie gibt es kein zweites Mal, das steht fest.«

Cecilia blickte auf das Bett, zupfte angelegentlich an der Decke. »Was macht sie denn zurzeit?«, fragte sie.

»Keine Ahnung«, gab er bedauernd zurück. Es schmerzte ihn, so von seiner Familie abgeschnitten zu sein. Seit vier Monaten hatte er schon nichts mehr von ihnen gehört. Und sie hielten ihn vermutlich für tot.

»Tut mir leid«, sagte Cecilia. »Das hätte ich nicht fragen sollen. Ich habe nicht weiter nachgedacht.«

»Schon gut«, erwiderte er. Sie konnte ja wirklich nichts dafür. »Obwohl ich mich ja frage – habe ich während meiner Abwesenheit vielleicht Post bekommen? Wahrscheinlich hat mir meine Familie noch geschrieben, bevor sie Nachricht erhielten, dass ich vermisst würde.«

»Ich weiß nicht. Wir können uns ja mal erkundigen.«

Edward blickte auf seine Manschetten, befestigte erst die linke, dann die rechte.

»Haben sie dir oft geschrieben?« Sie lächelte, aber es wirkte gezwungen. Vielleicht war sie auch einfach nur müde.

»Meine Familie?«

Sie nickte. »Und deine Freunde.«

»Keiner hat mir so oft geschrieben, wie du Thomas geschrieben hast«, sagte er ernst. »Ich war deswegen furchtbar neidisch. Waren wir alle.«

»Wirklich?« Diesmal brachte ihr Lächeln auch ihre Augen zum Strahlen.

»Wirklich«, bestätigte er. »Thomas hat mehr Post bekommen als ich, und dabei warst du seine einzige Korrespondentin.«

»Das kann nicht stimmen.«

»Doch, ich versichere es dir. Na ja, vielleicht nicht, wenn ich meine Mutter mit einrechne«, räumte er ein. »Aber das wäre ja auch kaum gerecht.«

Sie lachte. »Wie meinst du das?«

»Eine Mutter *muss* ihrem Sohn schreiben, meinst du nicht? Bei Geschwistern und Freunden ist das ein wenig anders ... die müssen nicht so fleißig sein.«

»Unser Vater hat Thomas nie geschrieben«, erklärte Cecilia. »Manchmal hat er mich gebeten, ihm Grüße auszurichten, aber das war alles.« Sie klang nicht empört deswegen, nicht einmal traurig. Edward hatte plötzlich ein Bild seines Freundes vor sich, wie er in einem ihrer Lager an einem Stock schnitzte. Thomas gab gern Aphorismen von sich, und einer seiner Lieblingssprüche war: »Ändere, was du ändern kannst, und was du nicht ändern kannst, das akzeptiere.«

Das schien Thomas' Schwester ziemlich gut zu charakterisieren.

Er sah sie an, betrachtete sie einen Augenblick. Sie war eine bemerkenswert starke und anmutige Frau. Er fragte sich, ob ihr das überhaupt bewusst war.

Er machte sich wieder an seinen Manschetten zu schaffen, obwohl sie einwandfrei saßen. Der Drang, Cecilia anzusehen, war einfach zu stark. Er würde sie in Verlegenheit bringen oder, wahrscheinlicher noch, sich selbst. Aber er wollte sie beobachten. Er wollte sie kennenlernen. Er wollte all ihre Geheimnisse und Wünsche erfahren, alle ihre Alltagsgeschichten, die kleinen Schlaglichter ihrer Vergangenheit, die sich zu einem Bild zusammensetzen würden.

Wie seltsam es doch war, eine andere Person in- und auswendig *kennen* zu wollen. Er konnte sich nicht erinnern, je ein derartiges Bedürfnis verspürt zu haben.

»Ich habe dir von meiner Kindheit erzählt«, sagte er. Er griff in die Truhe, holte ein frisches Krawattentuch heraus und machte sich daran, es zu binden. »Erzähl mir von deiner.«

»Was willst du denn wissen?«, fragte sie. Sie klang vage überrascht und vielleicht ein wenig amüsiert.

»Hast du viel draußen gespielt?«

»Ich habe mir nie den Arm gebrochen, falls es das ist, was du wissen möchtest.«

»Eigentlich nicht, aber es freut mich, das zu hören.«

»Wir können nicht alle wie Billie sein«, witzelte sie.

Verblüfft hielt er inne, sicher, sich verhört zu haben. »Was hast du gesagt?«

»Nichts«, entgegnete sie und schüttelte rasch den Kopf, wie um zu sagen, es sei nicht wert, wiederholt zu werden. »Es war albern. Und, nein, ich habe nicht viel draußen gespielt. Jedenfalls nicht so wie du. Ich habe viel lieber drinnen gesessen und gelesen.«

»Gedichte? Romane?«

»Alles, was ich in die Finger bekommen konnte. Thomas hat mich gern einen Bücherwurm genannt.«

»Eher ein Bücherdrachen, würde ich meinen.«

Sie lachte. »Warum sagst du das?«

»Du bist viel zu kämpferisch, um ein gemeiner Wurm zu sein.«

Sie blickte zur Decke und wirkte dabei ein wenig verlegen. Und vielleicht auch eine Spur stolz. »Ich bin mir absolut sicher, dass du der Einzige bist, der mich je kämpferisch gefunden hat.«

»Du hast einen Ozean überquert, um deinen Bruder zu retten. Für mich ist das der Inbegriff von kämpferisch.«

»Vielleicht.« Doch das Feuer war aus ihrer Stimme gewichen.

Neugierig betrachtete er sie. »Warum plötzlich so trübsinnig?«

»Es ist nur …« Sie dachte einen Augenblick nach und seufzte. »Als ich nach Liverpool aufgebrochen bin – von dort aus bin ich in See gestochen –, also, ich weiß nicht, ob mich die Liebe zu Thomas dazu veranlasst hat.«

Edward ging zum Bett und setzte sich in einer Art wortloser Unterstützung neben sie.

»Ich glaube ... ich glaube, es war Verzweiflung.« Sie neigte sich ihm zu, und er wusste, er würde den gequälten Blick in ihren Augen niemals vergessen. Es war weder Kummer noch Angst. Es war etwas viel Schlimmeres – Resignation, als hätte sie sich in sich hineingeblickt und etwas Hohles entdeckt. »Ich habe mich sehr allein gefühlt«, gestand sie. »Und ich hatte Angst. Ich weiß nicht, ob ...«

Sie vollendete den Satz nicht. Edward hielt still, ließ sein Schweigen Unterstützung sein.

»Ich weiß nicht, ob ich gekommen wäre, wenn ich mich nicht so allein gefühlt hätte«, sagte sie schließlich. »Ich möchte gern glauben, dass ich dabei nur an Thomas dachte, daran, wie sehr er meine Hilfe brauchte, aber ich frage mich, ob ich nicht vor allem *meinetwegen* abreisen musste.«

»Das wäre keine Schande.«

Sie sah auf. »Nein?«

»Nein«, sagte er leidenschaftlich und ergriff ihre Hände. »Du bist mutig, und du hast ein treues und schönes Herz. Angst zu haben und sich Sorgen zu machen, dafür braucht man sich nicht zu schämen.«

Sie konnte ihm jedoch nicht in die Augen sehen.

»Und du bist nicht allein«, gelobte er. »Das verspreche ich dir. Du wirst nie mehr allein sein.«

Er wartete darauf, dass sie etwas sagte, dass sie auf das tiefe Gefühl in seiner Erklärung einging, doch sie schwieg. Er sah, dass sie um Fassung rang. Schließlich beruhigte sich ihr Atem, und sie entzog ihm sanft eine Hand, um sich über die Augen zu wischen.

Dann sagte sie: »Ich möchte mich jetzt anziehen.«

Das war offensichtlich eine Aufforderung an ihn, das Zimmer zu verlassen.

»Natürlich«, sagte er und versuchte die Enttäuschung zu ignorieren, die in seinem Herzen wiederhallte.

Sie nickte ihm zu und murmelte ein paar Dankesworte, als er aufstand und zur Tür ging.

»Edward!«, rief sie ihm nach.

Er drehte sich um. Gegen alle Wahrscheinlichkeit keimte Hoffnung in ihm auf.

»Deine Stiefel«, erinnerte sie ihn.

Er sah zu Boden. Seine Füße steckten immer noch nur in Strümpfen. Er nickte knapp – nicht dass das die tiefe Röte verdeckt hätte, die an seinem Hals hochkroch –, schnappte sich die Stiefel und trat hinaus auf den Flur.

Er konnte sich die verdammten Dinger auf der Treppe anziehen.

10. KAPITEL

Ein ereignisloses Leben würde mir im Moment wirklich zusagen. Unser Abreisetag rückt näher, und ich kann nicht behaupten, dass ich mich auf die Überfahrt freue. Wusstest Du, dass es mindestens fünf Wochen dauert, bis wir Nordamerika erreicht haben? Es heißt, heimwärts sei die Reise kürzer – der Wind weht meist von West nach Ost, dann nehmen die Schiffe Fahrt auf. Im Moment ist das allerdings kein großer Trost. Man hat uns bisher noch kein Datum für die Rückreise genannt.

Edward lässt Grüße ausrichten. Ich soll Dir nicht verraten, dass er seekrank wird.

– THOMAS HARCOURT AN SEINE SCHWESTER CECILIA

Als Cecilia im Speisesaal des Devil's Head auf Edward stieß, saß der bereits beim Frühstück. Und trug seine Stiefel.

»Oh, bleib doch sitzen«, sagte sie, als er den Stuhl nach hinten rückte, um aufzustehen. »Bitte.«

Er stutzte einen Augenblick und nickte dann. Offenbar fiel es ihm nicht leicht, seine Manieren als Gentleman aufzugeben. Aber er war krank. Zwar auf dem Weg der Besserung, aber immer noch krank. Er hatte jedes Recht, sich zu schonen, wann immer das möglich war.

Und sie hatte die Pflicht, dafür zu sorgen, dass er es auch tat. Das war sie ihm schuldig. Ihm mochte das nicht klar sein, aber ihr schon. Sie nutzte seine Gutmütigkeit und seinen guten Ruf aus. Da konnte sie ihn wenigstens bei der Genesung unterstützen.

Sie nahm ihm gegenüber Platz. Erfreut stellte sie fest, dass er mehr zu essen schien als am Tag davor. Sie war überzeugt, dass seine anhaltende Schwäche weniger auf die Kopfverletzung zurückzuführen war als darauf, dass er eine ganze Woche nichts gegessen hatte.

Tagesziel: dafür sorgen, dass Edward ordentlich aß.

Das war auf alle Fälle leichter als das gestrige Ziel, das beinhaltet hatte, nicht mehr so viel zu lügen.

»Schmeckt es?«, erkundigte sie sich höflich. Sie kannte ihn nicht gut genug, um seine Stimmungen beurteilen zu können, aber er hatte das Zimmer ziemlich hastig verlassen, hatte sich nicht mal die Stiefel angezogen. Das hatte sie verwundert. Gut, sie hatte gesagt, sie wolle sich anziehen – womit sie ihm wohl auch zu verstehen gegeben hatte, dass sie ungestört sein wollte, aber das war doch sicher keine unangemessene Forderung gewesen.

Er faltete die Zeitung zusammen, in der er gelesen hatte, und deutete auf eine Servierplatte mit Schinkenspeck und Eiern. »Danke, ja, das hier ist ziemlich gut.«

»Gibt es auch Tee?«, fragte Cecilia hoffnungsvoll.

»Heute Morgen leider nicht. Aber ...«, er nickte zu einem Blatt Papier neben seinem Teller, »... wir haben eine Einladung erhalten.«

Es dauerte ein paar Augenblicke, bis Cecilia diese eigentlich doch simple Aussage verstanden hatte. »Eine Einladung?«, wiederholte sie. »Zu was?«

Und vor allem, von wem? Die einzigen Menschen, die wussten, dass sie und Edward verheiratet waren, waren ein paar Armeeoffiziere, der Arzt und der Mann, der im Kirchenlazarett den Boden fegte.

Beziehungsweise waren das die einzigen, die es zu wissen *glaubten*.

Sie versuchte zu lächeln. Ihr Lügennetz wurde mit jedem Augenblick komplizierter.

»Ist dir nicht gut?«, fragte Edward.

»Doch«, sagte sie ein wenig zu plötzlich. »Mir geht es blendend. Warum fragst du?«

»Dein Gesichtsausdruck ist ziemlich merkwürdig«, erklärte er.

Sie räusperte sich. »Vermutlich habe ich einfach nur Hunger.« Lieber Himmel, sie war eine furchtbare Lügnerin.

»Sie ist von Gouverneur Tryon«, sagte Edward und schob die Einladung über den Tisch. »Er veranstaltet einen Ball.«

»Einen Ball. Jetzt?« Verblüfft schüttelte Cecilia den Kopf. Die Frau in der Bäckerei hatte gesagt, dass in New York immer noch Gesellschaften stattfanden, doch sie fand das bizarr, da doch in der Nähe Schlachten gefochten wurden.

»Seine Tochter wird achtzehn. Wie ich höre, hat er sich geweigert, diesen Geburtstag nicht zu feiern.«

Cecilia nahm das Pergament – lieber Himmel, wo bekam man in New York denn Pergament? – und machte sich mit dem Inhalt vertraut. Tatsächlich, der Ehrenwerte Captain und Mrs. Rokesby waren in drei Tagen zur Feier geladen.

Sie sagte das Erste, das ihr durch den Kopf schoss. »Ich habe nichts anzuziehen.«

Edward zuckte mit den Schultern. »Wir finden schon etwas.«

Sie verdrehte die Augen. Typisch Mann. »In drei Tagen?«

»Hier besteht kein Mangel an Näherinnen, die Geld brauchen.«

»Was ich nicht habe.«

Er sah sie einigermaßen verblüfft an. »Aber ich. Und du daher auch.«

Dagegen konnte Cecilia keine Einwände erheben, so gewinnsüchtig sich das auch anfühlte, und so murmelte sie stattdessen: »Sie hätten uns ja schon etwas eher Vorwarnung geben können.«

Edward wiegte nachdenklich den Kopf. »Ich könnte mir vorstellen, dass die Einladungen schon vor einer Weile verschickt wurden. Ich wurde bis vor Kurzem ja noch vermisst.«

»Natürlich«, sagte sie hastig. Oh lieber Himmel, was sollte sie deswegen nur unternehmen? Sie konnte nicht zu einem Ball gehen, zu dem der Militärische Gouverneur von New York einlud! Immer wieder hatte sie sich gesagt, sie käme mit dieser Scharade nur deswegen durch, weil niemand je davon erfahren würde.

Sie biss sich auf die Innenseite der Wange. Niemand außer dem Gouverneur, seiner Frau und allen anderen führenden Königstreuen in der Stadt.

Die irgendwann vielleicht nach England zurückkehren würden.

Wo sie Edwards Familie begegnen könnten.

Und sie nach seiner Frau fragen würden.

Du lieber Himmel.

»Was ist los?«, fragte Edward.

Sie blickte auf.

»Du schaust so finster.«

»Wirklich?« Eigentlich war sie überrascht, dass sie nicht in unkontrolliertes Gelächter ausgebrochen war.

Er bestätigte es zwar nicht, doch seine übermäßig geduldige Miene sagte ganz deutlich: *Ja, allerdings.*

Cecilia fuhr die elegante Schrift der Einladung mit dem Finger nach. »Du findest es nicht überraschend, dass ich in die Einladung mit eingeschlossen wurde?«

Er winkte ab mit einer Wovon-um-alles-in-der-Welt-redest-du-da-Geste. »Du bist meine Frau.«

»Ja, aber wie soll der Gouverneur das erfahren haben?«

Edward schnitt sich ein Stück von seinem Schinkenspeck herunter. »Er wird es wohl schon seit Monaten wissen.«

Sie sah ihn verständnislos an.

Er erwiderte den Blick. »Gibt es denn einen Grund, warum ich ihm nichts von unserer Heirat hätte erzählen sollen?«

»Du kennst den Gouverneur?«, fragte sie und wünschte sich, ihre Stimme hätte bei der letzten Silbe nicht so gequiekt.

Er steckte sich den Schinkenspeck in den Mund und kaute. »Meine Mutter ist mit seiner Frau befreundet.«

»Deine Mutter«, wiederholte sie tonlos.

»Ich glaube, sie haben zusammen in London debütiert.« Er runzelte die Stirn. »Sie war eine außergewöhnlich reiche Erbin.«

»Deine Mutter?«

»Mrs. Tryon.«

»Oh.«

»Meine Mutter auch, aber an Tante Margaret kommt sie nicht heran.«

Cecilia erstarrte. »*Tante* ... Margaret?«

Er wedelte mit der Hand, als könnte sie *das* beruhigen. »Sie ist meine Patentante.«

Cecilia wurde sich bewusst, dass sie schon seit mehreren Augenblicken einen Servierlöffel mit Ei darauf in die Höhe hielt. Ihr Handgelenk zitterte, und dann platschte der gelbe Haufen auf ihren Teller.

»Die Frau des Gouverneurs ist deine Patentante?«, stieß sie hervor.

Er nickte. »Auch die meiner Schwester.«

Cecilia brachte so etwas wie ein Nicken zustande, und obwohl sie merkte, dass ihr der Mund ein Stück offen stand, schien sie nicht in der Lage zu sein, ihn zu schließen.

»Ist irgendetwas?«, fragte er, ahnungsloser Mann, der er war.

Sie brauchte einen Augenblick, um einen Satz zu formulieren. »Du bist nicht auf die Idee gekommen, mir zu sagen, dass deine Patentante mit dem Gouverneur von New York verheiratet ist?«

»Es hat sich nie ergeben.«

»Lieber Himmel.« Cecilia sank auf dem Stuhl zusammen. Ihr kompliziertes Lügennetz? Wurde mit jedem Augenblick verzwickter. Einer Sache war sie jedoch sicher: Sie konnte nicht zu diesem Ball gehen und Edwards Patin kennenlernen. Eine Patin wusste Dinge. Sie würde zum Beispiel wissen, dass Edward »beinahe« verlobt gewesen war, aber nicht mit Cecilia.

Vielleicht kannte sie die Verlobte sogar. Und sie würde ganz bestimmt wissen wollen, wieso Edward auf eine Verbindung mit den Bridgertons verzichtet hatte, um einen Niemand wie Cecilia zu heiraten.

»Dem Gouverneur«, wiederholte Cecilia und konnte es sich gerade noch verkneifen, den Kopf in die Hände sinken zu lassen.

»Er ist auch nur ein Mann«, sagte Edward wenig hilfreich.

»Sagt der Sohn eines Earls.«

»Was für ein Snob du doch bist«, erwiderte er mit gutmütigem Lachen.

Beleidigt richtete sie sich auf. Sie war nicht perfekt, in letzter Zeit nicht einmal ehrlich, aber ein Snob war sie nicht. »Was soll das heißen?«

»Du machst ihm seine Stellung zum Vorwurf«, sagte er, immer noch grinsend.

»Tue ich nicht. Weiß Gott nicht. Ganz im Gegenteil. Ich mache mir meine Stellung zum Vorwurf.«

Er nahm sich noch ein Stück Schinkenspeck. »Sei nicht albern.«

»Ich bin ein Niemand.«

»Das«, erklärte Edward entschieden, »stimmt ganz und gar nicht.«

»Edward ...«

»Du bist meine Frau.«

Das stimmte ganz und gar nicht. Cecilia musste sich die Hand vor den Mund schlagen, um nicht in Gelächter auszubrechen. Oder in Tränen.

Oder beides.

»Selbst wenn wir nicht verheiratet wären, wärst du ein gern gesehener Gast auf diesem Fest.«

»Da der Gouverneur von meiner Existenz nichts wüsste, wäre ich nicht mal *eingeladen* zu diesem Fest.«

»Er würde wohl wissen, wer du bist. Er hat ein ausgezeichnetes Namensgedächtnis, und ich bin sicher, dass Thomas irgendwann einmal erwähnt hat, dass er eine Schwester hat.«

Cecilia hätte sich beinahe an ihren Eiern verschluckt. »Thomas kennt den Gouverneur?«

»Er hat ein paarmal mit ihm diniert«, erklärte Edward leichthin.

»Natürlich«, erwiderte Cecilia. Weil ... natürlich.

Sie musste dem ein Ende bereiten. Es geriet völlig außer Kontrolle. Es war ... Es war ...

»Eigentlich«, sinnierte Edward, »könnte er sich sogar als hilfreich erweisen.«

»Wie bitte?«

»Ich weiß gar nicht, warum ich nicht schon früher darauf gekommen bin.« Er sah auf, zog die Brauen über den strahlend blauen Augen zusammen. »Wir sollten Gouverneur Tryon bitten, uns bei der Suche nach Thomas zu unterstützen.«

»Glaubst du, dass er etwas weiß?«

»Ganz gewiss nicht, aber er weiß, wie man die richtigen Leute unter Druck setzt.« Cecilia schluckte, kämpfte mit Tränen des Zorns. Da war es wieder. Die schlichte, unausweichliche Wahrheit. Bei der Suche nach ihrem Bruder kam es letztendlich nur darauf an, dass man die richtigen Leute kannte.

Ihr Unbehagen musste sich in ihrer Miene gespiegelt haben, denn Edward ergriff ihre Hand und drückte sie beruhigend. »Das sollte dir nicht unangenehm sein«, sagte er. »Du bist die Tochter eines Gentlemans und nun die Schwiegertochter des Earl of Manston. Du hast jedes Recht, zu dem Ball zu gehen.«

»Das ist es nicht«, entgegnete Cecilia, obwohl es das auch war, ein wenig. Sie war es nicht gewohnt, mit hochgestellten Offizieren zu verkehren. Allerdings war sie es auch nicht gewohnt, mit Söhnen von Earls zu verkehren, und nun war sie sogar mit einem verheiratet. Zumindest angeblich.

»Kannst du tanzen?«, fragte Edward.

»Natürlich kann ich tanzen«, herrschte sie ihn an.

»Dann kommst du schon zurecht.«

Sie starrte ihn an. »Du hast keine Ahnung, was?«

Er lehnte sich zurück, die linke Wange ausgebeult, weil er die Zunge gegen die Innenseite drückte. Er tat das ziemlich oft, stellte sie fest. Sie war sich noch nicht sicher, was es zu bedeuten hatte.

»Es gibt eine Menge Dinge, von denen ich keine Ahnung habe«, sagte er mit einer Stimme, die viel zu geduldig war, als dass man sie für harmlos hätte halten können. »Nimm zum Beispiel die Ereignisse der letzten drei Monate. Wie es dazu kommen konnte, dass ich eine Beule von der Größe eines Rotkehlcheneis auf dem Hinterkopf hatte. Wie es dazu kam, dass ich *dich* geheiratet habe.«

Cecilia hörte auf zu atmen.

»Aber eines weiß ich«, fuhr er fort, »und zwar, dass es mir große Freude machen wird, dir ein hübsches Kleid zu kaufen und dann mit dir am Arm zu einer fröhlichen Gesellschaft zu gehen.« Er beugte sich vor. In seinen Augen glitzerte eine merkwürdige, unergründliche Wildheit. »Es wird herrlich harmlos und normal sein. Hast du eine Vorstellung davon, wie sehr ich mich nach dem Herrlichen, dem Harmlosen und dem Normalen sehne?«

Cecilia sagte kein Wort.

»Dachte ich mir«, murmelte er. »Dann gehen wir jetzt mal ein Kleid kaufen, ja?«

Sie nickte. Was hätte sie sonst tun sollen?

Wie sich herausstellte, war es nicht so leicht, innerhalb von drei Tagen ein Ballkleid anfertigen zu lassen. Eine Näherin begann sogar zu weinen, als sie hörte, welche Summe Edward auszugeben bereit war. Sie könne es unmöglich schaffen, sagte sie tränenreich. Nicht ohne weitere vierzig Paar Hände.

»Würden Sie Maß nehmen an ihr?«, fragte Edward.

»Wozu denn?«, mischte Cecilia sich gereizt ein.

»Tu mir den Gefallen«, sagte er, und dann setzte er sie am Devil's Head ab, während er seine Patentante besuchen ging. Die hatte hübsche Dinge schon immer geliebt, für sich selbst wie für ihre Tochter, und Edward war zuversichtlich, dass er sie dazu würde überreden können, seiner Frau etwas zu leihen.

Der Gouverneur und Mrs. Tryon wohnten mit ihrer Tochter in einem gemieteten Haus am Stadtrand. Sie lebten dort – abgesehen von einer Reise nach England –, seit das herrschaftliche Anwesen des Gouverneurs 1773 niedergebrannt war. Edward war damals nicht in New York gewesen, hatte aber von seiner Mutter alles darüber erfahren, die die Details wiederum von Margaret Tryon hatte. Sie hatten ihren gesamten Besitz verloren, und beinahe auch ihre Tochter. Die kleine Margaret – die man meist May rief, um sie von ihrer Mutter zu unterscheiden – hatte nur aufgrund der Geistesgegenwart ihrer Gouvernante überlebt, die sie vom Fenster aus dem ersten Stock in eine Schneewehe geworfen hatte.

Edward amtete tief durch, als der Butler ihn in die Halle führte. Er musste einen kühlen Kopf bewahren. Margaret Tryon war kein Dummkopf, und es hatte keinen Sinn, überhaupt so zu tun, als wäre er bei bester Gesundheit. Tatsächlich waren die ersten Worte, die sie beim Betreten des Salons äußerte: »Du siehst furchtbar aus.«

»Freimütig wie immer, Tante Margaret«, sagte er.

Sie zuckte auf die ihr eigentümliche Art mit einer Schulter – eine Angewohnheit, die noch aus ihrer Zeit bei den Franzosen stammte, hatte sie ihm immer erklärt, allerdings war ihm nicht klar, wann genau sie bei den Franzosen gewesen sein wollte – und bot ihm dann die Wange dar. Pflichtbewusst hauchte er einen Kuss darauf.

Sie rückte von ihm ab und maß ihn mit scharfsichtigem Blick. »Ich würde meine Pflicht als deine Patentante vernachlässigen, wenn ich dir nicht sagte, dass du grau im Gesicht und hohläugig bist und mindestens zehn Pfund verloren hast.«

Er brauchte einen Augenblick, um dies zu verdauen, und sagte dann: »Dafür siehst du wunderschön aus.«

Das entlockte ihr ein Lächeln. »Du warst schon immer ein reizender Junge.«

Edward verzichtete darauf, sie darauf hinzuweisen, dass er im dritten Lebensjahrzehnt stand. Er war sich ziemlich sicher, dass es Patentanten offiziell erlaubt war, ihre Patenkinder als Jungen und Mädchen zu bezeichnen, bis sie ins Grab wankten.

Margaret klingelte nach Tee, schickte einen strengen Blick in Edwards Richtung und erklärte: »Ich bin schrecklich böse auf dich.«

Er hob eine Braue und setzte sich ihr gegenüber.

»Ich warte schon seit Tagen auf deinen Besuch. Du bist vor über einer Woche nach New York zurückgekehrt, nicht wahr?«

»Die ersten acht Tage oder so war ich bewusstlos«, sagte er milde.

»Ah.« Sie presste die Lippen zusammen. Ihre Miene verriet keinerlei Gefühle. »Das wusste ich nicht.«

»Ich könnte mir vorstellen, dass das auch der Grund ist, warum ich so furchtbar aussehe, wie du es formuliert hast.«

Sie betrachtete ihn durchdringend und sagte dann: »Wenn ich deiner Mama das nächste Mal schreibe, werde ich keine nähere Beschreibung deines Aussehens beifügen.«

»Das weiß ich zu schätzen«, erwiderte Edward ehrlich.

»Nun«, sagte Margaret. Sie trommelte mit den Fingern auf die Armlehne ihres Sessels, etwas, was sie oft tat, wenn es um ihre eigenen Gefühle ging, von denen sie am liebsten nichts preisgab. »Wie fühlst du dich?«

»Besser als gestern.« Wofür er wohl dankbar sein konnte.

Seine Patin war mit dieser Antwort jedoch nicht zufrieden. »Das kann alles heißen.«

Edward dachte über seinen gegenwärtigen Gesundheitszustand nach. Der dumpfe Kopfschmerz war so beständig, dass er ihn schon beinahe nicht mehr wahrnahm. Als weitaus störender empfand er seinen Mangel an Stehvermögen. Nachdem er gerade einmal die halbe Vordertreppe zur Haustür seiner Patentante erklommen hatte, musste er sich eine Minute ausruhen. Und das nicht einmal, um wieder zu Atem zu kommen, nein, er hatte die Zeit gebraucht, um so viel Energie aufzubringen, dass er die Beine wieder bewegen konnte. Und der Gang zur Schneiderin mit Cecilia hatte ihn vollkommen ermattet. Er hatte dem Kutscher den doppelten Fahrpreis gezahlt, damit dieser den (sehr) langen Weg vom Devil's Head zum Haus der Tryons nahm, nur damit er unterwegs die Augen schließen konnte und sich nicht zu rühren brauchte.

Doch das musste Tante Margaret nicht erfahren. Er lächelte sie an und sagte: »Ich laufe schon wieder ohne Unterstützung, das ist eine Verbesserung.«

Sie hob die Augenbrauen.

»Ich bin immer noch erschöpft«, gab er zu, »und der Kopf

tut mir weh. Aber es wird ständig besser, und ich bin noch am Leben, also bemühe ich mich, nicht zu klagen.«

Sie nickte langsam. »Sehr tapfer von dir. Das weiß ich zu schätzen.«

Doch bevor er das noch mit einem Nicken zur Kenntnis nehmen konnte, wechselte sie das Thema. »Du hast mir nicht gesagt, dass du geheiratet hast.«

»Ich habe es auch nur sehr wenigen Menschen erzählt.«

Sie kniff die Augen zusammen. »Definiere sehr wenige.«

»Nun ja, also …« Edward atmete tief durch, während er überlegte, wie er seine gegenwärtige Situation einer der wenigen Personen in Nordamerika erklären sollte, die ihn schon vor seiner Ankunft auf dem Kontinent gekannt hatten. Und der einzigen Person, die seine Mutter kannte, was vielleicht die relevantere Tatsache war.

Margaret Tryon wartete übertrieben geduldig ein paar Augenblicke, ehe sie sagte: »Spuck es aus.«

Das entlockte Edward ein Grinsen. Seine Patentante war für ihre Freimütigkeit bekannt. »Ich scheine einen Teil meiner Erinnerung verloren zu haben.«

Sie öffnete die Lippen und beugte sich ein Stück vor. Edward hätte sich dazu gratuliert, ihrer sonst so unerschütterlichen Fassade einen Riss versetzt zu haben, wenn nicht seine eigene Verletzung die bedauerliche Ursache gewesen wäre.

»Faszinierend«, sagte sie. In ihren Augen glänzte etwas, das man nur als wissenschaftliche Neugierde bezeichnen konnte. »Von so etwas habe ich ja noch nie gehört. Also, nein, ich bitte um Verzeihung, natürlich habe ich davon gehört. Aber es war immer eine dieser Geschichten, in denen es hieß – da kennt einer einen, der einen kennt, der wiederum mit jemandem bekannt ist, der … Du weißt, was ich meine.«

Edward starrte sie einen Moment lang an und gab dann die einzig mögliche Antwort: »In der Tat.«

»Wie viel hast du vergessen?«

»Etwa drei oder vier Monate, soweit ich das überblicken kann. Es ist schwierig«, sagte er schulterzuckend, »weil ich nicht genau zu fassen bekomme, woran ich mich als Letztes erinnere.«

Margaret lehnte sich zurück. »Faszinierend«, sagte sie noch einmal.

»Nicht direkt, wenn es die eigene Erinnerung ist, die sich aus dem Staub gemacht hat.«

»Sicher. Verzeih mir. Aber du musst zugeben, wenn es sich um einen anderen handelte, wärst du auch fasziniert.«

Da war Edward sich nicht so sicher, aber er glaubte sofort, dass sie es war. Seine Patentante hatte sich schon immer für Gelehrsamkeit und Wissenschaft interessiert, so sehr, dass andere ihr oft vorwarfen, ihr Verstand sei unweiblich. Wie nicht anders zu erwarten war, fasste Tante Margaret das als Kompliment auf.

»Sag mir«, bat sie mit etwas weicherer Stimme, »was kann ich tun, um dir zu helfen?«

»Was mein Gedächtnis betrifft? Nichts, fürchte ich. Und meine Frau? Sie braucht ein Kleid.«

»Für den Ball. Natürlich braucht sie eins. Sie kann eines von mir haben. Oder von May«, fügte sie hinzu. »Du wirst es natürlich ändern lassen müssen, aber du hast ja genügend Kleingeld, um das zu bezahlen.«

»Danke.« Edward neigte den Kopf ein wenig. »Ich habe gehofft, dass du mir genau das anbietest.«

Margaret winkte ab. »Das ist doch völlig unbedeutend. Aber sag mir, kenne ich das Mädchen?«

»Nein, aber ihrem Bruder bist du, glaube ich, schon begegnet. Thomas Harcourt.«

»An den Namen erinnere ich mich nicht«, sagte sie und runzelte die Stirn.

»Er ist mal mit mir zum Dinner gekommen. Ich glaube, Ende letzten Jahres.«

»Dein Freund mit dem blonden Haar. Ach ja. Ein recht netter Kerl. Und er hat dich dazu überredet, seine Schwester zu heiraten, ja?«

»So hat man es mir erzählt.«

Edward bedauerte die Worte, sobald er sie ausgesprochen hatte. Tante Margaret stürzte sich darauf wie ein Bluthund.

»Man hat es dir *erzählt*? Was zum Teufel soll das heißen?«

»Vergiss, was ich gesagt habe«, entgegnete Edward. Das würde sie natürlich nicht tun, aber er musste zumindest versuchen, sie von der Fährte abzubringen.

»Du wirst dich mir auf der Stelle erklären, Edward Rokesby, sonst werde ich deiner Mutter schreiben und alles noch *schlimmer* klingen lassen, das schwöre ich dir.«

Edward rieb sich die Stirn. Das hatte ihm gerade noch gefehlt. Margaret würde die Drohung zwar nicht in die Tat umsetzen, sie liebte seine Mutter viel zu sehr, um ihr grundlos Sorgen zu bereiten. Aber sie würde ihn auch nicht eher entlassen, bis er all ihre Fragen zu ihrer Zufriedenheit beantwortet hätte. Und wenn es im schlimmsten Fall zu einer körperlichen Auseinandersetzung käme, würde sie die angesichts seines momentan geschwächten Zustands wohl auch gewinnen.

Er seufzte. »Also, in der Zeit, an die ich mich nicht erinnern kann, da …«

»Willst du mir etwa sagen, du erinnerst dich nicht daran, sie geheiratet zu haben?« Entsetzt starrte Margaret ihn an.

Edward öffnete den Mund, doch dann blieb er einfach offen stehen. Er brachte es nicht fertig, ihr zu antworten.

»Lieber Gott, mein Junge, gab es irgendwelche Zeugen?«

Wieder hatte er keine Antwort.

»Bist du denn sicher, dass du überhaupt mit ihr verheiratet bist?«

Hier war er ganz entschieden. »Ja.«

Sie warf die Arme in die Luft, eine höchst untypische Zurschaustellung ihrer Erbitterung. »Woher?«

»Weil ich sie kenne.«

»Wirklich?«

Edward krallte die Finger in die Sesselpolster. Etwas Heißes, Zorniges glühte in seinen Adern, und es fiel ihm schwer, seine Stimme ruhig und gleichmäßig klingen zu lassen. »Was willst du damit andeuten, Tante Margaret?«

»Hast du irgendwelche Dokumente zu sehen bekommen? Hast du die Ehe vollzogen?«

»Das geht dich ja wohl kaum etwas an.«

»Aber *du* gehst mich etwas an, und zwar seit jenem Tag, an dem ich neben deiner Mutter in der Kathedrale von Canterbury gestanden und versprochen habe, dich durch dein Christenleben zu führen. Hast du das vielleicht vergessen?«

»Ich muss gestehen, dass meine Erinnerungen an diesen Tag ein wenig verschwommen sind.«

»Edward!«

Gut möglich, dass sie die Geduld mit ihm verlor – bei ihm würde es umgekehrt auch nicht mehr lange dauern. Aber er hielt seine Stimme sorgfältig moduliert, als er sagte: »Ich muss dich bitten, weder die Ehre noch die Ehrlichkeit meiner Frau infrage zu stellen.«

Margaret kniff die Augen zusammen. »Was hat sie getan? Sie hat dich verführt, nicht wahr? Du stehst unter ihrem Bann.«

»Hör auf«, stieß Edward hervor und erhob sich unsicher. »Verdammt«, knurrte er, als er sich am Tisch festhalten musste, um nicht das Gleichgewicht zu verlieren.

»Lieber Himmel, um dich steht es ja schlimmer, als ich dachte«, sagte Margaret. Sie eilte an seine Seite und schubste ihn förmlich in den Sessel zurück. »Jetzt ist Schluss. Du bleibst bei mir.«

Einen Augenblick war Edward versucht, ihr zuzustimmen. Hier hätten sie es sicher bequemer als im Devil's Head. Dafür waren sie im Gasthof aber ungestört. Zwar waren sie dort von Fremden umgeben, aber diese Fremden interessierte nicht sonderlich, was sie taten. Hier im Haus der Tryons würden all seine – und, schlimmer noch, auch Cecilias – Bewegungen genau geprüft und analysiert werden, und dann würde seiner Mutter wöchentlich Bericht erstattet werden.

Nein, er hatte nicht den Wunsch, bei seiner Patentante einzuziehen.

»Ich fühle mich in meiner aktuellen Unterkunft durchaus wohl«, sagte er. »Ich weiß deine Einladung aber zu schätzen.«

Margarets Miene verfinsterte sich. Offenbar war sie nicht erfreut über sein Benehmen. »Erlaubst du mir eine Frage?«

Er nickte.

»Woher weißt du es?«

Er wartete auf nähere Ausführungen, doch als sie schwieg, fragte er: »Woher weiß ich was?«

»Woher weißt du, dass sie dir die Wahrheit sagt?«

Darüber brauchte er nicht einmal nachzudenken. »Weil ich *sie* kenne.«

Und das tat er. Ihr Gesicht mochte er vielleicht erst seit ein paar Tagen kennen, doch ihr Herz kannte er weitaus länger. Er zweifelte nicht an ihr. Er könnte nie an ihr zweifeln.

»Mein Gott«, hauchte Margaret. »Du liebst sie.«

Edward sagte nichts. Er konnte ihr nicht widersprechen.

»Also schön«, meinte sie und seufzte. »Kommst du die Treppe allein hinauf?«

Er starrte sie an. Wovon um alles in der Welt redete sie?

»Du brauchst doch immer noch ein Kleid, oder nicht? Ich habe nicht die geringste Ahnung, was der neuen Mrs. Rokesby stehen könnte, und ich möchte meine Dienstmädchen lieber nicht anweisen, den Inhalt der Kleiderschränke hier im Salon zu verteilen.«

»Ach ja, natürlich. Und ja, ich komme die Treppe allein hinauf.«

Für das Geländer war er dennoch dankbar.

11. KAPITEL

Der arme Leut Captain Rokesby! Hoffentlich war die
Überfahrt nicht so schrecklich, wie Du befürchtet hat-
test. Wenigstens wird Euch die Beförderung ein Trost
sein. Wie stolz ich bin, dass Ihr beide jetzt Captain seid!
Im Dorf geht es allen gut. Vor drei Tagen war ich dort
auf dem Ball, und wie immer kamen auf einen Gentle-
man zwei Damen. Ich habe nur zweimal getanzt. Das
zweite Mal war allerdings mit dem Pfarrer – ich glaube
nicht, dass das überhaupt zählt.
Deine arme Schwester wird noch als alte Jungfer enden!
Aber mach Dir keine Sorgen. Ich bin vollkommen zu-
frieden. Oder zumindest unvollkommen zufrieden. Gibt
es das? Ich finde, das sollte es.
– CECILIA HARCOURT AN IHREN BRUDER
THOMAS

Und so legte Edward am Nachmittag des Tages, an dem der
Ball des Gouverneurs stattfand, eine große Schachtel auf das
Bett, das er sich mit seiner Frau teilte, wenn auch nicht rich-
tig.

»Hast du etwas gekauft?«, fragte sie.

»Mach auf und sieh nach.«

Sie warf ihm einen etwas misstrauischen Blick zu und
setzte sich auf die Bettkante. »Was ist es denn?«

»Darf ich meiner Frau etwa kein Geschenk machen?«

Cecilia blickte auf die Schachtel, die ziemlich festlich mit einem breiten roten Band geschmückt war, und dann wieder zu ihm. »Ich habe kein Geschenk erwartet«, sagte sie.

»Umso mehr Grund, dir eins zu machen.« Er schob die Schachtel ein Stück auf sie zu. »Mach auf.«

Sie nestelte an dem Band, zog den Knoten auf und nahm schließlich den Deckel der Schachtel ab.

Und keuchte laut auf.

Er grinste. Es war ein *gutes* Aufkeuchen.

»Gefällt es dir?«, fragte er, obwohl das ja offensichtlich war.

Mit immer noch leicht geöffnetem Mund berührte sie die flüsterleise Seide, die in der Schachtel lag. Das Gewand war von derselben Farbe wie seichtes Meeresgewässer, eine Spur zu blau, um genau den Ton ihrer Augen zu treffen. Doch als Edward es in May Tryons Kleiderschrank gesehen hatte, hatte er gewusst, dass dies das Kleid war, das er zur Änderungsschneiderin bringen musste.

Ihm war nicht klar, ob May Tryon schon wusste, dass sie ihr Seidenkleid verschenkt hatte; sie war nicht zu Hause gewesen, als ihre Mutter ihm sämtliche Schranktüren geöffnet hatte. Edward machte sich im Geist eine Notiz, ihr für ihre Großzügigkeit zu danken, ehe sie es durch Zufall herausfand. Außerdem, so, wie er die Tryons kannte, würde May etwas Neues, Aufsehenerregendes und unglaublich Teures tragen. Sie würde Cecilia ihr umgearbeitetes Kleid nicht missgönnen.

»Wo hast du das her?«, fragte Cecilia.

»Ich habe meine Geheimnisse.«

Erstaunlicherweise verfolgte sie die Sache nicht weiter. Stattdessen nahm sie das Kleid aus der Schachtel und stand auf, damit sie es vor sich halten konnte. »Wir haben keinen Spiegel«, sagte sie und klang dabei immer noch ziemlich benommen.

»Dann musst du meinem Urteil vertrauen«, sagte er. »Du bist strahlend schön.«

In Wahrheit kannte sich Edward nicht sehr gut mit Damenmode aus. Tante Margaret hatte ihn gewarnt, dass das ausgesuchte Kleid nicht mehr ganz *au courant* war, aber in seinen Augen konnte es mit allen Kleidern mithalten, die er je in einem Londoner Ballsaal gesehen hatte.

Andererseits war es jetzt auch mehrere Jahre her, seit er zum letzten Mal einen Londoner Ballsaal *betreten* hatte, und er hegte den Verdacht, dass Mode für Margaret Tryon eher in Monaten als in Jahren gemessen wurde.

»Es ist zweiteilig«, sagte er hilfreich. »Das, ähm, Innenkleid und das Außenkleid.«

»Kotillon und Contouche«, flüsterte Cecilia. »Und dazu noch ein Stecker. Drei Teile also.«

Er räusperte sich. »Natürlich.«

Ehrfürchtig strich sie über die Silberstickerei, mit der die Kanten des vorne offenen Rocks verziert war. »Ich weiß, ich sollte sagen, dass es zu kostbar ist«, murmelte sie.

»Das solltest du auf keinen Fall sagen.«

»So etwas Schönes habe ich noch nie besessen.«

Das, fand Edward, war eine Tragödie epischen Ausmaßes, aber er spürte, dass es vielleicht etwas übertrieben klingen würde, es laut auszusprechen.

Sie sah auf, und dann warf sie ihm plötzlich einen ganz klaren Blick zu. »Ich dachte, wir gehen nicht auf den Ball des Gouverneurs.«

»Wie kommst du denn darauf?«

Sie schob auf ganz bezaubernde Art die Lippen vor. »Weil ich nichts zum Anziehen hatte.«

Er lächelte, weil ihr offensichtlich selbst klar war, wie absurd ihre Worte waren.

Sie seufzte. »Ich bin wohl schrecklich eitel.«

»Weil dir hübsche Dinge gefallen?« Er beugte sich über sie, sein Mund war gefährlich nahe an ihrem Ohr. »Und was verrät das über mich, hmm? Wenn ich gern sehe, wie du hübsche Dinge trägst?«

Oder sie ausziehst. Lieber Gott, als er die Schneiderin dabei beobachtet hatte, wie sie das Kleid in die Schachtel legte, hatte er nicht umhingekonnt, die Verschlüsse des Kleides im Blick zu behalten. Dies würde nicht die Nacht werden, in der er endlich mit seiner Frau schlief, dessen war er sich leider gewiss. Er war immer noch zu schwach – und wollte es auf gar keinen Fall verpatzen.

Aber dennoch begehrte er sie. Und er gelobte sich, dass er ihr eines Tages dieses Kleid vom Leib schälen würde, sie auspacken würde wie ein Geschenk. Er würde sie auf das Bett legen, ihr die Beine spreizen …

»Edward?«

Er blinzelte. Als sie endlich ins Blickfeld rückte, sah sie etwas besorgt aus.

»Du bist ganz rot geworden«, sagte sie. Sie legte ihm die Hand auf die Stirn. »Hast du Fieber?«

»Es ist warm heute«, behauptete er. »Findest du nicht?«

»Nein, eigentlich nicht.«

»Du trägst auch keine Sachen aus Wolle.« Er knöpfte den scharlachroten Rock auf und legte ihn ab. »Bestimmt geht es mir gleich besser, wenn ich mich ein wenig ans Fenster setze.«

Erstaunt sah sie ihm nach, immer noch das grüne Kleid in der Hand. Als er schließlich im Sessel saß, fragte sie: »Willst du das Fenster nicht aufmachen?«

Wortlos beugte er sich vor und öffnete es.

»Bist du sicher, dass alles in Ordnung ist?«

»Alles bestens«, versicherte er ihr. Er kam sich vor wie ein Narr. Vermutlich sah er auch so aus, aber das war ihm der Blick wert, mit dem sie das hellgrüne Gewand bedachte.

»Es ist wirklich schön«, sagte sie. Ihre Miene war beinahe …

Betrübt?

Nein, das konnte nicht stimmen.

»Ist irgendetwas?«, fragte er.

»Nein«, entgegnete sie abwesend; ihre Aufmerksamkeit war immer noch auf das Kleid gerichtet. »Nein.« Sie blinzelte, sah ihm dann direkt ins Gesicht. »Nein, natürlich nicht. Ich muss nur … ähm, ich muss …«

Er betrachtete sie einen Augenblick, fragte sich, was um alles in der Welt diese Veränderung hervorgerufen haben mochte. »Cecilia?«

»Ich muss etwas besorgen«, sagte sie. Aber es klang eher wie eine Ankündigung.

»Also gut«, antwortete er langsam.

Sie nahm ihr Retikül und lief zur Tür, blieb mit der Hand am Knauf noch einmal stehen. »Bin gleich wieder da. Dauert nicht lang.«

»Ich bin hier, wenn du zurückkommst«, sagte er.

Sie nickte kurz, warf dem Kleid, das nun auf dem Bett lag, einen sehnsüchtigen Blick zu und lief aus dem Zimmer.

Edward starrte auf die Tür und versuchte zu begreifen, was da eben passiert war. Sein Vater hatte ihm immer gesagt, dass die Frauen nicht zu verstehen seien. Vielleicht glaubte Cecilia, sie müsse ihm ein Geschenk besorgen, nachdem er ihr eines gemacht hatte. Dummes Ding. Sie sollte es besser wissen.

Allerdings war er schon neugierig, was sie ihm wohl schenken würde.

Er stand auf, schob das Fenster wieder ein Stück zu und legte sich aufs Bett. Er hatte nicht vorgehabt zu schlafen, aber als er einschlummerte...

Hatte er ein albernes Lächeln im Gesicht.

Oh BITTE oh bitte oh bitte.

Cecilia eilte die Straße entlang, betete mit jeder Faser ihrer Seele darum, dass der Obstkarren immer noch an der Ecke Broad und Pearl Street stand, wo sie ihn an diesem Morgen gesehen hatte.

Sie hatte gedacht, dass sich die Sache mit dem Gouverneursball vor zwei Tagen erledigt hätte, als sie nicht in der Lage gewesen waren, eine Schneiderin zu finden, die ihr rechtzeitig ein Kleid hätte nähen können. Ohne Kleid konnte sie nicht hingehen. So einfach war das.

Und dann musste dieser verflixte Mann hingehen und das schönste Kleid aller Zeiten für sie ausfindig machen, und lieber Gott, am liebsten hätte sie geweint, weil das alles so ungerecht war – sie hätte dieses Kleid wirklich *so* gern getragen.

Aber sie konnte nicht auf den Ball des Gouverneurs gehen. Das war schlichtweg nicht möglich. Es wären zu viele Leute dort. Wenn sie in die New Yorker Gesellschaft eingeführt werden würde, könnte sie ihre Lüge nicht mehr auf einen kleinen Kreis beschränken, so wie jetzt.

Cecilia biss sich auf die Unterlippe. Es gab nur eines, was sie tun konnte, wenn sie absolut sicher verhindern wollte, dass sie auf den Ball ging. Es würde schrecklich werden, aber sie war verzweifelt.

So verzweifelt, dass sie bereit war, eine Erdbeere zu essen.

Sie wusste, was dann passieren würde. Erstrebenswert war es nicht. Erst würde ihre Haut fleckig werden. So sehr, dass der Hafenmeister vermutlich umgehend eine Pockenquarantäne ausrufen würde, wenn er sie sähe. Und es würde teuflisch jucken. Vom letzten Mal, als sie aus Versehen eine Erdbeere gegessen hatte, hatte sie immer noch zwei Narben an den Armen. Sie hatte sich gekratzt, bis sie blutete. Sie hatte nicht anders gekonnt.

Danach würde ihr Magen rebellieren. Und da sie, kurz bevor Edward mit dem Kleid angekommen war, eine volle Mahlzeit zu sich genommen hatte, würde diese Revolte epische Ausmaße annehmen.

Ungefähr vierundzwanzig Stunden wäre sie das personifizierte Leiden. Ein geschwollenes, juckendes, sich übergebendes Häufchen Elend. Und dann wäre alles wieder in Ordnung. Ein paar Tage lang wäre ihr vielleicht noch ein wenig blümerant, aber dann wäre alles wieder gut. Allerdings, falls Edward sie je attraktiv gefunden hatte …

Nun, dann würde sie ihn jetzt davon kurieren.

Sie eilte um die Ecke in die Pearl Street, suchte mit Blicken die Straße ab. Der Obstkarren stand noch da.

Oh, Gott sei Dank. Cecilia rannte die letzten Schritte fast und kam schlitternd vor Mr. Hopchurchs Karren zum Stehen.

Tagesziel: sich vergiften.

Du liebe Güte.

»Einen schönen guten Tag«, sagte der Obsthändler. Cecilia entschied, dass ihr Blick doch nicht so irr sein konnte, wie sie angenommen hatte, denn er wich nicht vor ihr zurück. »Was kann ich Ihnen anbieten?«

Sie sah sich die Auslage an. Der Verkaufstag neigte sich dem Ende entgegen, daher hatte er nicht mehr viel. Ein paar dünne Zucchini, ein paar Büschel Mais, der hier so gut gedieh. Und in einer Ecke die dickste, fetteste, scheußlich röteste Erdbeere, die sie je gesehen hatte. Sie fragte sich, warum sie um diese Uhrzeit noch dort lag. Hatten die anderen Kunden gespürt, was sie schon wusste? Dass diese gesprenkelte, pockennarbige umgedrehte rote Pyramide nichts anderes war als eine kleine Bombe voll Elend und Verzweiflung?

Sie schluckte. Sie würde es schaffen. »Das ist eine sehr große Erdbeere«, sagte sie und beäugte sie voll Widerwillen. Schon bei der bloßen Vorstellung drehte sich ihr der Magen um.

»Ich weiß!«, rief Mr. Hopchurch voll Begeisterung. »Haben Sie je eine so große gesehen? Meine Frau war richtig stolz darauf.«

»Dann nehme ich sie, bitte«, sagte sie, wobei sie an den Worten schier erstickte.

»Sie können nicht einfach nur eine mitnehmen. Wir verkaufen sie im halben Dutzend.«

Das erklärte möglicherweise, warum sie noch hier lag. Sie nickte ihm kläglich zu. »Dann also sechs.«

Er nahm die große Erdbeere bei ihrem grünen Schopf und hob sie hoch. »Haben Sie einen Korb?«

Sie blickte auf ihre Hände. Was für eine Närrin sie doch war. Das hätte sie sich vielleicht vorher überlegen sollen. »Ach, nicht so wichtig«, sagte sie. Nicht wenn eine davon der Koloss war. »Ich zahle Ihnen sechs Stück«, sagte sie ihm, »brauche aber nur die eine hier.«

Mr. Hopchurch sah sie an, als wäre sie nicht ganz bei Trost, war aber zu vernünftig, um sich auf eine Auseinandersetzung einzulassen. Er nahm ihr Geld entgegen und ließ die riesige Beere in ihre Hand fallen. »Frisch aus dem Garten. Kommen Sie doch einmal wieder, und erzählen Sie mir, wie sie Ihnen geschmeckt hat.«

Cecilia war sich ziemlich sicher, dass sie ihm damit keine Freude machen würde, doch sie nickte, bedankte sich und begab sich dann zu einem ruhigen Plätzchen um die Ecke.

Lieber Gott, nun musste sie sie essen.

Sie fragte sich, ob es Shakespeares Julia wohl genauso ergangen war, kurz bevor sie den Schlaftrunk geschluckt hatte. Der Körper wehrte sich dagegen, etwas zu sich zu nehmen, von dem er wusste, dass es giftig war. Und ihr Körper wusste nur allzu gut, dass diese Erdbeere ziemlich nah an einen Schierlingsbecher heranreichte.

Sie lehnte sich Halt suchend an ein Gebäude, hob die rote Beere und hielt sie sich vors Gesicht. Und dann, gegen die Einwände ihres Magens, ihrer Nase und, wenn sie ehrlich war, jeder Faser ihrer Körper, biss sie einen Happen davon ab.

Gegen sieben an diesem Abend wäre Cecilia am liebsten gestorben.

Edward wusste das, weil sie ganz deutlich sagte: »Ich will sterben.«

»Nein, willst du nicht«, erwiderte er energischer, als er sich fühlte. Die Vernunft sagte ihm, dass sie sich bald wieder erholen würde, dass sie vermutlich beim Dinner verdorbenen

Fisch gegessen hatte – obwohl er dasselbe gegessen hatte wie sie, und ihm ging es gut.

Aber es war höllisch, sie so leiden zu sehen. Sie hatte sich schon so oft übergeben, dass nur noch rosagelbliche Galle kam. Schlimmer noch, allmählich bildeten sich überall auf ihrer Haut dicke rote Quaddeln.

»Ich finde, wir sollten einen Arzt rufen«, sagte er.

»Nein«, stöhnte sie. »Geh nicht weg.«

Er schüttelte den Kopf. »Du bist zu krank.«

Sie packte seine Hand mit so viel Kraft, dass es ihn verblüffte. »Ich brauche keinen Arzt.«

»Doch«, widersprach er.

»Nein.« Sie schüttelte den Kopf und stöhnte dann wieder. »Was?«

Sie schloss die Augen und lag ganz still. »Mir ist schwindelig geworden«, flüsterte sie. »Darf den Kopf nicht schütteln.«

Jetzt also auch noch Schwindel? »Cecilia, ich glaube wirklich ...«

»Ich habe etwas Falsches gegessen«, unterbrach sie ihn schwach. »Da bin ich mir vollkommen sicher.«

Er runzelte die Stirn. Er hatte das ja auch gedacht, aber es wurde mit jedem Moment schlimmer. »Hast du den Fisch gegessen?«

»Aaaaaah!« Sie warf sich den Arm über die Augen, auch wenn sie die immer noch geschlossen hatte, soweit er sehen konnte. »Sag das Wort nicht!«

»Fisch?«

»Hör auf!«

»Was?«

»Red nicht vom Essen«, murmelte sie.

Er ließ sich ihre Worte durch den Kopf gehen. Vielleicht hatte sie wirklich etwas Falsches gegessen. Er musterte sie gründlich, eher misstrauisch als besorgt. Sie lag vollkommen still auf dem Bett, die Arme inzwischen wie zwei Stecken neben sich ausgestreckt. Sie trug immer noch das rosa Kleid von vorhin, allerdings würden sie das jetzt wohl reinigen lassen müssen. Er glaubte zwar nicht, dass Galleflecken daraufgekommen waren, doch sie hatte ziemlich heftig geschwitzt. Wenn er es sich recht überlegte, sollte er ihr wohl das Mieder lösen oder das Kleid aufknöpfen oder etwas in der Art, damit sie es bequemer hatte.

»Cecilia?«

Sie regte sich nicht.

»Cecilia?«

»Ich bin nicht gestorben«, sagte sie.

»Nein«, erwiderte er und versuchte nicht zu lächeln. »Das sehe ich.«

»Ich liege nur ganz still«, erklärte sie.

Und das gelang ihr ganz bewundernswert. Selbst ihre Lippen bewegten sich kaum.

»Wenn ich ganz still liege«, fuhr sie in leichtem Singsang fort, »habe ich fast das Gefühl, jetzt nicht gleich ...«

»Speien zu müssen?«, ergänzte er.

»Ich wollte sterben sagen«, meinte sie. »Übergeben werde ich mich wohl trotzdem müssen.«

Blitzschnell schob er ihr den Nachttopf hin.

»Jetzt nicht«, sagte sie und schob ihn blindlings weg. »Aber bald.«

»Wenn ich es am wenigsten erwarte?«

»Nein.« Erschöpft stieß sie die Luft aus. »Eher wenn *ich* es am wenigsten erwarte.« Er versuchte nicht zu lachen. Es gelang ihm ganz gut, aber er hatte den Eindruck, dass sie ihn hatte prusten hören. Inzwischen war er bei Weitem nicht mehr so besorgt um sie wie noch vor ein paar Minuten. Wenn sie sich ihren Sinn für Humor bewahrt hatte, würde vermutlich alles in Ordnung kommen. Er war sich nicht sicher, woher er das wusste, aber er hatte schon genügend Fälle von Lebensmittelvergiftung erlebt, um zu entscheiden, dass sie wohl recht hatte: Sie hatte etwas gegessen, was sie nicht vertrug.

Sorgen bereiteten ihm hingegen die Quaddeln. Er war froh, dass sie keinen Spiegel im Zimmer hatten. Ihr würde nicht gefallen, was sie darin sehen würde.

Vorsichtig setzte er sich auf die Bettkante und fühlte ihr die Stirn. Doch als die Matratze einsank, gab Cecilia ein heilloses Stöhnen von sich. Mit einem Arm fuchtelte sie ziellos durch die Luft und erwischte Edward am Oberschenkel.

»Au!«

»Tut mir leid.«

»Stimmt doch gar nicht«, meinte er mit einem Lächeln.

»Dann bring das Bett nicht zum Schwanken.«

Er nahm ihre Hand von seinem Bein. »Ich dachte, du wirst nicht seekrank.«

»Werde ich auch nicht.«

»In dem Fall weißt du jetzt, wie wir anderen uns immer fühlen.«

»Ich war vollkommen zufrieden damit, es nicht zu wissen.«

»Ja«, murmelte er liebevoll. »Kann ich mir vorstellen.«

Sie öffnete ein Auge. »Warum klingt das, als fändest du das alles höchst vergnüglich?«

»Oh, ich finde es keineswegs vergnüglich. Aber ich habe mich deiner Meinung angeschlossen, dass du vermutlich an einer üblen Lebensmittelvergiftung leidest. Und so empfinde ich zwar immer noch Mitleid und Betroffenheit, mache mir aber nicht mehr ganz so große Sorgen um deine Gesundheit.«

Sie knurrte. Neben dem Gewürge war es das am wenigsten damenhafte Geräusch, das er von ihr bisher gehört hatte.

Er fand es entzückend.

»Edward?«

»Ja?«

Sie schluckte. »Habe ich Flecken im Gesicht?«

»Leider ja.«

»Sie jucken.«

»Versuch, nicht zu kratzen«, riet er.

»Ich weiß.«

Er lächelte. Es war ein herrlich alltägliches Gespräch.

»Soll ich dir ein kühles Tuch holen?«

»Das wäre sehr nett, danke.«

Er stand auf, bewegte sich dabei vorsichtig, damit die Matratze nicht wieder ins Wippen geriet. In der Nähe der Waschschüssel entdeckte er einen Lappen und tauchte ihn ins Wasser.

»Du wirkst heute schon wieder gesünder«, hörte er Cecilia sagen.

»Das bin ich auch, glaube ich.« Er wrang den Lappen aus und ging zu ihr zurück. Merkwürdig, wie das Leben spielte. Er fühlte sich gesünder, wenn er sich um sie kümmern konnte.

»Tut mir leid«, wiederholte sie.

»Was jetzt?«

Sie seufzte, während er ihr den Lappen auf die Stirn legte. »Ich weiß, dass du heute Abend zum Ball deiner Patentante gehen wolltest.«

»Es wird andere Gesellschaften geben. Außerdem, so sehr ich auch darauf erpicht bin, mit dir anzugeben, es wäre doch sehr anstrengend gewesen. Und dann hätte ich zusehen müssen, wie du mit anderen Männern tanzt.«

Sie sah ihn an. »Hast du Freude am Tanzen?«

»Manchmal.«

»Nur manchmal?«

Er tippte ihr auf die Nase. »Das hängt ganz von meiner Tanzpartnerin ab.«

Sie lächelte, und einen flüchtigen Augenblick glaubte er, in ihrer Miene eine Spur von Traurigkeit wahrzunehmen. Aber der Ausdruck war so schnell wieder verschwunden, dass er sich nicht sicher sein konnte, und als sie das Wort ergriff, war ihr Blick müde, aber klar. »Das gilt wohl für viele Dinge im Leben.«

Er strich ihr über die Wange, war plötzlich ungeheuer dankbar für diesen Augenblick. Dankbar für *sie*. »So ist das wohl«, erwiderte er leise.

Er blickte sie an. Sie schlief bereits.

12. KAPITEL

Ich kann nicht einmal die Feder zur Hand nehmen und meinen Brief anfangen, ohne dass Edward herüberkommt, um mir zu versichern, dass er, wäre er auf dem Ball gewesen, mit Freuden mit Dir getanzt hätte. Ach, nun ist er verärgert. Ich habe ihn wohl in Verlegenheit gebracht.

Ihr Bruder ist eine Landplage.

Er hat mir die Feder weggenommen! Ich werde ihm verzeihen, wenn auch nur, weil wir seit Tagen in diesem Zelt festsitzen. Es regnet jetzt schon seit 1753, davon bin ich überzeugt.

Meine liebe Miss Harcourt, bitte vergeben Sie Ihrem Bruder. Ich fürchte, die Feuchtigkeit hat ihm das Hirn vernebelt. Es regnet wirklich unablässig, doch zum Ausgleich hat uns der Regen Wildblumen gebracht, wie ich sie noch nie gesehen habe. Das Feld hat sich in einen lilaweißen Teppich verwandelt, und ich glaube wohl, dass er Ihnen gut gefallen würde.

– THOMAS HARCOURT (UND EDWARD ROKESBY) AN CECILIA HARCOURT

Cecilia war bald wieder ganz die Alte, bis auf ein paar Narben an den Beinen, wo sie sich nicht davon hatte abhalten können zu kratzen. Sie nahm ihre Suche nach Thomas wieder auf, oft in Begleitung von Edward. Er hatte festgestellt, dass ihm leichte körperliche Betätigung guttat, und so hängte er sie bei sich ein, wann immer das Wetter nicht zu brütend heiß war, und dann schlenderten sie gemeinsam durch die Stadt, erledigten Dinge und stellten einander Fragen.

Und verliebten sich ineinander.

Sie zumindest tat es. Sie wollte sich nicht gestatten, sich zu fragen, ob er ebenso empfand, obwohl es mehr als offensichtlich war, dass er ihre Gesellschaft genoss.

Und dass er sie begehrte.

Mittlerweile hatte er sich angewöhnt, ihr einen Gutenachtkuss zu geben. Oder einen Gutenmorgenkuss. Manchmal sogar einen Gutennachmittagkuss. Und mit jeder Berührung, jedem Blick spürte sie, wie sie weiter hinabglitt in ihre selbst geschaffene Lügenwelt.

Aber ach, wie sehr sie sich wünschte, alles wäre wahr.

Sie könnte mit diesem Mann glücklich werden. Sie könnte seine Frau sein, seine Kinder auf die Welt bringen, und es wäre ein *wunderbares* Leben …

Nur dass alles eine Lüge war. Und wenn alles auseinanderfiel, würde sie nicht entfliehen können, indem sie eine Erdbeere aß.

Tagesziel: aufhören, sich zu verlieben.

Nie hatte sich eines ihrer kleinen Ziele so unerreichbar angefühlt. Und so ausgerichtet auf Herzeleid.

Es gab bereits kleinere Anzeichen dafür, dass Edwards Gedächtnis wiederkehrte. Als er eines Morgens seine Uniform anzog, wandte er sich zu Cecilia um und sagte: »Das habe ich auch schon länger nicht mehr gemacht.«

Cecilia, die gerade in dem Gedichtband las, den er von zu Hause mitgebracht hatte, sah auf. »Was nicht gemacht?«

Er schwieg einen Augenblick, bevor er antwortete, und er runzelte dabei die Stirn, als tastete er sich immer noch durch seine Gedanken. »Die Uniform angelegt.«

Cecilia markierte ihre Seite im Buch mit einem Band und klappte es zu. »Das tust du doch jeden Morgen.«

»Nein, ich meine davor.« Er hielt inne und blinzelte ein paarmal, ehe er sagte: »In Connecticut habe ich keine Uniform getragen.«

Sie schluckte und versuchte, ihr Unbehagen hintanzustellen. »Bist du sicher?«

Er sah an sich herunter, strich mit der Rechten über den scharlachroten Wollstoff, der ihn als Soldat der Königlichen Armee kennzeichnete. »Wo kommt der hier her?«

Sie brauchte einen Augenblick, ehe ihr klar wurde, was er meinte. »Dein Rock? Er war im Kirchenlazarett.«

»Aber ich habe ihn nicht getragen, als ich dort hingebracht wurde.«

Das, erkannte sie, war eine Aussage, keine Frage. »Ich weiß nicht«, sagte sie. »Ich glaube nicht. Ich habe nicht daran gedacht nachzufragen.«

»Das ist einfach nicht möglich«, sagte Edward entschieden. »Er war viel zu sauber.«

»Vielleicht hat ihn jemand für dich gereinigt?«

Er schüttelte den Kopf. »Wir sollten Colonel Stubbs fragen.«

»Natürlich«, murmelte Cecilia.

Er sagte nichts, doch das bedeutete nur, dass sein Gehirn auf Hochtouren arbeitete, wie Cecilia sehr genau wusste, um ein Puzzle zusammenzusetzen, von dem noch zu viele Teile fehlten. Er starrte blicklos aufs Fenster, trommelte dabei mit den Fingern auf seinem Bein herum, und Cecilia konnte nur abwarten, bis er in die Gegenwart zurückgefunden hatte. Plötzlich schien er munter zu werden. Er wandte sich ihr zu und erklärte: »Ich erinnere mich an noch etwas.«

»Woran?«

»Als wir gestern die Broad Street entlanggegangen sind, hat mich eine Katze gestreift.«

Cecilia sagte nichts. Falls sich eine Katze genähert hatte, so hatte sie sie nicht gesehen.

»Die hat das gemacht, was Katzen eben tun«, fuhr Edward fort, »hat ihren Kopf an meinem Bein gerieben, und da ist es mir wieder eingefallen. Dort war auch eine Katze.«

»In Connecticut?«

»Ja, ich weiß nicht, warum, aber ich glaube … ich glaube, sie hat mir Gesellschaft geleistet.«

»Eine Katze«, wiederholte sie.

Er nickte. »Vermutlich hat es nichts zu bedeuten, aber …« Seine Stimme verklang, und sein Blick verlor sich wieder im Nirgendwo.

»Es heißt, dass du dich erinnerst«, sagte Cecilia leise.

Es dauerte einen Augenblick, bis er den abwesenden Blick abgeschüttelt hatte. »Ja.«

»Wenigstens ist es eine Erinnerung an einen glücklichen Katzenmoment«, meinte sie.

Er warf ihr einen belustigten Blick zu.

»Du hättest dich auch daran erinnern können, wie sie dich gebissen hat. Oder gekratzt.« Sie stand vom Bett auf. »Stattdessen weißt du, dass dir ein Tier Gesellschaft geleistet hat, als du allein warst.«

Ihre Stimme schwankte, und er tat einen Schritt auf sie zu.

»Es ist mir ein Trost«, gab sie zu.

»Dass ich nicht allein war?«

Sie nickte.

»Ich habe Katzen immer gemocht«, sagte er beinahe abwesend.

»Jetzt vielleicht noch mehr, könnte ich mir vorstellen.«

Er blickte sie mit einem schiefen Lächeln an. »Fassen wir mal zusammen, woran ich mich erinnere. Ich trug keine Uniform.« Er zählte es an den Fingern ab. »Eine Katze war bei mir.«

»Gestern hast du gesagt, du seiest in einem Boot gewesen«, erinnerte Cecilia ihn. Sie waren unterwegs gewesen in der Nähe des Flusses, und die salzige Luft hatte dieses Erinnerungsbruchstück zutage gefördert. Er habe in einem Boot gesessen, hatte er ihr erzählt. Keinem Schiff, etwas Kleinerem, etwas, was sich nicht weit vom Ufer entfernen sollte.

»Obwohl«, sagte Cecilia, die jetzt mehr darüber nachdachte als am Tag davor, »du ja in einem Boot sitzen musstest, oder? Wie sonst hättest du nach Manhattan gelangen sollen? Auf diesen Teil der Insel führt keine Brücke. Und ich glaube nicht, dass du geschwommen bist.«

»Stimmt«, murmelte er.

Cecilia beobachtete ihn einen Augenblick und konnte sich dann ein Kichern nicht verkneifen.

»Was denn?«, fragte er.

»Du hast diesen speziellen Blick«, sagte sie. »Jedes Mal, wenn du versuchst, dich an etwas zu erinnern.«

»Ach wirklich?« Er bemühte sich um einen spöttischen Blick, doch sie wusste, dass er sie nur neckte.

»Ja, das sieht ungefähr so aus …« Sie zog die Brauen zusammen und starrte ins Leere. Sie hatte das Gefühl, als bekäme sie es nicht so richtig hin; ein empfindlicherer Mensch hätte den Eindruck gewinnen können, dass sie sich über ihn lustig machte.

Er starrte sie an. »Du siehst völlig irre aus.«

»Ich glaube, du meinst, dass *du* irre aussiehst.« Sie wedelte mit der Hand vor ihrem Gesicht herum. »Ich bin dein Spiegel.«

Er brach in Gelächter aus und zog sie dann an sich. »Ich bin mir ziemlich sicher, dass ich noch nie etwas so Entzückendes im Spiegel zu sehen bekommen habe.«

Cecilia merkte, dass sie lächelte, während gleichzeitig alle Alarmglocken in ihrem Kopf schrillten. Es fiel ihr so leicht, mit ihm glücklich zu sein, so leicht, sie selbst zu sein. Aber dies war nicht ihr Leben. Und sie war nicht seine Frau. Sie hatte sich diese Rolle nur ausgeliehen, und irgendwann würde sie sie zurückgeben müssen.

Aber sosehr sie sich auch bemühte, nicht zu sehr in die Rolle der Mrs. Rokesby hineinzuwachsen, war es doch unmöglich, seinem Lächeln zu widerstehen. Er zog sie näher an sich, und dann noch näher, bis seine Nase die ihre berührte.

»Habe ich dir gesagt«, erklärte er mit warmer Stimme, »wie glücklich ich bin, dass du an meiner Seite warst, als ich aufgewacht bin?«

Sie öffnete die Lippen und versuchte etwas zu sagen, doch die Worte steckten ihr in der Kehle fest. Das hatte er ihr tatsächlich noch nicht gesagt, zumindest nicht so deutlich. Sie schüttelte den Kopf, konnte den Blick nicht von seinem wenden, ertrank schier im Strahlen seiner blauen Augen.

»Wenn ich es gewusst hätte«, sprach er weiter, »hätte ich dir bestimmt gesagt, dass du nicht kommen sollst. Eigentlich bin ich mir sogar ganz sicher, dass ich es dir verboten hätte.« Er verzog die Lippen zu etwas, was halb Lächeln, halb Grimasse war. »Nicht dass ich glaube, dass dich das aufgehalten hätte.«

»Wir waren noch nicht verheiratet, als ich an Bord des Schiffes ging«, sagte sie leise. Und schluckte schwer, als ihr klar wurde, dass dies das Ehrlichste war, was sie den ganzen Tag sagen würde.

»Nein«, meinte Edward. »Wohl nicht.« Er legte den Kopf schief und zog die Brauen zusammen, genau auf die Art, wegen deren sie ihn vorhin geneckt hatte, doch sein Blick blieb scharf. »Was ist denn?«, fragte er, als er sah, wie sie ihn musterte.

»Nichts, nur dass du beinahe denselben Ausdruck hast wie vorhin. Deine Stirn hat sich in dieselben Falten gelegt, aber dein Blick ist nicht ganz so glasig.«

»Das klingt ja höchst attraktiv.«

Sie lachte. »Nein, es ist interessant. Ich denke …« Sie hielt inne, versuchte sich darüber klar zu werden, was sie eigentlich dachte. »Diesmal hast du nicht versucht, dich an irgendetwas zu erinnern, oder?«

Er schüttelte den Kopf. »Nein, ich habe nur über die großen Fragen der Menschheit nachgegrübelt.«

»Ach, hör bloß auf. Worüber hast du in Wirklichkeit nachgedacht?«

»Ich habe mir gedacht, dass wir uns mit den Gesetzen zur Stellvertreterhochzeit befassen sollten. Wir sollten das genaue Datum der Eheschließung herausfinden, meinst du nicht?«

Sie versuchte, Ja zu sagen. Es wollte ihr nicht gelingen.

Edward zupfte an seinen Manschetten, um die Ärmel glatt zu ziehen, damit der Rock eng am Körper anlag. »Du warst nach mir dran, daher denke ich, wir sollten den Tag nehmen, an dem der Kapitän deine Seite der Zeremonie durchgeführt hat.«

Cecilia nickte fast unmerklich – mehr brachte sie mit dem Riesenkloß in der Kehle nicht zustande.

Doch Edward schien ihren inneren Aufruhr nicht zu bemerken oder ihn, falls doch, darauf zurückzuführen, dass sie die Erinnerung an die Hochzeit aufwühlte, denn er gab ihr rasch einen Kuss auf die Lippen, richtete sich auf und sagte: »Es wird Zeit, den Tag zu begrüßen. In ein paar Minuten bin ich mit Colonel Stubbs unten verabredet, da darf ich nicht zu spät kommen.«

»Du bist mit Colonel Stubbs verabredet und sagst mir nichts davon?«

»Hab ich das nicht? Dann habe ich es sicher vergessen.«

Cecilia zweifelte nicht daran. Edward hatte keine Geheimnisse vor ihr. Alles in allem war er bemerkenswert offen, und wenn er sie nach ihrer Meinung fragte, hörte er sich dann auch tatsächlich an, was sie zu sagen hatte. Zum Teil war das wohl darauf zurückzuführen, dass ihm nicht viel anderes übrig blieb, bei dem großen Loch in seinen Erinnerungen *musste* er sich wohl auf ihr Urteilsvermögen verlassen.

Allerdings konnte sie sich kaum vorstellen, dass ein anderer Mann dasselbe tun würde. Sie war immer stolz auf die Tatsache gewesen, dass ihr Vater ihr bei der Haushaltsführung vollkommen freie Hand gelassen hatte, doch insgeheim wusste sie genau, dass er dies nicht getan hatte, weil er sie für besonders fähig gehalten hatte. Er hatte sich einfach nicht damit belasten wollen.

»Möchtest du mitkommen?«, fragte Edward.

»Zu deiner Verabredung mit dem Colonel?« Cecilia hob die Augenbrauen. »Ich kann mir nicht vorstellen, dass er mich dabeihaben will.«

214

»Umso mehr Grund für dich mitzukommen. Ich kann weitaus mehr erfahren, wenn er schlechter Laune ist.«

»In dem Fall kann ich ja wohl kaum ablehnen, was?«

Edward öffnete die Tür und tat einen Schritt zur Seite, um ihr den Vortritt auf den Flur zu lassen.

»Es kommt mir schon etwas merkwürdig vor, dass er nicht mitteilsamer ist«, meinte Cecilia. »Er will doch bestimmt auch, dass du dein Gedächtnis wiederfindest.«

»Ich glaube nicht, dass er etwas zu verheimlichen versucht«, erwiderte Edward. Als sie die Treppe hintergingen, nahm er ihren Arm, doch anders als in der Woche davor tat er es, um sich als Gentleman zu erweisen, nicht weil er körperliche Unterstützung brauchte. Es war erstaunlich, wie sehr er sich in den wenigen Tagen bereits erholt hatte. Der Kopf schmerzte ihn noch, und natürlich bestanden die Erinnerungslücken nach wie vor, doch er war nicht mehr so besorgniserregend graubleich im Gesicht, und auch wenn er einem Fünfzig-Meilen-Marsch noch nicht gewachsen sein mochte, so kam er doch durch den Tag, ohne sich hinlegen zu müssen.

Cecilia fand, dass er manchmal immer noch ein wenig müde wirkte, doch Edward sagte dazu nur, dass sie sich wie eine Ehefrau benahm.

Allerdings lächelte er dabei.

»Ich glaube«, sagte Edward, der in Gedanken immer noch bei Colonel Stubbs war, »dass es seine Aufgabe ist, Geheimnisse zu bewahren.«

»Aber doch sicher nicht vor dir.«

»Vielleicht«, sagte Edward mit leisem Schulterzucken. »Aber überleg mal: Er weiß nicht, wo ich war oder was ich die letzten Monate über getan habe. Momentan kann es gar nicht im Interesse der britischen Armee sein, mir Geheimnisse anzuvertrauen.«

»Das ist ja grotesk!«

»Ich weiß deine standhafte Unterstützung zu schätzen«, sagte er mit einem gequälten Lächeln, während sie das Erdgeschoss erreichten, »aber Colonel Stubbs muss sich meiner Loyalität sicher sein, ehe er sich in die Karten schauen lässt.«

Davon hielt Cecilia nichts. »Ich kann nicht glauben, dass er es wagen würde, an dir zu zweifeln«, meinte sie. Edward waren Anstand und Ehrlichkeit doch quasi in die Wiege gelegt worden. Sie konnte nicht verstehen, wie man das nicht erkennen konnte.

Als sie den Speisesaal betraten, stand Colonel Stubbs an der Tür und zog wie üblich eine finstere Miene. »Rokesby«, sagte er bei ihrem Anblick, und dann: »Und Ihre Frau ist auch dabei.«

»Sie hatte Hunger«, sagte Edward.

»Natürlich«, erwiderte der Colonel, doch seine Nasenflügel blähten sich vor Ärger, und als er sie zu einem Tisch in der Nähe führte, sah Cecilia, wie er die Zähne zusammenbiss.

»Das Frühstück hier ist ausgezeichnet«, sagte Cecilia liebenswürdig.

Der Colonel starrte sie einen Augenblick an, knurrte etwas, was als Antwort durchgehen mochte, und wandte sich dann wieder an Edward.

»Bringen Sie irgendwelche Neuigkeiten mit?«, fragte Edward.

»Bringen Sie welche mit?«

»Leider nein, doch Cecilia hat mir bei meinen Versuchen, das Gedächtnis wiederzuerlangen, äußerst hilfreich zur Seite gestanden. Wir haben die Stadt viele Male durchstreift auf der Suche nach Hinweisen.«

Cecilia setzte ein sanftes Lächeln auf.

Der Colonel ignorierte sie. »Wieso glauben Sie, dass Sie hier in New York irgendwelche Hinweise finden? Ausschlaggebend ist doch Ihre Zeit in Connecticut.«

»Apropos«, sagte Edward freundlich, »was ich mich gefragt habe – hatte ich eine Uniform?«

»Was?« Die Stimme des Colonels war knapp und klang unkonzentriert. Der abrupte Themenwechsel hatte ihn offenbar irritiert.

»Ich hatte heute Morgen eine sehr seltsame Erinnerung. Vermutlich ist es nicht relevant, aber als ich meinen Rock anlegte, ist mir aufgefallen, dass ich das schon sehr lang nicht mehr getan hatte.«

Der Colonel starrte ihn an. »Ich kann Ihnen nicht folgen.«

»Der Rock im Lazarett … Also der hier, um genau zu sein«, sagte Edward und strich sich über den Ärmel. »Wo kam der her? Offenbar ist es meiner, aber ich glaube nicht, dass ich ihn dabeihatte.«

»Ich habe ihn für Sie aufbewahrt«, sagte Stubbs rau. »In Connecticut zeigt man sich besser nicht als Rotrock.«

»Sind die Leute dort nicht königstreu?«, fragte Cecilia.

»Rebellen gibt es überall«, entgegnete Stubbs und warf ihr einen verärgerten Blick zu. »Sie sind überall verstreut und operativ höllisch schwer zu entfernen.«

»Operativ zu entfernen?«, wiederholte Cecilia. Sie empfand die Wortwahl als reichlich verstörend. Zwar war sie noch nicht lang in New York, aber sie konnte sehen, dass die politische Landschaft komplexer war, als es die Zeitungen zu Hause vermuten ließen. Sie war eine treue englische Untertanin und würde es immer sein, aber sie musste einräumen, dass die Kolonisten durchaus den einen oder anderen Grund zur Klage hatten.

Doch bevor sie noch etwas sagen konnte (nicht dass dies in ihrer Absicht gelegen hätte), spürte sie unter dem Tisch Edwards Hand auf ihrem Bein, die sie zum Schweigen mahnte.

»Verzeihung«, murmelte Cecilia und richtete den Blick gehorsam auf ihren Schoß, »ich kannte den Ausdruck nicht.«

Eine solche Lüge zu äußern tat *weh*, doch es war klar von Vorteil, wenn der Colonel sie für nicht allzu gescheit hielt. Und sie wollte wirklich nicht, dass er glaubte, sie wäre der Krone nicht treu ergeben.

»Dürfte ich dann fragen«, ergriff Edward wieder das Wort, um das Gespräch geschickt weiterzuführen, »ob das Fehlen meiner Uniform zu bedeuten hat, dass ich in Connecticut als Spion unterwegs war?«

»Das würde ich nicht sagen«, erklärte der Colonel.

»Was würden Sie dann sagen?«, fragte Cecilia und biss sich auf die Zunge, als Edwards Hand sich wieder um ihren Schenkel schloss. Aber es fiel ihr so schwer, den Mund zu halten. Es war so ärgerlich, dass der Colonel zwar hier und da Hinweise fallen ließ, Edward aber nie sagte, was er wissen musste.

»Verzeihung«, murmelte sie. Edward hatte sich mit kühlem Blick zu ihr umgewandt, um sie noch einmal zu warnen, sich nicht einzumischen. Sie musste aufhören, Colonel Stubbs gegen sich aufzubringen, und das nicht nur Edwards wegen. Der Colonel kannte Thomas ebenfalls, und auch wenn er sich bisher als nicht sehr hilfreich erwiesen hatte, würde er ihr vielleicht in Zukunft bei der Suche helfen.

»Spionage ist ein so anstößiges Wort«, sagte Colonel Stubbs und nahm ihre Entschuldigung mit einem Nicken zur

Kenntnis. »Gewiss nichts, was man im Beisein einer Dame besprechen wollte.«

»Dann eben als Kundschafter«, schlug Edward vor. »Wäre das eine zutreffendere Beschreibung?«

Stubbs bestätigte das mit einem Knurren.

Edward presste die Lippen zu einer dünnen Linie zusammen. Seine Miene war schwer zu interpretieren. Er wirkte nicht zornig, zumindest nicht so zornig, wie Cecilia sich fühlte. Stattdessen hatte sie eher den Eindruck, als sortierte er in Gedanken Informationen und teilte sie in saubere Häufchen, um später darauf zurückzukommen. Er hatte eine sehr methodische Art, die Welt zu betrachten – ein Wesenszug, der ihm den Verlust der Erinnerung doppelt schwer machen musste.

»Mir ist klar«, sagte Edward und legte in einer kontemplativen Geste die Fingerspitzen aneinander, »dass Sie sich in einer äußerst delikaten Lage befinden. Aber wenn Sie wirklich wollen, dass ich mich an die Ereignisse der letzten Monate erinnere, werden Sie mir dabei helfen müssen, sie mir ins Gedächtnis zurückzurufen.« Er beugte sich vor. »Wir stehen auf derselben Seite.«

»Ich habe Ihre Loyalität niemals angezweifelt«, sagte der Colonel.

Edward nickte freundlich.

»Aber ich kann Ihnen auch nicht die Informationen geben, die Sie zu hören wünschen.«

»Soll das heißen, Sie *wissen*, was Edward widerfahren ist?«, fragte Cecilia.

»Cecilia«, mahnte Edward leise.

Sie ignorierte die Warnung. »Wenn Sie wissen, was er getan hat, müssen Sie es ihm sagen«, beharrte sie. »Es wäre grausam, es nicht zu tun. Es könnte ihm helfen, das Gedächtnis wiederzuerlangen.«

»Cecilia«, sagte Edward noch einmal, diesmal energischer.

Doch sie konnte einfach nicht still bleiben. Sie ignorierte Edwards Ermahnung, sah Colonel Stubbs in die Augen und sagte: »Wenn Sie wollen, dass er sich daran erinnert, was in Connecticut geschehen ist, werden Sie ihm alles sagen, was Sie wissen.«

Der Colonel erwiderte ihren Blick. »Das ist ja alles gut und schön, Mrs. Rokesby, aber haben Sie in Betracht gezogen, dass alles, was ich sage, die Erinnerungen Ihres Mannes beeinflussen könnte? Ich kann es mir nicht leisten, seine Erinnerungen mit meinen Informationen einzufärben, die vielleicht zutreffen, vielleicht aber auch nicht.«

»Ich ...« Etwas von ihrem Kampfgeist verließ Cecilia, als sie erkannte, dass der Colonel nicht ganz unrecht hatte. Trotzdem, war Edwards Seelenfrieden nicht auch etwas wert?

Um Edwards Mundwinkel bildeten sich strenge Linien. »Erlauben Sie, dass ich mich für meine Frau entschuldige«, sagte er.

»Nein«, widersprach Cecilia, »ich entschuldige mich selbst. Es tut mir leid. Es fällt mir schwer, die Situation von Ihrer Warte aus zu betrachten.«

»Sie wollen, dass Ihr Ehemann gesund wird«, sagte Colonel Stubbs mit überraschender Sanftheit.

»Ja, das stimmt«, entgegnete sie glühend. »Selbst ...«

Ihr blieb für einen Moment das Herz stehen. Selbst wenn es ihren eigenen Niedergang bedeutete? Sie lebte in einem Kartenhaus, sobald Edward das Gedächtnis wiedererlangte, würde es einstürzen. Beinahe hätte sie gelacht ob dieser bitteren Ironie. Sie hatte ohne Unterlass mit dem Colonel gestritten, hatte für die eine Sache gekämpft, die ihr letztendlich das Herz brechen würde.

Doch sie konnte nicht anders. Sie wollte, dass er gesund wurde. Das wollte sie mehr als alles andere. Mehr als ...

Entsetzt fasste sie sich an die Kehle. Mehr, als Thomas zu finden?

Nein. Das konnte nicht sein. Vielleicht war sie genauso schlimm wie Colonel Stubbs, hielt Fakten zurück, die Edward helfen würden, das Gedächtnis wiederzuerlangen. Doch Thomas war ihr Bruder. Edward würde es verstehen.

Zumindest redete sie sich das ein.

»Cecilia?«

Sie hörte Edwards Stimme wie durch eine Wand.

»Liebling?« Er ergriff ihre Hand und begann sie zu reiben. »Alles in Ordnung? Deine Hände sind eiskalt.«

Langsam kam sie in die Gegenwart zurück, sah blinzelnd in Edwards besorgtes Gesicht.

»Du hast geklungen, als würdest du ersticken«, sagte er.

Sie sah zum Colonel, der sie ebenfalls besorgt betrachtete. »Tut mir leid«, erklärte sie, als ihr klar wurde, dass der erstickte Laut wohl ein Schluchzen gewesen sein musste. »Ich weiß nicht, was über mich gekommen ist.«

»Ist schon gut«, sagte Colonel Stubbs, sehr zu Cecilias – und wie es aussah, auch Edwards – Überraschung. »Sie sind seine Frau. Gott hat es so geordnet, dass Sie sein Wohl über alles andere stellen.«

Cecilia ließ einen Moment verstreichen und fragte dann: »Sind Sie verheiratet, Colonel Stubbs?«

»Ich war es einmal«, erwiderte er schlicht, und seine Miene verriet, wie das gemeint war.

»Tut mir leid«, murmelte sie.

Der sonst so stoische Colonel schluckte, und in seinen Augen schien Schmerz auf. »Es liegt viele Jahre zurück«, erklärte er, »aber ich denke jeden Tag an sie.«

Impulsiv legte Cecilia ihre Hand auf seine. »Bestimmt weiß sie es«, sagte sie.

Der Colonel nickte ruckartig, gab eine Art schnaufendes Geräusch von sich und fasste sich dann wieder. Cecilia nahm die Hand weg – der Augenblick der Nähe war vorüber, alles, was länger gedauert hätte, hätte sie nur in Verlegenheit gebracht.

»Ich muss gehen«, sagte Colonel Stubbs. Er blickte zu Edward. »Sie wissen hoffentlich, dass ich darum bete, dass Sie Ihr Gedächtnis wiedererlangen. Und nicht nur, weil Sie eventuell im Besitz von Informationen sind, die unserer Sache dienen könnten. Ich weiß nicht, wie es ist, wenn ganze Monate gelöscht sind, aber ich kann mir nicht vorstellen, dass es der Seele guttut.«

Edward nahm die Worte mit einem Nicken zur Kenntnis, und dann erhoben sich beide.

»Übrigens, Captain Rokesby«, fügte der Colonel hinzu, »Sie wurden nach Connecticut geschickt, um Informationen über die Häfen dort einzuholen.«

Edward runzelte die Stirn. »Meine kartografischen Fähigkeiten sind nicht besonders.«

»Ich glaube nicht, dass es dabei um Karten ging, auch wenn sie sich natürlich als nützlich erweisen würden.«

»Colonel?«, sagte Cecilia und erhob sich ebenfalls. Als er sich zu ihr umdrehte, fragte sie: »Sollte Edward irgendetwas Bestimmtes untersuchen? Oder ging es eher um das allgemeine Sammeln von Fakten?«

»Das kann ich leider nicht verraten.«

Dann war es also etwas Bestimmtes. Das ergab auch weitaus mehr Sinn.

»Danke«, meinte sie höflich und knickste.

Er tippte sich an den Hut. »Madam, Captain Rokesby.«

Cecilia beobachtete, wie Stubbs sich zum Gehen wandte und sich dann noch einmal umdrehte. »Haben Sie Nachricht von Ihrem Bruder erhalten, Mrs. Rokesby?«

»Nein«, antwortete sie. »Major Wilkins war jedoch überaus hilfreich. Er hat die Krankenblätter im Lazarett prüfen lassen.«

»Und?«

»Leider ohne Ergebnis. Er wurde nicht erwähnt.«

Der Colonel nickte langsam. »Wenn irgendwer weiß, wie er zu finden ist, dann Wilkins.«

»Wir werden uns bald in Harlem nach ihm umhören«, sagte Cecilia.

»In Harlem?« Stubbs sah Edward an. »Warum?«

»Die Krankenstube«, sagte Edward. »Wir wissen, dass Thomas verletzt wurde. Es ist möglich, dass er dorthin gebracht wurde.«

»Aber er würde dort doch bestimmt nicht bleiben.«

»Vielleicht weiß irgendwer etwas über ihn«, sagte Cecilia. »Jedenfalls könnte sich ein Besuch dort lohnen.«

»Natürlich.« Colonel Stubbs nickte ihnen beiden noch einmal zu. »Ich wünsche Ihnen viel Glück dabei.«

Cecilia sah ihm nach und wandte sich an Edward, sowie der Colonel den Gasthof verlassen hatte. »Tut mir leid.«

Er hob die Augenbrauen.

»Ich hätte nichts sagen sollen. Es war deine Aufgabe, ihn zu befragen, nicht meine.«

»Mach dir keine Gedanken«, erwiderte Edward. »Ich war

erst nicht sehr erfreut, aber es ist dir gelungen, das Ruder noch einmal herumzureißen. Mir war nicht bewusst, dass er Witwer ist.«

»Ich weiß nicht, was mich dazu gebracht hat, mich danach zu erkundigen«, gab Cecilia zu.

Edward lächelte sie an, ergriff ihre Hand und tätschelte sie beruhigend. »Komm, setzen wir uns und essen wir. Wie du gesagt hast, das Frühstück hier ist ausgezeichnet.«

Cecilia ließ sich von ihm zum Tisch zurückführen. Sie fühlte sich merkwürdig zittrig, orientierungslos. Eine Mahlzeit würde das Gefühl hoffentlich vertreiben. Sie hatte immer zu den Menschen gehört, die ein ordentliches Frühstück brauchten, ehe sie sich dem Tag stellten.

»Ich muss allerdings sagen«, meinte Edward, während er ihr gegenüber Platz nahm, »dass es mir ziemlich gefallen hat, so eine wackere Mitstreiterin an meiner Seite zu haben.«

Cecilia hob abrupt den Kopf. Sie hatte nicht das Gefühl, dass sie sich diesen Ehrentitel verdient hatte.

»Ich glaube, dir ist gar nicht klar, wie stark du bist«, sagte er.

Sie schluckte. »Danke.«

»Sollen wir heute nach Harlem fahren?«

»Heute?« Überrascht sah sie ihn an. »Fühlst du dich denn schon gut genug?«

»Mir geht es schon viel besser. Ich glaube, ich wäre einer Reise zum oberen Ende der Insel gewachsen.«

»Nur wenn du dir sicher bist ...«

»Nach dem Frühstück organisiere ich uns eine Kutsche.« Er winkte dem Gastwirt, dass sie nun bereit wären für ihr Frühstück, und wandte sich wieder Cecilia zu. »Konzentrieren wir uns heute einmal auf Thomas. Ganz ehrlich, ich bin so weit, dass ich in eigener Sache einmal eine Pause einlegen möchte. Zumindest für heute.«

»Danke«, sagte sie. »Ich erwarte zwar nicht, dass wir dort etwas in Erfahrung bringen werden, aber ich könnte nicht damit leben, es nicht wenigstens versucht zu haben.«

»Das sehe ich auch so. Wir sollten – ah! Der Speck.« Edward begann über das ganze Gesicht zu strahlen, als der Gastwirt einen Teller mit Toast und Schinkenspeck auf dem Tisch abstellte. Das Essen war zwar nicht mehr warm, aber angesichts seines Bärenhungers spielte das keine große Rolle.

»Ehrlich«, fuhr Edward fort und machte sich ohne Rücksicht auf die Tischmanieren mit lautem Knuspern über ein Stück Speck her, »ist das nicht das Köstlichste, was du je gegessen hast?«

»Das Köstlichste?«, fragte sie zweifelnd.

Er winkte ab. »Es handelt sich um Speck. Wie kann irgendetwas auf der Welt trostlos wirken, wenn man dabei Speck isst?«

»Interessante Philosophie.«

Er grinste frech. »Für mich funktioniert sie im Moment.«

Cecilia gab seiner Laune nach und griff ihrerseits nach einem Streifen Speck. Wenn Speck wirklich Glück bedeutete, wer war sie, dagegen Einwände zu erheben?

»Weißt du«, sagte sie mit halbvollem Mund. (Wenn er auf Tischmanieren verzichten konnte, konnte sie das weiß Gott auch.) »Eigentlich ist dieser Speck nicht besonders gut.«

»Aber du fühlst dich besser, stimmt's?«

Cecilia hörte auf zu kauen, legte den Kopf schief, überlegte. »Du hast recht«, musste sie zugeben.

Wieder das impertinente Lächeln. »Das habe ich meistens.«

Doch während sie sich stillvergnügt durch ihr Frühstück arbeiteten, wusste sie, dass es nicht der Schinkenspeck war, der sie glücklich machte, sondern der Mann ihr gegenüber. Wenn er doch nur wirklich ihr gehören würde.

13. KAPITEL

Normalerweise wartete ich ab, bis ich einen Brief von Dir bekomme, ehe ich mit meinem anfange, doch da es nun schon einige Wochen her ist, seit wir das letzte Mal von Dir gehört haben, besteht Edward darauf, dass wir die Initiative ergreifen und ein Schreiben beginnen. Allerdings gibt es wenig zu berichten. Es ist verblüffend, wie viel Zeit wir damit verbringen, untätig herumzusitzen. Oder zu marschieren. Aber ich nehme an, dass Du keine seitenlange Betrachtung über die Kunst und Wissenschaft des Marschierens lesen möchtest.
– THOMAS HARCOURT AN SEINE SCHWESTER CECILIA

Harlem war, wie Edward erwartet hatte.

Die Krankenstube war so rückständig, wie Major Wilkins ihnen gesagt hatte, doch glücklicherweise waren die meisten Betten unbelegt. Dennoch war Cecilia sichtlich entsetzt von den Zuständen.

Es kostete sie einige Zeit, bis sie den Leiter gefunden hatten, und dann mehr als ein bisschen Überredungskunst, ihn dazu zu bringen, die Krankenblätter durchzugehen. Doch wie Wilkins vorhergesagt hatte, gab es keinerlei Eintrag zu Thomas Harcourt. Cecilia fragte sich, ob einige Patienten vielleicht nicht eingetragen worden waren, und Edward konnte ihr keinen Vorwurf daraus machen, dass sie die Frage dann auch laut aussprach – der vorherrschende Grad an Reinlichkeit war nicht dazu angetan, Vertrauen in den Betrieb der Krankenstube einzuflößen.

Aber wenn es etwas gab, was die Britische Armee niemals vermasselte, so war es die Dokumentation. Die Patientenliste war ungefähr das Einzige in der Krankenstube, was makellos war. Jede Seite im Verzeichnis war säuberlich geführt, jedem Namen waren Rang, Einlieferungsdatum, Art und Datum der Entlassung sowie eine kurze Beschreibung der Verwundung oder Krankheit beigefügt. Nun wussten sie, dass Soldat Roger Gunnerly aus Cornwall sich von einem Abszess im linken Oberschenkel erholt hatte und dass Soldat Henry Witherwax aus Manchester einer Schussverletzung im Bauchraum erlegen war.

Von Thomas Harcourt jedoch – nichts.

Es war ein sehr langer Tag. Die Straßen von New York nach Harlem waren schrecklich, und die Kutsche, die sie gemietet hatten, war nicht viel besser, doch nach einem herzhaften Mahl in der Fraunces Tavern fühlten sie sich beide wiederhergestellt. Der Tag war beträchtlich weniger schwül gewesen als der Vortag, und abends erhob sich eine leise Brise, die den Salzgeruch der See mit sich brachte, und so wählten sie den langen Weg zurück zum Devil's Head. Langsam schlenderten sie durch die leerer werdenden Straßen am unteren Ende der Insel Manhattan. Cecilia hatte sich bei Edward eingehängt, und obwohl sie Abstand voneinander wahrten, wie es der gute Ton gebot, schien jeder Schritt sie näher zusammenzubringen.

Wenn sie nicht so weit weg von ihrem Zuhause gewesen wären, wenn sie sich nicht inmitten eines Krieges befunden hätten, wäre es ein vollkommener Abend gewesen.

Schweigend gingen sie am Wasser entlang, beobachteten die Möwen dabei, wie sie nach Fisch tauchten, und dann sagte Cecilia: »Ich wünschte ...«

Doch sie beendete den Satz nicht.

»Was wünschtest du?«, fragte Edward.

Es dauerte einen Augenblick, ehe sie antwortete, und sie schüttelte dabei traurig den Kopf. »Ich wünschte, ich wüsste, wann ich aufgeben soll.«

Er wusste, was er jetzt tun sollte. Wenn er eine Rolle auf der Bühne oder in einem Heldenepos gespielt hätte, hätte er ihr gesagt, dass sie nie aufgeben dürften, dass ihre Herzen treu und stark bleiben müssten und dass sie so lange nach Thomas suchen müssten, bis auch die letzte Spur erschöpft war.

Aber er würde sie nicht anlügen, und er würde ihr auch keine falschen Hoffnungen machen, und so sagte er nur: »Ich weiß es nicht.«

Wie in stillschweigender Übereinkunft blieben sie stehen und blickten dann Seite an Seite im schwindenden Tageslicht hinaus aufs Wasser.

Cecilia ergriff als Erste das Wort. »Du glaubst, dass er tot ist, nicht wahr?«

»Ich glaube ...« Er wollte es nicht aussprechen, hatte es nicht einmal denken wollen. »Ich glaube, dass er wahrscheinlich tot ist, ja.«

Sie nickte. In ihrem Blick zeigte sich eher Resignation als Schmerz. Edward fragte sich, warum er das irgendwie noch herzzerreißender fand.

»Ich frage mich, ob es wohl leichter wäre, wenn wir Gewissheit hätten«, sagte sie.

»Ich weiß es nicht. Der Verlust der Hoffnung gegen das

sichere Wissen um die Wahrheit. Da fällt einem die Entscheidung nicht leicht.«

»Nein.« Sie dachte eine ganze Weile darüber nach, blickte dabei unverwandt zum Horizont. Als Edward schon glaubte, sie hätte mit dem Gespräch abgeschlossen, sagte sie: »Ich glaube, ich hätte lieber Gewissheit.«

Er nickte, auch wenn sie ihn nicht ansah. »Ich glaube, ich auch.«

Da wandte sie sich zu ihm um. »Du glaubst es nur? Du bist dir nicht sicher?«

»Nein.«

»Ich auch nicht.«

»Der Tag heute war ziemlich enttäuschend«, murmelte er.

»Nein«, widersprach sie zu seiner Überraschung. »Um enttäuscht zu werden, muss man ein anderes Ergebnis erwartet haben.«

Er sah sie an. Er brauchte die Frage nicht auszusprechen.

»Ich wusste, wie unwahrscheinlich es war, dass wir etwas über Thomas erfahren würden«, sagte sie. »Aber wir mussten es probieren, oder nicht?«

Er nahm ihre Hand. »Wir mussten es versuchen«, stimmte er zu. »Heute hat mir der Kopf nicht wehgetan«, sagte er.

In ihrem Blick strahlte Freude auf. »Nicht? Das ist ja wunderbar. Du hättest etwas sagen sollen.«

Abwesend kratzte er sich am Hals. »Ich bin mir nicht sicher, ob es mir vor eben überhaupt aufgefallen ist.«

»Das ist einfach wunderbar«, sagte sie noch einmal. »Ich bin so froh. Ich …« Sie stellte sich auf die Zehenspitzen und gab ihm spontan einen Kuss auf die Wange. »Das macht mich sehr froh«, wiederholte sie. »Ich sehe es nicht gern, wenn du Schmerzen hast.«

Er führte sich ihre Hand an die Lippen. »Ich könnte es nicht ertragen, wenn unsere Rollen vertauscht wären.« Das stimmte. Die Vorstellung, sie könnte Schmerzen leiden, legte sich wie eine eisige Faust um sein Herz.

Sie lachte leise. »Du hast als Krankenschwester eine gute Figur gemacht, als ich letzte Woche krank war.«

»Ja, aber ich möchte das nicht unbedingt wiederholen, also bleib lieber gesund, ja?«

Sie senkte den Kopf, und ihre Miene war beinahe schüchtern. Dann fröstelte sie.

»Kalt?«

»Ein bisschen.«

»Wir sollten nach Hause gehen.«

»Unser Zuhause, ja?«

Das entlockte ihm ein Lachen. »Ich muss zugeben, ich hätte nie gedacht, dass ich einmal an einem Ort leben würde, der nach dem Teufel benannt ist.«

Ihre Miene hellte sich auf, und sie lächelte spitzbübisch. »Kannst du dir in England ein Haus namens Teufelsvilla vorstellen?«

»Haus Luzifer?«

»Satans Heimstatt.«

Darüber brachen beide in Gelächter aus, und Cecilia sah sogar zum Himmel empor.

»Hältst du Ausschau nach einem Blitzschlag?«

»Entweder das oder nach einer Heuschreckenplage.«

Edward nahm sie am Arm, und gemeinsam machten sie sich zurück auf den Weg zum Gasthof. Er befand sich ganz in der Nähe, nur ein paar Minuten entfernt. »Wir sind beide relativ gute Menschen«, sagte er und beugte sich vor, als ließe er sie an einem besonders saftigen Stück Klatsch teilhaben. »Ich glaube, wir sind vor biblischen Strafen sicher.«

»Man kann nur hoffen.«

»Den Heuschrecken könnte ich vermutlich widerstehen«, sagte er, »aber ich kann nicht für mein Benehmen garantieren, wenn sich der Fluss in Blut verwandelt.«

Sie lachte auf und konterte mit: »Ich für meinen Teil würde gern auf die Geschwüre verzichten.«

»Und auf Läuse.« Er schauderte. »Ekelhafte kleine Mistdinger, wenn du den Ausdruck entschuldigen würdest.«

Sie sah ihn an. »Du hattest Läuse?«

»Jeder Soldat hat mal Läuse«, erklärte er. »Das ist ein Berufsrisiko.«

Sie wirkte leicht angewidert.

Er beugte sich mit vergnügtem Grinsen vor. »Ich bin jetzt vollkommen sauber.«

»Das möchte ich hoffen. Ich teile mir jetzt seit über eine Woche ein Zimmer mit dir.«

»Apropos …«, murmelte er. Keiner von beiden hatte sonderlich aufgepasst, aber ihre Füße hatten den Weg zurück ins Devil's Head wie von selbst gefunden.

»Wieder zu Hause«, scherzte sie.

Er hielt ihr die Tür auf. »Allerdings.«

Die Menge im Schankraum schien derber als sonst zu sein, und so legte er Cecilia die Hand auf den Rücken und schob sie am Rand entlang zur Treppe. Er wusste, dass er nicht hoffen konnte, eine bessere Unterkunft als diese zu finden, aber es war trotzdem kein Ort, an dem eine Dame dauerhaft Unterkunft nahm. Wenn sie in England gewesen wären, hätte er niemals …

Er schüttelte den Gedanken ab. Sie waren nicht in England. Die normalen Regeln galten hier nicht.

Normal. Er konnte sich nicht einmal erinnern, was das Wort überhaupt bedeutete. Er hatte eine Beule am Kopf, die drei Monate seiner Erinnerungen ausgelöscht hatte, sein bester Freund war so komplett verschwunden, dass die Armee nicht einmal bemerkt hatte, dass er nicht mehr da war, und irgendwann in der nicht allzu fernen Vergangenheit hatte er eine Frau in einer Stellvertreterhochzeit geheiratet.

Eine Hochzeit per Stellvertreter. Lieber Himmel, seine Eltern würden entsetzt sein. Und wenn er ehrlich war, er selbst war es auch. Edward war nicht wie sein leichtsinniger Bruder Andrew, der Regeln aus reinem Spaß an der Freude ignorierte. Was die wichtigen Dinge im Leben anging, so erledigte er sie ordnungsgemäß. Er war sich nicht mal sicher, ob eine Stellvertreterhochzeit in England überhaupt gültig war.

Was ihn zu einem anderen Punkt brachte. Etwas an der ganzen Situation war nicht ganz richtig. Edward war sich nicht sicher, was Thomas gesagt oder getan hatte, um ihn dazu zu bringen, Cecilia zu heiraten, aber er hatte das Gefühl, dass mehr an der Sache dran war, als sie ihm erzählt hatte. Vermutlich war auch mehr dran, als sie selbst wusste, aber die Wahrheit würde nie herauskommen, ehe Edward sich wieder an alles erinnern konnte.

Oder bevor sie Thomas gefunden hatten.

Edward konnte sich nicht entscheiden, was er inzwischen unwahrscheinlicher fand.

»Edward?«

Er blinzelte und richtete den Blick auf Cecilia. Sie stand an der Tür zu ihrem Zimmer, ein leicht amüsiertes Lächeln im Gesicht.

»Du hattest schon wieder diesen Blick«, sagte sie. »Nicht

den, wenn du dich erinnerst, sondern den furchtbar angestrengt nachdenklichen.«

Das überraschte ihn nicht. »Ich habe furchtbar angestrengt über fast gar nichts nachgedacht«, log er und holte den Schlüssel zu ihrem Zimmer aus der Tasche. Er wollte ihr seinen Verdacht nicht offenbaren, noch nicht. Edward zweifelte Thomas' Gründe für das Arrangement dieser Hochzeit nicht an – sein Freund war ein guter Mann und wollte für seine Schwester nur das Beste –, aber wenn man sie unter einem falschen Vorwand dazu überredet hatte, ihn zu heiraten, und sie bekäme Wind davon, würde sie garantiert fuchsteufelswild werden.

Vielleicht sollte er sich mehr darum bemühen, die Wahrheit herauszubekommen, aber er hatte im Augenblick wirklich größere Probleme, und letzten Endes war er ja *gern* mit Cecilia verheiratet.

Warum um alles in der Welt sollte er die glückliche Beziehung zerstören, die sich zwischen ihnen entwickelt hatte?

Es sei denn …

Es gäbe einen Grund, warum er Unruhe in die Sache bringen sollte.

Er wollte mit seiner Frau schlafen.

Es war an der Zeit. Es musste an der Zeit sein. Sein Begehren … Sein Bedürfnis … Seit dem Moment, da er sie gesehen hatte, verspürte er ein nahezu überwältigendes Verlangen nach ihr.

Vielleicht lag es daran, dass er aus ihrem Gespräch mit Colonel Stubbs erraten hatte, wer sie war. Oder auch daran, dass er selbst vom Krankenbett aus ihre Sorge und Hingabe hatte spüren können, doch als er die Augen geöffnet und sie zum ersten Mal gesehen hatte, ihre grünen Augen erst voll

Sorge, dann voll Überraschung, hatte er eine unglaubliche Leichtigkeit verspürt, als flüsterte es ihm sogar die Luft ringsum zu.

Da ist sie.

Sie ist die Richtige.

Und so schwach er auch gewesen war, er hatte sie begehrt. Und jetzt …

Auch wenn er noch nicht wieder ganz zu Kräften gekommen war, war er doch auf alle Fälle kräftig genug.

Er sah zu ihr hinüber. Sie lächelte immer noch, beobachtete ihn, als hätte sie ein köstliches kleines Geheimnis oder als glaubte sie, dass er eines hätte. Wie auch immer, sie wirkte äußerst amüsiert, als sie den Kopf schief legte und fragte: »Wirst du die Tür nun aufschließen?«

Er drehte den Schlüssel im Schloss.

»Denkst du immer noch furchtbar angestrengt über fast gar nichts nach?«, neckte sie ihn, als er die Tür öffnete.

Nein.

Er fragte sich, ob sie sich darüber bewusst war, welch heiklen Tanz sie jeden Abend zur Schlafenszeit aufführten. Ihr aufgeregtes Schlucken, sein verstohlener Blick. Ihr rascher Griff nach dem einzigen Buch, das sie besaßen, seine eifrige Beschäftigung mit den Fusseln, die sich mehr oder weniger – meist weniger – auf seinem scharlachroten Rock angesammelt hatten. Jeden Abend erledigte Cecilia ihre Aufgaben, erfüllte den Raum mit viel Geplauder, nie ganz entspannt, bis er auf der anderen Seite des Bettes unter die Laken kroch und ihr Gute Nacht wünschte. Sie wussten beide, was diese Worte in Wirklichkeit bedeuteten.

Nicht diese Nacht.

Noch nicht.

War ihr überhaupt klar, dass auch er auf ein Signal wartete? Ein Blick, eine Berührung … irgendetwas, das ihm sagte, dass sie bereit war?

Denn er war bereit. Er war mehr als bereit. Und er glaubte, dass sie es … vielleicht … auch war.

Sie wusste es nur noch nicht.

Als sie ihr kleines Zimmer betraten, lief Cecilia hinüber zum Waschbecken auf dem Tisch, das sie vom Gasthof jeden Abend mit frischem Wasser füllen ließ. »Ich will mir nur das Gesicht waschen«, sagte sie, als wüsste er nicht, was sie tat, wenn sie sich mit dem Wasser bespritzte, als würde sie nicht jeden Abend dasselbe tun.

Während sie ihr Reinigungsritual vollzog, löste er seine Manschetten und setzte sich auf den Bettrand, um sich die Stiefel auszuziehen.

»Ich fand das Abendessen heute ganz besonders köstlich«, sagte Cecilia und warf einen raschen Blick über die Schultern, bevor sie in den Schrank griff und ihre Haarbürste herausholte.

»Fand ich auch«, erwiderte er. Das war Teil ihres Pas de deux, Schritte in der kunstvollen Choreografie, die schließlich dazu führten, dass sie auf verschiedenen Seiten ins Bett stiegen, und damit endeten, dass er so tat, als wachte er nicht jeden Morgen mit ihr in seinen Armen auf. Sie prüfte, ob er sich anders verhielt, taxierte seine Miene, seine Bewegungen.

Sie brauchte ihm das nicht zu bestätigen, er wusste, dass es der Wahrheit entsprach.

Ihre Augen waren wie Glas, hellgrün und leuchtend, und es wollte ihr einfach nicht gelingen, ihre Gefühle zu verbergen. Er konnte sich nicht vorstellen, dass sie je ein Geheimnis für sich bewahren konnte. Bestimmt würde es sich in ihrer Miene zeigen, auf den vollen Lippen, die nie stillzustehen schienen. Selbst in Ruhe schienen ihre Gesichtszüge in Bewegung zu sein. Ihre Stirn runzelte sich, oder ihre Lippen teilten sich, um einen Atemzug hindurchzulassen. Er wusste nicht, ob die anderen dies ebenfalls an ihr wahrnahmen. Auf den ersten Blick wirkte sie wohl ruhig und gelassen, aber wenn man sich die Zeit nahm, sie richtig anzusehen, nicht nur das ovale Gesicht und die gleichmäßigen Züge wahrzunehmen, die auf der zweitklassigen Miniatur verewigt waren, die Edward so viele Male betrachtet hatte ... Dann sah man es. Die winzigen Bewegungen, die im Rhythmus ihrer Gedanken tanzten.

Manchmal fragte er sich, ob er sie wohl für immer ansehen könnte, ohne sich je zu langweilen.

»Edward?«

Er blinzelte. Sie saß an dem kleinen Frisiertisch und betrachtete ihn neugierig.

»Du hast vor dich hin gestarrt«, sagte sie. Sie hatte ihr Haar gelöst. Es war nicht ganz so lang, wie er ursprünglich gedacht hatte, als sich an jenem Tag im Lazarett ein paar Locken gelöst hatten. Jeden Abend sah er ihr nun dabei zu, wie sie es bürstete und dabei still die Bürstenstriche zählte. Zuzusehen, wie sich Struktur und Glanz änderten, wenn sie die einzelnen Strähnen durchkämmte, übte eine beinahe hypnotische Wirkung auf ihn aus.

»Edward?«

Wieder hatte sie ihn dabei ertappt, wie er sich treiben ließ. »Tut mir leid«, sagte er. »In Gedanken schweife ich immer wieder ab.«

»Du bist bestimmt sehr müde.«

Er versuchte nicht zu viel in diese Behauptung hineinzuinterpretieren.

»Ich bin jedenfalls müde«, sagte sie.

Dieser schlichte Satz hatte so viele Ebenen. Die einfachste: *Es war ein langer Tag. Ich bin müde.*

Aber er wusste, dass noch mehr dahinersteckte. Cecilia achtete immer darauf, dass er sich nicht übernahm, und so schwang gewiss auch mit: *Wenn ich müde bin, musst du auch müde sein.*

Dann die Wahrheit. Der einfache, schlichte Kern der Sache: *Wenn ich dir sage, dass ich müde bin ... Wenn du glaubst, dass ich der Sache nicht gewachsen bin ...*

»Darf ich?«, murmelte er und griff nach der Bürste.

»Was?« Ihr Pulsschlag am Hals begann zu flattern. »Oh, das ist nicht nötig. Ich bin fast fertig.«

»Du hast gut die Hälfte.«

In ihrer Miene zeigte sich Verwirrung. »Wie bitte?«

»Bisher hast du achtundzwanzig Bürstenstriche. Normalerweise hörst du bei fünfzig auf.«

Überrascht öffnete sie die Lippen. Er konnte den Blick nicht von ihnen abwenden.

»Du weißt, mit wie vielen Strichen ich mir jeden Abend die Haare bürste?«

Er zuckte nur mit den Schultern, doch gleichzeitig spannte sich sein Körper an, als er sah, wie sie sich mit der Zunge eine trockene Stelle in der Mitte der Oberlippe leckte. »Du bist ein Gewohnheitstier«, entgegnete er. »Und ich bin aufmerksam.«

Sie legte die Haarbürste beiseite, als würde es sie zu einer anderen Person machen, wenn sie mit ihrer Gewohnheit brach. »Mir war nicht klar, dass ich so vorhersehbar bin.«

»Nicht vorhersehbar«, erklärte er. Er griff über sie hinweg nach der Silberbürste. »Beständig.«

»Best...«

»Und bevor du nachfragst«, unterbrach er sie sanft, »das ist ein Kompliment.«

»Du brauchst mir das Haar nicht zu kämmen.«

»Doch, natürlich muss ich das. Du hast mir den Bart rasiert, wenn du dich erinnerst. Es ist das Mindeste, was ich tun kann.«

»Ja, aber ich …«

»Shhh …«, machte er, nahm die Bürste und zog sie durch die bereits glänzenden, entwirrten Locken.

»Edward, ich …«

»Neunundzwanzig«, sagte er, bevor sie einen weiteren Einwand erheben konnte. »Dreißig.«

Er spürte den Augenblick, in dem sie sich endlich ergab. Ihre starre Haltung wurde weich, und ein leiser Atemhauch – nicht ganz ein Seufzer – schlüpfte ihr über die Lippen.

Während er für sich zählte: *zweiunddreißig, dreiunddreißig, vierunddreißig.* »Das ist angenehm, nicht?«

»Mmmm.«

Er lächelte. *Fünfunddreißig. Sechsunddreißig.* Er fragte sich, ob sie es wohl bemerken würde, wenn er die fünfzig überschritt.

»Hat dich je irgendwer versorgt?«, fragte er.

Sie gähnte. »Das ist eine alberne Frage.«

»Finde ich nicht. Jeder hat es verdient, versorgt zu werden. Manche mehr als andere, könnte ich mir vorstellen.«

»Thomas hat es getan«, antwortete sie schließlich. »Früher zumindest. Es ist schon so lang her, seit ich ihn zum letzten Mal gesehen habe.«

Ich werde es tun, schwor Edward sich.

»Du hast dich hervorragend um mich gekümmert, als ich krank war«, sagte er.

239

Sie drehte sich um, gerade so weit, dass er ihre verblüffte Miene sehen konnte. »Natürlich.«

»Das hätte nicht jeder getan«, erklärte er.

»Ich bin deine …«

Aber sie beendete den Satz nicht.

Zweiundvierzig, dreiundvierzig.

»Du bist beinahe meine Frau«, sagte er leise.

Er konnte nur den Rand ihres Gesichtes sehen, nicht einmal das Profil. Aber er wusste, dass sie den Atem anhielt. Er hatte den Moment gespürt, in dem sie ganz still wurde.

»Achtundvierzig«, murmelte er. »Neunundvierzig.«

Sie legte die Hand über seine, hielt sie fest. Versuchte sie den Augenblick festzuhalten? Die Zeit zu dehnen und den unausweichlichen Schritt zur Intimität hinauszuzögern?

Sie begehrte ihn. Das wusste er. Es war abzulesen an dem leisen Stöhnen, wenn sie sich küssten, süße Laute, deren sie sich vermutlich nicht einmal bewusst war. Er spürte ihr Verlangen, wenn sich ihre Lippen an seinen bewegten, ungekünstelt und neugierig.

Er ergriff ihre Hand, die immer noch auf seiner ruhte, und hob sie sich an die Lippen. »Fünfzig«, flüsterte er.

Sie rührte sich nicht.

Auf leisen Sohlen ging er um sie herum, überführte ihre Finger von einer Hand in die andere, damit er die Bürste auf dem kleinen Frisiertisch ablegen konnte. Wieder hob er sich ihre Finger an die Lippen, doch diesmal zog er auch an ihrer Hand, damit Cecilia aufstand.

»Du bist so schön«, raunte er, doch die Worte erschienen ihm unzureichend. Sie war so viel mehr als nur ihr hübsches Gesicht, das hätte er ihr gern gesagt, doch er war kein Poet, er wusste nicht, wie er es ausdrücken sollte, vor allem, nachdem die Luft zwischen ihnen vor Begehren zu knistern begann.

Er berührte sie an der Wange, staunte über die weiche, seidige Haut unter seinen schwieligen Fingern. Mit großen Augen sah sie ihn an, und er konnte sehen, dass sie überaus aufgeregt war, weitaus aufgeregter, als er erwartet hätte, nachdem sie sich in der letzten Woche doch so nahegekommen waren. Aber er hatte bisher noch nie mit einer Jungfrau geschlafen, vielleicht waren sie alle so.

»Das ist nicht das erste Mal, dass wir uns küssen«, erinnerte er sie und streifte ihre Lippen sanft mit seinen.

Sie bewegte sich immer noch nicht, doch er hätte schwören können, dass er ihr Herz klopfen hörte. Vielleicht konnte er es auch durch sie spüren, von ihrer Hand zu seiner.

Von ihrem Herzen zu seinem.

War er dabei, sich in sie zu verlieben? Er wusste nicht, weswegen er sich sonst so fühlen sollte, weswegen seine Tage für ihn erst dann richtig anfingen, wenn er sie lächeln sah.

Er war *tatsächlich* dabei, sich in sie zu verlieben. Halb war er es ja schon gewesen, noch ehe sie sich überhaupt begegnet waren, und vielleicht würde er sich nie an die Ereignisse erinnern, die ihn zu diesem Moment geführt hatten, doch *daran* würde er sich erinnern: an diesen Kuss, diese Berührung.

Diese Nacht.

»Hab keine Angst«, murmelte er und küsste sie noch einmal, wobei er diesmal ihre Lippen mit der Zunge liebkoste.

»Ich habe keine Angst«, sagte sie mit einer Stimme, die irgendwie seltsam genug klang, um ihn innehalten zu lassen. Er fasste sie am Kinn, hob ihr Gesicht an und blickte ihr forschend in die Augen auf der Suche nach etwas, das er nicht einmal definieren konnte.

Es wäre so viel einfacher gewesen, wenn er gewusst hätte, wonach er Ausschau hielt.

»Hat dir vielleicht irgendwer …«, er wollte es gar nicht aussprechen, »… *weh*getan?«

Verwirrt starrte sie ihn an, wusste offenbar nicht, was er meinte, bis zu dem Augenblick, da er Atem holte, um es näher zu erklären.

»Nein«, sagte sie plötzlich. Sie hatte ihn gerade noch rechtzeitig verstanden, um ihm eine Erklärung zu ersparen. »Nein«, wiederholte sie, »wirklich nicht.«

Die Erleichterung, die Edward empfand, war beinahe körperlich zu spüren. Wenn irgendwer ihr wehgetan hätte, ihr Gewalt angetan hätte … Es hätte keine Rolle für ihn gespielt, wenn sie keine Jungfrau mehr gewesen wäre, aber er hätte den Rest seines Lebens damit zugebracht, den Schurken zur Rechenschaft zu ziehen.

Etwas anderes hätte sein Herz – nein, seine Seele – nicht geduldet.

»Ich werde sanft sein«, versprach er, während er die Hand an ihrer Kehle hinab bis zum Schlüsselbein wandern ließ. Sie hatte ihr Tageswand noch nicht gegen das Nachthemd getauscht. Auch wenn das Kleid enger saß und lästige Knöpfe und Schnürungen aufwies, offenbarte es dennoch mehr Haut, von der Schulter bis zum sanft gerundeten Brustansatz.

Er küsste sie genau dort, wo der Spitzenbesatz des Mieders auf nackte Haut traf, und sie keuchte. Unwillkürlich drängte sie sich an ihn.

»Edward, ich …«

Er küsste sie noch einmal, diesmal etwas tiefer.

»Ich weiß nicht, ob …«

Und dann auf der anderen Seite, jeder Kuss eine sanfte Segnung, nur ein schwacher Hinweis auf die Leidenschaft, die er streng unter Kontrolle hielt.

Er ertastete die Verschlüsse am Rückenteil ihres Kleids und verschloss ihren Mund wieder mit dem seinen, während er sich daranmachte, ihren Körper von den Kleidern zu befreien. Er hatte geplant, sie mit seinen Küssen abzulenken, doch nun war er benommen vor Begierde, denn sobald sich ihre Lippen unter den seinen teilten, brannte er lichterloh.

Und sie ebenso. Was spielerisch begonnen hatte, wurde bald zum lodernden Feuer, und sie tranken beide voneinander, als wäre dies ihre einzige Chance zur Vereinigung. Edward hatte keine Ahnung, wie er ihr das Kleid vom Leib bekam, ohne es zu zerreißen, vermutlich erkannte er mit dem letzten Rest an Vernunft, der ihm noch geblieben war, dass sie hier in New York nur zwei Kleider besaß, die beide in Schuss gehalten werden mussten.

Sie trug ein leichtes Hemd, das vorn lose gebunden war, und er griff mit zitternden Händen nach dem einen Ende. Langsam zog er daran, sah zu, wie sich die Schlinge allmählich löste.

Er schob ihr das Hemd von der Schulter, und sein Atem ging mit jedem freigelegten Zoll pfirsichblasser Haut schneller.

»Anders herum«, sagte sie.

»Was?« Ihre Stimme war leise gewesen, und er war sich nicht sicher, ob er sie verstanden hatte.

»Das Hemd«, sagte sie und sah ihm dabei nicht ganz in die Augen. »Es wird über den Kopf ausgezogen.«

Er hielt inne, und um seine Mundwinkel spielte ein Lächeln. Er hatte sich so bemüht, behutsam und ritterlich zu sein, und nun gab sie ihm Anweisungen zum Auskleiden.

Sie war entzückend. Nein, sie war prachtvoll, und er konnte nicht fassen, wie er je hatte glauben können, dass sein Leben vor diesem Augenblick vollkommen gewesen wäre.

Sie sah auf und legte den Kopf schief. »Was ist denn?«

Er schüttelte nur den Kopf.

»Du lächelst«, warf sie ihm vor.

»Stimmt.«

Nun lächelte sie auch. »Warum?«

»Weil du vollkommen bist.«

»Edward, nein, ich …«

Sie schüttelte immer noch den Kopf, als er sie in die Arme schloss. Das Bett war nur ein paar Schritte entfernt, aber sie war seine Frau, er würde endlich mit ihr schlafen, da wollte er weiß Gott keine halben Sachen machen und sie zum Bett tragen.

Er küsste sie wieder und wieder, erkundete mit den Händen ihren ganzen Körper, erst durch das Hemd hindurch, dann schob er sie wagemutig darunter. Sie war so, wie er es sich erträumt hatte, warm und empfänglich. Dann spürte er, wie sie ein Bein um seines schlang und ihn näher an sich zog, und es war, als wäre plötzlich auf der ganzen Welt Sonnenschein ausgebrochen. Nun war es nicht mehr nur so, dass er sie verführte. Sie wollte ihn auch. Sie wollte ihn näher bei sich haben, ihn spüren, und Edwards Herz jubelte vor Freude wie vor Befriedigung.

Er rückte ein Stück von ihr ab, setzte sich weit genug auf, um sich das Hemd über den Kopf streifen zu können.

»Du siehst anders aus«, sagte sie und sah ihn mit leidenschaftsumflortem Blick an.

Er hob die Augenbrauen.

»Das letzte Mal, als ich dich so gesehen habe …«, sie be-

244

rührte ihn mit den Fingerspitzen an der Brust, »... war an dem Tag, als du das Lazarett verlassen hast.«

Das stimmte wohl. Sie hatte ihm immer den Rücken zugewendet, wenn er sich umzog. Er hatte sie dann immer beobachtet und sich gefragt, was sie gerade dachte, ob sie sich wohl gern umwenden und einen Blick riskieren würde.

»Besser, hoffe ich«, murmelte er.

Sie verdrehte ein wenig die Augen, was er wohl verdient hatte. Er hatte nicht das ganze Gewicht wiedererlangt, das er verloren hatte, doch war er auf alle Fälle körperlich leistungsfähiger, und als er sich über die Arme strich, konnte er spüren, wie seine Muskeln zu alter Kraft heranwuchsen.

Doch für das hier war er jetzt schon stark genug. Ganz entschieden.

»Ich hätte nicht gedacht, dass Männer so schön sein dürfen«, meinte Cecilia.

Er platzierte die Hände zu beiden Seiten ihrer Schultern, stemmte sich drohend über sie und verkündete sie: »Wenn du mich zum Erröten bringst, muss ich meine Autorität als dein Ehemann geltend machen.«

»Deine Autorität als mein Ehemann? Worin soll die bestehen?«

»Weiß ich auch nicht«, räumte er ein. »Aber ich bin mir ziemlich sicher, dass du versprochen hast, mir zu gehorchen.«

Wenn er sich nicht so auf ihr Gesicht konzentriert hätte, hätte er das leise Zucken ihres Kinns vielleicht nicht bemerkt. Oder das verlegene Schlucken. Er hätte sie beinahe deswegen geneckt. Von all den Frauen, die er kannte – zumindest denen, die er mochte und respektierte –, war es keiner ernst gewesen mit dem Versprechen ehelichen Gehorsams.

Er fragte sich, ob sie wohl die Finger gekreuzt hatte, als sie die Worte auf dem Schiff nachgesprochen hatte. Vielleicht hatte sie auch einen Weg gefunden, sich ganz um dieses Versprechen herumzudrücken, die schlaue Füchsin. Und nun war sie zu verlegen, es zuzugeben.

»Ich würde nie erwarten, dass du mir gehorchst«, murmelte er und beugte sich lächelnd vor, um sie ein weiteres Mal zu küssen. »Nur dass du mir in allem zustimmst.«

Sie boxte ihn in die Schulter, doch er lachte nur. Selbst als er sich auf die Seite rollte und sie an sich zog, konnte er das leise Gelächter nicht unterdrücken, das ihn und mit ihm auch sie erschütterte.

Hatte er je mit einer Frau im Bett gelacht? Wer hätte gedacht, dass das so köstlich sein würde?

»Du machst mich wirklich glücklich«, sagte er, und dann folgte er endlich ihrem Rat und streifte ihr das Hemd ab, zog es ihr über den Kopf, wobei sich ihre Arme hoben.

Er hielt den Atem an. Sie war nun nackt, und obwohl die Laken den unteren Teil ihres Körpers verdeckten, waren ihre Brüste nun entblößt. Sie war das Schönste, was er je gesehen hatte, aber es war mehr als das. Es war nicht nur, dass ihm bei ihrem Anblick schwindelig wurde vor Begierde. Oder dass er sich vollkommen sicher war, nie zuvor im Leben so hart vor Begehren gewesen zu sein wie in diesem Augenblick.

Es war *mehr*. Es ging tiefer.

Es war himmlisch.

Er berührte eine ihrer Brüste, streifte die rosa Spitze mit dem Zeigefinger. Cecilia keuchte, und er konnte es sich nicht verkneifen, vor männlichem Stolz leise zu knurren. Er genoss es, dass er sie dazu bringen konnte, ihn zu begehren, dies zu begehren. Er genoss es zu wissen, dass sie mit ziemlicher

Sicherheit feucht zwischen den Beinen wurde, dass ihr Körper zum Leben erwachte und dass er die Ursache dafür war.

»So hübsch«, murmelte er, während er sie umdrehte, sodass sie wieder auf dem Rücken lag und er über ihr kauerte. Doch ohne ihr Hemd bekam diese Stellung eine weitaus erotischere Note. Ihre rosaroten Spitzen waren stolz aufgerichtet und schrien förmlich nach Berührung.

»Ich könnte dich den ganzen Tag ansehen«, sagte er.

Ihr Atem ging schneller.

»Oder vielleicht auch nicht«, fügte er rasch hinzu und beugte sich über sie, um über die rechte Brustspitze zu lecken. »Ich glaube nicht, dass ich nur schauen könnte und nicht berühren.«

»Edward«, keuchte sie.

»Oder küssen.« Er wandte sich der anderen Brust zu und nahm die Spitze in den Mund.

Sie bog den Rücken durch und stieß einen leisen Schrei aus, als er mit seiner süßen Folter fortfuhr.

»Ich kann auch knabbern«, raunte er und drehte sich wieder zur anderen Seite, diesmal unter Einsatz der Zähne.

»Oh Gott«, hauchte sie und stöhnte. »Was machst du da? Ich spüre es …«

Er lachte. »Na, ich möchte hoffen, dass du es spürst.«

»Nein, ich spüre es …«

Er wartete ein paar Augenblicke, und dann meinte er in einem Ton sündiger Begierde: »Du spürst es anderswo?«

Sie nickte.

Eines Tages, wenn sie sich hundertmal hatten, würde er sie dazu bringen, ihm genau zu sagen, wo sie es spürte. Er würde sie dazu bringen, die Worte auszusprechen, sodass seine ohnehin schon angeschwollene Männlichkeit noch härter werden würde. Doch im Augenblick wollte er der Frivole sein. Er würde jede Waffe in seinem Arsenal nutzen, um dafür zu sorgen, dass sie wie von Sinnen vor Lust war, wenn er schließlich in sie eindrang.

Sie würde erfahren, was es hieß, angebetet zu werden. Sie würde erfahren, was es hieß, verehrt zu werden. Denn ihm war bereits klar geworden, dass seine größte Lust darin läge, mit ihr die ihre zu entdecken.

Er umfasste ihre Brust mit der Hand und flüsterte Cecilia ins Ohr: »Ich frage mich, wo du es wohl spürst«, sagte er und biss ihr sanft ins Ohrläppchen. Er rollte sich auf die Seite, stützte sich auf einen Ellbogen und ließ die Hand von ihrer Brust zu ihrer Hüfte gleiten. »Hier vielleicht?«

Ihr Atem wurde lauter.

»Oder vielleicht ...«, er strich ihr über den Bauch, kitzelte sie im Nabel, »... hier?«

Sie erbebte unter seiner Berührung.

»Ich glaube nicht, dass das schon die richtige Stelle ist«, sprach er weiter, während er lässig Kreise auf ihre Haut malte. »Ich glaube, du meintest eine Stelle etwas weiter unten.«

Sie gab einen Laut von sich. Möglicherweise war es sein Name.

Er legte ihr die Hand flach auf den Bauch, ließ sie betont langsam abwärtswandern, bis seine Finger die seidigen Löckchen berührten, die ihre Weiblichkeit schützten. Er spürte, wie sie ganz reglos dalag, als wüsste sie nicht recht, was sie jetzt tun sollte, und er konnte nur lächeln, als er das heftige Keuchen hörte, das ihr über die Lippen schlüpfte.

Zärtlich streichelte er sie, ließ den Finger über ihre Knospe gleiten, bis sich ihre Starrheit ein wenig legte und sie sich ihm weiter öffnete. »Gefällt dir das?«, flüsterte er, auch wenn er wusste, dass dem so war. Doch als sie nickte, fühlte er sich dennoch wie der König der Welt. Der bloße Akt, ihr Genuss zu verschaffen, war genug, um sein Herz vor Stolz schwellen zu lassen.

Er fuhr fort, sie zu reizen, brachte sie der Erfüllung immer näher, auch wenn sein eigener Körper nach Befriedigung schrie. Er hatte nicht die Absicht gehabt, sie zuerst zum Höhepunkt zu bringen, doch sobald er sie berührt hatte und ihr Körper unter ihm zum Leben erwacht war, wusste er, was er zu tun hatte. Er wollte, dass sie zerbarst, vollkommen zersplitterte und glaubte, dass es keine größere Lust gäbe.

Und dann wollte er ihr zeigen, dass es doch noch mehr gab.

»Was tust du da?«, fragte sie atemlos, doch er hielt die Frage für rein rhetorisch. Ihre Augen waren geschlossen, sie hatte den Kopf zurückgeworfen und den Rücken durchgebogen, sodass sich ihre vollkommenen Brüste himmelwärts reckten. Er glaubte nicht, in seinem Leben etwas Schöneres, Erotischeres gesehen zu haben.

»Ich bin zärtlich zu dir«, sagte er.

Sie öffnete die Augen. »Aber …«

Er legte sich den Finger an die Lippen. »Unterbrich mich nicht.« Sie war ein kluges Mädchen; offenbar wusste sie, was zwischen Mann und Frau passierte und dass etwas viel Größeres als seine Finger Zugang zu ihr finden sollte. Doch anscheinend hatte ihr keiner erzählt, was auf dem Weg dahin alles Wunderbares geschehen konnte.

»Hast du von *la petite mort* gehört?«, fragte er sie.

Ihr Blick umwölkte sich in Verwirrung, und sie schüttelte den Kopf. »Vom kleinen Tod?«

»So nennen es die Franzosen. Eine Metapher, lass dir versichert sein. Ich habe darin immer eher eine Bejahung des

Lebens gesehen.« Er beugte sich zu ihr herab und nahm ihre Brustspitze in den Mund. »Oder einen Grund zum Leben.«

Und dann sah er mit all der verruchten Verheißung, die er in seiner Seele spürte, durch die Wimpern hindurch zu ihr auf und murmelte: »Soll ich es dir zeigen?«

14. KAPITEL

Ich vermisse die Tage, als Du in London warst und wir uns hin und her schreiben konnten wie in einer Unterhaltung. Nun sind wir wohl auf Gedeih und Verderb den Gezeiten ausgeliefert. Unsere Briefe werden wohl auf dem Ozean aneinander vorbeisegeln. Mrs. Pentwhistle sagte, sie halte das für eine reizende Vorstellung und dass sie kleine Händchen hätten und sich über das Wasser hinweg zuwinken würden. Ich glaube, Mrs. Pentwhistle hat zu viel von Reverend Pentwhistles Messwein erwischt.

Bitte richte Captain Rokesby aus, dass die kleine lila Blume, die er gepresst hat, in hervorragendem Zustand hier eintraf. Ist es nicht erstaunlich, dass so ein kleines Blümchen stark genug ist, von Massachusetts nach Derbyshire zu reisen? Bestimmt werde ich nie Gelegenheit erhalten, mich bei ihm persönlich dafür zu bedanken. Bitte versichere ihm, dass ich sie immer in Ehren halten werde. Es ist etwas ganz Besonderes für mich, einen kleinen Teil Deiner Welt in Händen zu halten.

– CECILIA HARCOURT AN IHREN BRUDER THOMAS

Der kleine Tod.

Die Franzosen hatten da wohl nicht ganz unrecht gehabt, als sie diesen Ausdruck geprägt hatten. Denn die Anspannung, die sich in Cecilias Körper anstaute ... das pulsierende, unerbittliche Verlangen nach etwas, das sie nicht einmal richtig verstand ... das alles fühlte sich an, als führte es auf etwas hin, was sie unmöglich überleben konnte.

»Edward«, keuchte sie. »Ich kann nicht ...«

»Du kannst«, versicherte er ihr, doch nicht das, was er sagte, sank in sie ein, sondern seine Stimme, die ihr direkt über die Haut fächelte, während er ihre Brüste träge mit den Lippen erkundete.

Er hatte sie an Stellen berührt, gar geküsst, die sie selbst nicht zu erforschen gewagt hatte. Sie war wie verhext. Nein, sie war erwacht. Zweiundzwanzig Jahre lebte sie nun schon in diesem Körper, und erst jetzt erfuhr sie seinen wahren Zweck.

»Entspann dich«, flüsterte Edward.

War er verrückt geworden? Dem allen haftete nichts Entspannendes an, und nichts davon weckte in ihr den Wunsch, sich zu entspannen. Sie wollte krallen und kratzen und ja, kreischen, während sie dem Abgrund entgegentaumelte.

Nur dass sie nicht recht wusste, was für ein Abgrund das sein sollte und was sie dort erwartete.

»Bitte«, flehte sie, und es schien keine Rolle zu spielen, dass sie keine Ahnung hatte, worum sie da bat. Denn er wusste es. Lieber Gott, sie hoffte, dass er es wusste. Wenn nicht, würde sie ihn umbringen.

Mit Mund und Fingern brachte er sie zum Gipfel der Leidenschaft. Und dann, als sie ihm die Hüften entgegenreckte und ihn stillschweigend um mehr anbettelte, tauchte er einen Finger in sie und leckte gleichzeitig über ihre Brust.

Sie zerbarst.

Sie schrie seinen Namen und bäumte sich auf. Sämtliche Muskeln strafften sich gleichzeitig. Es war wie eine Symphonie, die aus einer einzigen angespannten Note bestand. Als der Sinnenrausch langsam abebbte, atmete sie endlich wieder durch und ließ sich auf die Matratze zurückfallen.

Edward zog seinen Finger zurück, drehte sich neben ihr auf die Seite und stützte sich auf den Ellbogen. Als sie genügend Kraft gesammelt hatte, um die Augen zu öffnen, sah sie, dass er selbstzufrieden lächelte.

»Was war das?«, hauchte sie mehr, als dass sie es sprach.

Er strich ihr eine feuchte Locke aus der Stirn und beugte sich vor, um sie auf die Stirn zu küssen. »*La petite mort*«, murmelte er.

»Oh.« In dieser einen Silbe steckte eine ganze Welt des Staunens. »Das habe ich mir auch gedacht.«

Dies schien ihn zu amüsieren, doch auf diese wunderbare Art, bei der Cecilia vor Freude erglühte. Sie brachte ihn zum Lächeln. Sie machte ihn *glücklich*. Wenn am Ende die Abrechnung kam, würde das doch sicher auch etwas zählen.

Aber noch hatten sie die Ehe nicht vollzogen.

Sie schloss die Augen. Sie musste aufhören, so zu denken. Es *gab* keine Ehe. Das hier war kein Vollzug, es war …

»Was ist denn los?«

Sie sah auf. Edward blickte sie an, und seine blauen Augen strahlten selbst im schwindenden Abendlicht.

»Cecilia?« Er klang nicht direkt besorgt, aber er schien ihren Stimmungswandel bemerkt zu haben.

»Ich bin nur so …« Sie suchte nach etwas, das sie sagen konnte, etwas, das tatsächlich wahr wäre. Und so sagte sie: »… überwältigt.«

Er lächelte, ein wenig nur, aber es reichte, um ihr Herz auf immer zu verändern. »Das ist gut, oder?«

Sie nickte, so gut sie konnte. Es war gut, zumindest im Augenblick. Was die nächste Woche anging, oder den nächsten Monat, wenn ihr Leben bestimmt auseinanderfallen würde …

Damit würde sie sich befassen, wenn sie musste.

Zärtlich strich er ihr mit den Knöcheln über die Wange, blickte sie dabei immer noch so intensiv an, als könnte er ihre Seele durchdringen. »Woran du jetzt wohl denkst?«

Woran dachte sie? Dass sie ihn wollte. Dass sie ihn liebte. Dass sie das Gefühl hatte, obwohl sie wusste, dass es nicht der Fall war, wahrhaftig mit ihm verheiratet zu sein. Und dass sie sich wünschte, es wäre echt, und wenn es nur um diese eine Nacht ginge.

»Küss mich«, sagte sie, denn nun hatte sie das Bedürfnis, die Kontrolle über diesen Augenblick zu übernehmen. Sie wollte in diesem Augenblick existieren, sich nicht in der Zukunft verlieren und einer Welt, in der Edwards Lächeln nicht länger ihr gehörte.

»Auf einmal so herrisch?«, entgegnete er neckend.

Doch davon wollte sie nichts wissen. »Küss mich«, wiederholte sie und legte ihm eine Hand auf den Hinterkopf. »Jetzt.«

Sie zog ihn zu sich herunter, und als sich ihre Lippen trafen, explodierte ihr Begehren. Sie küsste ihn, als wäre er ihr Luft, Nahrung und Wasser zugleich. Sie küsste ihn mit allem Gefühl, das sie in sich trug und das sie ihm nie gestehen konnte. Es war eine Erklärung und eine Entschuldigung; sie klammerte sich an die Seligkeit, solange sie die Chance dazu hatte.

Und er erwiderte alles mit ebensolcher Leidenschaft.

Sie würde nie erfahren, was über sie gekommen war, woher

sie wusste, was zu tun war, wie sie ihn an sich drückte und an den Breeches nestelte, die er immer noch nicht ausgezogen hatte.

Sie stieß einen ungeduldigen Schrei aus, als er sich ihr entzog und vom Bett sprang, um sich des störenden Kleidungsstücks zu entledigen. Sie konnte den Blick nicht von ihm wenden, er war so schön. Schön und sehr, sehr groß, so groß, dass sie besorgt die Augen aufriss.

Er musste ihre Miene gesehen haben, denn er lachte, und als er zurück ins Bett kam, war seine Miene irgendwo zwischen verschmitzt und wild. »Es wird schon passen«, sagte er mit heiserer Stimme an ihrem Ohr.

Er strich an ihrem Körper entlang bis zu ihrem Schoß, und erst in diesem Moment bemerkte sie, wie heiß und feucht sie geworden war. Heiß und feucht und voll Begierde. Hatte er ihr mit Absicht Lust verschafft? Um sie auf ihn vorzubereiten?

Wenn ja, so hatte es funktioniert, denn sie empfand überwältigendes Verlangen nach ihm, danach, ihn in sich zu spüren, sich mit ihm zu vereinigen und niemals wieder loszulassen.

Sie spürte, wie er sich an sie drängte, nur mit der Spitze, und sie hielt den Atem an.

»Ich werde behutsam sein«, versprach er.

»Ich bin nicht sicher, ob ich das will.«

Ein Schauder überlief ihn, und als sie aufsah, hatte er die Zähne fest zusammengebissen im Kampf um Beherrschung. »Sag nicht solche Sachen«, presste er hervor.

Sie wölbte sich ihm entgegen, versuchte ihm noch näher zu sein. »Aber es ist die Wahrheit.«

Er schob sich vorwärts, und sie spürte, wie sie sich ihm öffnete.

»Tut es weh?«, fragte er.

»Nein«, sagte sie, »aber es fühlt sich sehr … seltsam an.«

»Seltsam gut oder seltsam schlecht?«

Sie blinzelte ein paarmal, versuchte sich darüber klar zu werden, was sie empfand. »Einfach nur seltsam.«

»Ich weiß nicht recht, ob mir diese Antwort gefällt«, murmelte er. Er schob die Hände unter sie und spreizte ihr die Beine, und sie keuchte, als seine Männlichkeit einen weiteren Zoll vordrang. »Ich will nicht, dass es sich für dich seltsam anfühlt.« Seine Lippen fanden ihr Ohr. »Ich glaube, wir werden das sehr oft tun müssen.«

Er klang anders, beinahe ungezähmt, und etwas sehr Feminines in ihr begann zu strahlen. *Sie* hatte diese Wirkung auf ihn. Dieser Mann – dieser große, kraftvolle Mann – verlor die Beherrschung, und zwar, weil er sich nach *ihr* verzehrte.

Sie hatte sich noch nie so stark gefühlt.

Der Akt fühlte sich jedoch anders an als davor. Als er nur seine Hände und Lippen benutzt hatte, hatte er einen Sturm der Begierde in ihr entfacht und sie in den Himmel der Lust katapultiert. Jetzt jedoch war es eher so, dass sie sich an ihn gewöhnen musste, ihn in sich aufnehmen musste. Weh tat es nicht, aber es war nicht so schön wie zuvor. Zumindest nicht für sie.

Aber für Edward … Alles, was sie vorhin empfunden hatte, jedes Aufflackern der Lust, sah sie nun in seinem Gesicht. Er genoss es. Und das genügte ihr.

Doch ihm anscheinend nicht, denn er runzelte die Stirn und hielt inne.

Fragend sah sie ihn an.

»So geht das nicht«, sagte er und gab ihr einen Kuss auf die Nase.

»Ist es nicht angenehm mit mir?« Sie hatte eigentlich gedacht, dass es das schon war, aber vielleicht ja nicht.

»Noch angenehmer, und ich würde vergehen«, meinte er mit schiefem Grinsen. »Das ist nicht das Problem. Für dich ist es nicht befriedigend.«

»Doch, es war befriedigend für mich, das weißt du doch.« Sie errötete, als sie das sagte, doch sie ertrug es nicht, dass er dachte, sie hätte es nicht genossen.

»Du glaubst, du könntest nicht ein zweites Mal befriedigt werden?«

Cecilia starrte ihn mit großen Augen an.

Edward legte die Hand zwischen sie beide und ertastete die empfindsamste Stelle ihrer Weiblichkeit.

»Oh!« Sie hatte gespürt, dass er die Hand dorthin bewegte, doch die Empfindung war so heftig, dass sie vor Überraschung aufschrie.

»So gefällt es mir schon besser«, murmelte er.

Und dann begann sich alles erneut aufzubauen. Der Druck, das Verlangen … es war so großartig, dass sie gar nicht wahrnahm, wie er sie mit jedem Eindringen weiter ausdehnte. Jedes Mal, wenn sie dachte, dass es nun nicht tiefer ginge, zog er sich aus ihr zurück, nur um gleich darauf noch tiefer in sie einzudringen und ihre Seele zu berühren.

Sie hatte nicht gewusst, dass sie einem anderen Menschen so nahe sein konnte. Sie hatte nicht gewusst, dass sie einem anderen Menschen so nahe sein und trotzdem immer noch mehr verlangen konnte.

Sie drückte den Rücken durch, klammerte sich an seine Schultern, als er schließlich ganz in sie eingedrungen war.

»Mein Gott«, raunte er, »es ist, als wäre ich nach Hause gekommen.« Er sah sie an, und sie glaubte, in seinen Augen einen feuchten Schimmer entdeckt zu haben, ehe er die Lippen auf die ihren zu einem stürmischen, leidenschaftlichen Kuss senkte.

Und dann begann er sich zu bewegen.

Anfangs schlug er einen langsamen, gleichmäßigen Rhythmus an, der in ihr eine köstliche Reibung erzeugte. Doch dann wurde sein Atem zu einem Keuchen, und sein Tempo steigerte sich zur Raserei. Sie spürte, wie sich in ihr ebenfalls alles anspannte zum Sturm auf den Gipfel, doch war sie noch lange nicht so weit wie Edward, zumindest nicht, ehe er die Stellung änderte und an einer ihrer Brustwarzen zu saugen begann.

Sie schrie laut auf, vollkommen erstaunt über die unmögliche Verbindung zwischen ihren Brüsten und ihrem Schoß. Doch sie spürte es dort ... lieber Gott im Himmel, als er mit den Fingern die andere Brustspitze liebkoste, spürte sie es zwischen den Beinen, und sie begann zu beben und sich zusammenzuziehen.

»Ja!«, rief Edward heiser. »Mein Gott, ja, fantastisch.« Er packte ihre Brust, fester, als sie sich je hätte vorstellen können, dass es ihr gefiel, doch sie fand es herrlich, und plötzlich durchfuhr sie ein heißer Strahl, und sie zerbarst erneut.

»Oh Gott!« Edward stöhnte wieder und wieder. »Oh Gott, oh Gott, oh Gott.« Seine Bewegungen wurden wild, sein Rhythmus immer ungezügelter, und dann erstarrte er plötzlich beim letzten tiefen Vorstoß, rief keuchend ihren Namen und fiel über ihr in sich zusammen.

»Cecilia«, wiederholte er, und es war kaum lauter als ein Flüstern, »Cecilia.«

»Hier bin ich.« Sie strich ihm über den Rücken, beschrieb Kreise über der Vertiefung in der Mitte.

»Cecilia.« Und dann noch einmal: »Cecilia.«

Es gefiel ihr, dass er nicht in der Lage zu sein schien, etwas anderes als ihren Namen zu äußern. Sie konnte weiß Gott auch nicht viel mehr denken als den seinen.

»Ich zerquetsche dich«, sagte er leise.

Das stimmte zwar, aber es machte ihr nichts aus. Sie genoss es, sein Gewicht auf sich zu spüren.

Er rollte sich von ihr herunter, aber nicht ganz, blieb halb auf ihr liegen. »Ich will niemals aufhören, dich zu berühren«, sagte er. Er klang unglaublich schläfrig.

Sie drehte sich zu ihm um. Er hatte die Augen geschlossen, und wenn er jetzt noch nicht schlief, so doch bald. Sein Atem war schon gleichmäßiger geworden, und seine Wimpern – so dicht und dunkel – ruhten auf seinen Wangen.

Sie hatte ihn nie beim Einschlafen beobachtet, wurde ihr bewusst. Seit einer Woche teilte sie nun das Bett mit ihm, doch sie war jeden Abend auf ihrer Seite ins Bett gekrochen und hatte ihm den Rücken zugekehrt. Dabei lauschte sie stets auf seinen Atem und hielt selbst praktisch die Luft an bei dem Versuch, ganz still und leise zu sein. So hoffte sie mitzubekommen, wann er einschlief, doch jedes Mal dämmerte sie irgendwie ein, bevor das geschah.

Morgens stand er immer vor ihr auf und war meist vollständig oder doch größtenteils angekleidet, wenn sie die Augen aufschlug und den neuen Tag mit einem ausgiebigen Gähnen begrüßte.

Und so war das hier etwas Besonderes. Sein Schlaf war nicht unruhig, doch sein Mund bewegte sich ein wenig, fast als flüsterte er ein Gebet. Sie sehnte sich danach, ihm über die Wange zu streichen, doch sie wollte ihn nicht wecken. Trotz aller kürzlich unter Beweis gestellten Kraft und Ausdauer war er immer noch nicht ganz gesund und brauchte seinen Schlaf.

Und so beobachtete sie ihn und wartete. Wartete auf das schlechte Gewissen, das sich, wie sie genau wusste, irgendwann um ihr Herz schlingen würde. Sie hätte sich gern selbst belogen und gesagt, dass er sie schlicht verführt habe und sie machtlos dagegen gewesen sei, aber sie wusste, dass das nicht stimmte. Ja, die Leidenschaft hatte sie hinweggerissen, aber sie hätte ihn in jedem Augenblick aufhalten können. Sie hätte nur den Mund aufmachen und ihre Sünden gestehen müssen.

Sie presste sich die Faust vor den Mund und unterdrückte ein grimmiges Lachen. Wenn sie Edward die Wahrheit gesagt hätte, hätte er blitzschnell von ihr abgelassen. Er wäre rasend vor Zorn gewesen, und dann hätte er sie vermutlich zu einem Priester geschleppt und auf der Stelle geheiratet. Das wäre typisch für ihn gewesen.

Aber das konnte sie nicht zulassen. Er war praktisch verlobt mit dieser jungen Frau zu Hause, von der er ihr erzählt hatte – Billie Bridgerton. Sie wusste, dass er Miss Bridgerton sehr mochte. Wenn er von ihr erzählte, lächelte er. Immer. Was, wenn sie tatsächlich schon verlobt wären? Was, wenn er ihr die Ehe versprochen und es wie alles andere aus den letzten Monaten vergessen hätte?

Was, wenn er sie liebte? Auch das hätte er vergessen können.

Aber trotz aller Schuldgefühle, die ihr durch die Adern strömten, konnte sie das Geschehene nicht bedauern. Eines Tages wären Erinnerungen alles, was ihr von diesem Mann geblieben sein würde, und sie hatte die verdammte Absicht, diese Erinnerungen so wunderbar zu gestalten, wie sie nur irgend konnte.

Und falls sie schwanger geworden sein sollte …

Sie legte sich die Hand auf den Schoß, wo jetzt in diesem Augenblick bereits sein Samen aufkeimen konnte. Wenn sie ein Kind bekäme …

Nein. Das war unwahrscheinlich. Ihre Freundin Eliza war ein Jahr verheiratet gewesen, ehe sie schwanger geworden war. Bei der Frau des Pfarrers hatte es sogar noch länger gedauert. Dennoch, Cecilia wusste genug, um sich darüber im Klaren zu sein, dass sie das Schicksal nicht ständig herausfordern konnte. Vielleicht konnte sie Edward sagen, dass sie sich davor fürchtete, so weit von zu Hause schwanger zu werden. Es wäre nicht gelogen, wenn sie sagte, dass ihr die Vorstellung nicht gefiel, schwanger über das Meer zu segeln.

Oder mit einem Kind. Lieber Gott, die Reise war allein schon schlimm genug gewesen. Sie war zwar nicht seekrank geworden, doch es war öde gewesen und manchmal auch beängstigend. Und das mit einem Kind?

Sie schauderte. Es wäre die Hölle.

»Was ist los?«

Beim Klang von Edwards Stimme wandte sie sich um. »Ich dachte, du würdest schlafen.«

»Habe ich auch.« Er gähnte. »Zumindest beinahe.« Mit einem Bein hielt er sie immer noch fest, und so nahm er es herunter und zog sie dann an sich, ihren Rücken an seine Vorderseite. »Du warst aufgeregt«, sagte er.

»Sei nicht albern.«

Er küsste sie auf den Hinterkopf. »Irgendetwas hat dich beschäftigt. Das habe ich gemerkt.«

»Während du geschlafen hast?«

»Beinahe geschlafen«, erinnerte er sie. »Bist du wund?«

»Ich weiß nicht«, antwortete sie ehrlich.

»Ich sollte dir ein Handtuch holen.« Er ließ sie los und schlüpfte aus dem Bett. Cecilia drehte den Kopf, damit sie dabei zusehen konnte, wie er quer durchs Zimmer zur Waschschüssel ging. Wie konnte er in seiner Nacktheit so unbefangen sein? War das typisch für einen Mann?

»Hier«, sagte er, als er zu ihr zurückkam. Er hatte das Tuch angefeuchtet und säuberte sie nun mit zärtlicher Fürsorge.

Es war zu viel. Beinahe wäre sie in Tränen ausgebrochen.

Als er fertig war, warf er das Tuch beiseite und legte sich wieder zu ihr. Er stützte sich auf einen Ellbogen und spielte mit der freien Hand mit ihrem Haar. »Sag mir doch, was dich bedrückt«, bat er.

Sie schluckte und nahm ihren Mut zusammen. »Ich will nicht schwanger werden.«

Er hielt inne, und Cecilia war froh um das dämmrige Licht im Raum. Sie war sich nicht sicher, ob sie die Gefühle sehen wollte, die sich in seinem Mienenspiel zeigten.

»Dafür ist es vielleicht schon zu spät«, sagte er.

»Ich weiß. Es ist nur …«

»Du willst keine Mutter sein?«

»Doch!«, rief sie, selbst überrascht davon, wie heftig ihre Antwort ausfiel. Denn sie wollte es. Die Vorstellung, sein Kind in sich zu tragen … Vor Sehnsucht hätte sie beinahe geweint. »Ich will nicht hier schwanger werden«, erklärte sie, »in Nordamerika. Ich weiß, dass es hier ebenfalls Ärzte und Hebammen gibt, aber irgendwann will ich wieder nach Hause. Und mit einem kleinen Kind möchte ich die Überfahrt nicht so gern unternehmen.«

»Nein«, sagte er und runzelte nachdenklich die Stirn. »Natürlich nicht.«

»Und ich will sie auch nicht schwanger unternehmen«, fügte sie hinzu. »Was, wenn etwas passiert?«

»Passieren kann überall etwas, Cecilia.«

»Ich weiß. Aber ich glaube, dass ich mich zu Hause einfach besser fühlen würde. In England.«

Nichts davon war gelogen. Es war nur nicht die ganze Wahrheit.

Er strich ihr weiterhin über das Haar. Die Berührung war sanft und beruhigend. »Du siehst so verstört aus.«

Sie wusste nicht, was sie sagen sollte.

»Du brauchst dich nicht aufzuregen«, meinte er. »Wie gesagt, jetzt ist es vielleicht schon zu spät, aber wir können Vorsichtsmaßnahmen treffen.«

»Wirklich?« Ihr Herz tat einen entzückten Satz, ehe ihr wieder in den Sinn kam, dass sie noch weitaus größere Probleme hatte.

Er lächelte und umfasste ihr Kinn, um ihr Gesicht anzuheben. »Oh ja. Ich würde es dir jetzt zeigen, aber ich glaube, du brauchst Erholung. Schlaf«, sagte er. »Morgen wirst du alles viel klarer sehen können.«

Das würde sie zwar nicht, aber sie schlief trotzdem ein.

15. KAPITEL

Ich bitte tausendmal um Entschuldigung. Ich habe über einen Monat nicht geschrieben, aber es gab einfach nicht viel zu berichten. Alles ist entweder Langeweile oder Kampf, und ich will von beidem nichts schreiben. Wir sind gestern in Newport angekommen, und nach einer guten Mahlzeit und einem Bad fühle ich mich wieder wie ich selbst.
– THOMAS HARCOURT AN SEINE SCHWESTER CECILIA

Sehr geehrte Miss Harcourt,
vielen Dank für Ihren freundlichen Brief. Das Wetter wird allmählich wieder kälter, wenn Sie diesen Brief in Händen halten, werden Sie wohl froh sein um Ihre Mäntel aus Wolle. Newport ist städtischer, als wir es in letzter Zeit gewohnt sind, und wir genießen beide die Annehmlichkeiten. Thomas und ich sind bei Privatleuten untergekommen, doch unsere Männer sind in Gotteshäusern untergebracht, die eine Hälfte in einer Kirche, die andere in einer Synagoge. Einige unserer Männer hatten Angst, dass Gott sie niederstrecken könnte, wenn sie in einem sündhaften Haus schliefen. Ich sehe jedoch nicht recht, wieso es sündhafter sein soll als die Taverne, die sie gestern Abend aufsuchten. Aber es gehört nicht zu meinen

Aufgaben, religiöse Unterweisung zu bieten. Apropos, ich hoffe, Ihre Mrs. Pentwhistle hat sich nicht wieder am Messwein vergriffen. Obwohl ich zugeben muss, dass ich Ihre Geschichte über den verunglückten Psalm sehr genossen habe.

Und weil ich weiß, dass Sie fragen werden: Ich war vorher noch nie in einer Synagoge. Ehrlich gesagt, sieht sie einer Kirche ziemlich ähnlich.

– EDWARD ROKESBY AN CECILIA HARCOURT, DEM BRIEF IHRES BRUDERS BEIGEFÜGT

Wie üblich wachte Edward am folgenden Morgen vor Cecilia auf. Sie rührte sich nicht, als er vorsichtig aus dem Bett schlüpfte, was nur zeigte, wie erschöpft sie war.

Er lächelte. Für diese Erschöpfung übernahm er nur allzu gern die Verantwortung.

Hungrig würde sie bestimmt auch sein. Normalerweise war das Frühstück ihre üppigste Mahlzeit am Tag, und auch wenn es im Devil's Head aufgrund der Hühnerhaltung immer Eier gab, hatte er doch das Gefühl, dass ein besonderer Leckerbissen vielleicht angebracht wäre. Etwas Süßes. Vielleicht Rosinenschnecken. Oder *speculatie*.

Oder beides. Warum eigentlich nicht beides?

Nachdem er sich angezogen hatte, brachte er rasch eine Nachricht zu Papier, in der er ihr mitteilte, dass er bald wieder da sei, und legte sie auf den Tisch. Zu den beiden Bäckereien war es nicht weit. Wenn er unterwegs nicht irgendwelche Bekannten träfe, könnte er in weniger als einer Stunde wieder zurück sein.

Rooijakkers war die nähere von beiden, daher steuerte er diese Bäckerei als erste an. Er lächelte in sich hinein, als die

Ladenklingel ertönte und den Bäcker von seiner Ankunft benachrichtigte. An diesem Tag bediente jedoch nicht Mr. Rooijakkers, sondern seine rothaarige Tochter, diejenige, die so freundlich zu Cecilia gewesen war. Edward erinnerte sich daran, dass er ihr vor seiner Reise nach Connecticut auch schon einmal begegnet war. Er und Thomas hatten beide die niederländische Bäckerei der englischen um die Ecke vorgezogen.

Edwards Lächeln wurde wehmütig. Thomas war für Süßigkeiten immer zu haben gewesen. Genau wie seine Schwester.

»Guten Morgen, Sir!«, rief die Bäckersfrau, die soeben aus dem Hinterzimmer kam, und wischte sich die mehligen Hände an der Schürze ab.

»Madam«, sagte Edward mit einem leichten Nicken. Er wünschte, er könnte sich ihren Namen merken. Diesmal war es jedoch eine echte Erinnerungslücke: Ihr Name versteckte sich nicht in den geschwärzten Teilen seiner Erinnerung, er hatte sich noch nie merken können, wie die Leute hießen.

»Schön, dass Sie uns einmal wieder beehren, Sir«, sagte die Frau. »Wir haben Sie schon eine ganze Weile nicht mehr gesehen.«

»Monate«, bestätigte er. »Ich war nicht in der Stadt.«

Sie nickte und lächelte fröhlich. »Da fällt es uns schwer, Stammkunden zu halten, wenn die Armee die Leute überall herumschickt.«

»Nur nach Connecticut«, entgegnete er.

Das entlockte ihr ein Lachen. »Und wie geht es Ihrem Freund?«

»Meinem Freund?«, wiederholte Edward, obwohl er genau wusste, dass sie von Thomas sprach. Trotzdem war es beunruhigend. Niemand erkundigte sich mehr nach ihm, und wenn doch, dann mit gedämpfter, ernster Stimme.

»Ich habe ihn eine ganze Weile nicht mehr gesehen«, fuhr Edward schließlich fort.

»Wie schade.« Sie legte den Kopf schief und meinte freundlich: »Für uns beide. Er war einer meiner besten Kunden, mit einer großen Vorliebe für Süßigkeiten.«

»Wie seine Schwester«, murmelte Edward.

Sie sah ihn neugierig an.

»Ich habe seine Schwester geheiratet«, erklärte er und fragte sich, warum er ihr das erzählte. Vermutlich weil es ihn einfach glücklich machte, es zu sagen. Er hatte Cecilia geheiratet. Also, jetzt hatte er sie *wirklich* geheiratet.

Mr. Rooijakkers' Tochter hielt einen Augenblick inne und zog die rotblonden Augenbrauen zusammen. »Tut mir leid, ich fürchte, ich kann mich nicht an Ihren Namen erinnern ...«

»Captain Edward Rokesby, Madam. Und ja, Sie sind meiner neuen Frau begegnet.«

»Natürlich. Tut mir leid, ich habe Sie nicht miteinander in Verbindung gebracht, als sie mir damals ihren Namen nannte. Sie sieht ihrem Bruder ziemlich ähnlich, nicht? Weniger in den Gesichtszügen als ...«

»Im Ausdruck, ja«, vollendete Edward an ihrer Stelle den Satz.

Sie grinste. »Dann werden Sie wohl *speculatie* wollen.«

»Allerdings. Ein Dutzend, wenn Sie so freundlich wären.«

»Wir sind uns vermutlich nie vorgestellt worden«, sagte sie, als sie sich nach einem Blech mit Keksen auf einem Bord weiter unten bückte. »Ich bin Mrs. Beatrix Leverett.«

»Cecilia hat sehr freundlich von Ihnen gesprochen.« Er wartete geduldig, während Mrs. Leverett die Kekse abzählte. Er freute sich schon auf Cecilias Reaktion, wenn er ihr das Frühstück ans Bett brachte. Also, die Kekse, was vielleicht noch besser war.

Bis auf die Krümel. Die könnten ein Problem darstellen.

»Ist Mrs. Rokesbys Bruder noch in Connecticut?«

Edwards liebevolle Fantasien nahmen ein abruptes Ende. »Wie bitte?«

»Mrs. Rokesbys Bruder«, wiederholte sie und blickte von den Keksen auf. »Ich dachte, er wäre mit Ihnen nach Connecticut gegangen.«

Edward erstarrte. »Sie wissen davon?«

»Sollte ich das nicht?«

»Thomas war mit mir in Connecticut«, sagte er. Seine Stimme war leise, beinahe als testete er die Behauptung aus, probierte sie an wie einen neuen Rock.

Passte sie?

»War er das nicht?«, fragte Mrs. Leverett.

»Ich …« Zum Henker, was sollte er nur sagen? Jemandem, der fast fremd für ihn war, wollte er die Details seines Zustands nicht unbedingt anvertrauen, aber wenn sie Informationen über Thomas hatte …

»Ich habe in letzter Zeit Schwierigkeiten, mich an manche Dinge zu erinnern«, bekannte er schließlich. Er berührte sich am Kopf, direkt unter der Hutkrempe. Die Beule war schon viel kleiner, aber die Stelle war immer noch empfindlich. »Ich habe einen Schlag auf den Kopf bekommen.«

»Oh, das tut mir aber leid.« Ihr Blick füllte sich mit Mitgefühl. »Das muss furchtbar mühsam sein.«

»Ja«, erwiderte er, doch er wollte nicht über seine Verwundung sprechen. »Sie haben mir von Captain Harcourt erzählt.«

Sie zuckte bedauernd mit den Schultern. »Ich weiß eigentlich nichts. Nur dass Sie beide vor ein paar Monaten nach Connecticut wollten. Kurz vor Ihrem Aufbruch haben Sie bei mir hereingeschaut, um Proviant zu kaufen.«

»Proviant?«, wiederholte Edward.

»Sie haben Brot gekauft«, sagte sie mit einem leisen Lachen. »Ihr Freund nascht gern. Ich habe ihm gesagt …«

»… dass sich *speculatie* nicht zum Mitnehmen eignen«, vollendete er den Satz für sie.

»Ja. Sie krümeln so leicht.«

»Genau«, sagte Edward leise. »Sie sind allesamt zerkrümelt.«

Und plötzlich kam alles zurück.

»STUBBS!«

Der Colonel blickte von seinem Schreibtisch auf, sichtlich erschrocken von Edwards wütendem Geschrei.

»Captain Rokesby. Was um alles in der Welt ist denn los?«

Was los war? Was *los* war? Edward hatte zu kämpfen damit, seinen Zorn unter Kontrolle zu halten. Er war ohne seine Einkäufe aus der niederländischen Bäckerei gestürmt und im Laufschritt durch New York gerannt, bis er Colonel Stubbs' Büro in dem Gebäude erreicht hatte, das momentan als britisches Hauptquartier genutzt wurde. Er hatte die Hände zu Fäusten geballt, das Blut rauschte ihm durch den Kopf, als wäre er in der Schlacht, und das Einzige, was ihn davon abhielt, sich auf seinen vorgesetzten Offizier zu stürzen, war die Aussicht auf ein Kriegsgericht.

»Sie wussten es!«, rief Edward mit vor Wut zitternder Stimme. »Sie wussten über Thomas Harcourt Bescheid.«

Stubbs erhob sich langsam. Unter seinem Backenbart war er tiefrot geworden. »Worauf genau beziehen Sie sich?«

»Er hat mich nach Connecticut begleitet. Warum zum Teufel haben Sie mir das nicht gesagt?«

»Das habe ich Ihnen doch erklärt«, erwiderte Stubbs in steifem Ton. »Ich konnte nicht riskieren, Ihre Erinnerung zu beeinflussen.«

»Das ist Unsinn, und das wissen Sie auch«, fuhr Edward ihn an. »Sagen Sie mir die Wahrheit.«

»Es ist die Wahrheit«, zischte Stubbs und ging um Edward herum, um die Bürotür zuzuschlagen. »Glauben Sie denn, ich habe Ihre Frau gern belogen?«

»Meine Frau«, wiederholte Edward. *Daran* erinnerte er sich nun auch. Auch wenn er nicht behaupten würde, dass sein Gedächtnis vollständig zurückgekehrt war, war doch das meiste wieder da, und er war sich vollkommen sicher, dass er an keiner Stellvertreterhochzeit teilgenommen hatte. Thomas hatte ihn auch nie darum gebeten.

Edward konnte sich nicht vorstellen, was Cecilia zu einer derartigen Täuschung veranlasst hatte, aber er konnte auch nur eine Katastrophe auf einmal bewältigen. Mit kaum verhohlenem Zorn stierte er Stubbs an. »Sie haben zehn Sekunden, mir zu erklären, warum Sie wegen Thomas Harcourt gelogen haben.«

»Du lieber Gott, Rokesby«, sagte der Colonel und strich sich durchs schüttere Haar, »ich bin kein Ungeheuer. Ich wollte ihr einfach keine falschen Hoffnungen machen.«

Edward erstarrte. »*Falsche* Hoffnungen?«

Stubbs sah ihn verblüfft an. »Sie wissen es nicht.« Es war keine Frage.

»Ich glaube, wir haben bereits festgestellt, dass es eine ganze Menge Dinge gibt, die ich nicht weiß«, entgegnete Edward knapp. »Klären Sie mich also bitte auf.«

»Captain Harcourt ist tot«, sagte der Colonel. Er schüttelte den Kopf, und in seiner Stimme lag ehrliche Trauer, als er weitersprach: »Er hat einen Bauchschuss abgekommen. Es tut mir leid.«

»Was?« Edward stolperte zurück, stieß gegen einen Stuhl, in den er sich fallen ließ. »Wie? Wann?«

»Im März«, sagte Stubbs. Er durchquerte den Raum, öffnete ein Schränkchen und nahm eine Karaffe mit Brandy heraus. »Es geschah, keine Woche nachdem Sie aufgebrochen waren. Er schickte Nachricht, man solle sich in New Rochelle mit ihm treffen.«

Edward beobachtete, wie der Colonel die bernsteinfarbene Flüssigkeit mit unsicheren Bewegungen in zwei Gläser goss. »Wer ist hingegangen?«

»Nur ich.«

»Sie sind allein hingegangen«, sagte Edward, und sein Ton gab deutlich zu verstehen, dass er das kaum glauben konnte.

Stubbs reichte ihm ein Glas. »Es war richtig so.«

Edward stieß die Luft aus, während ihm Erinnerungen – merkwürdigerweise frisch und gleichzeitig schon abgestanden – durch den Kopf wirbelten. Er und Thomas waren zusammen nach Connecticut gegangen. Sie waren beauftragt, die Durchführbarkeit einer Landungsoperation an der Küste einzuschätzen. Der Befehl stammte von Gouverneur Tryon höchstpersönlich. Er hatte Edward ausgewählt, hatte er gesagt, weil er jemanden brauchte, dem er bedingungslos vertrauen konnte. Aus genau demselben Grund hatte Edward Thomas gewählt.

Doch die beiden waren nur ein paar Tage zusammen unterwegs. Danach kehrte Thomas mit den Informationen, die sie über Norwalk gesammelt hatten, nach New York zurück. Edward reiste weiter nach Osten, Richtung New Haven.

Das war das letzte Mal gewesen, dass er ihn gesehen hatte.

Edward ergriff das Glas Brandy und leerte es in einem Zug.

Stubbs tat dasselbe und sagte dann: »Ich kann also davon ausgehen, dass Sie das Gedächtnis wiedererlangt haben.«

Edward nickte energisch. Der Colonel würde ihn sofort befragen wollen, das wusste er, aber er würde nichts sagen, ehe er ein paar Antworten zu Thomas bekommen hatte. »Warum haben Sie veranlasst, dass General Garth der Familie eine Nachricht gesendet hat, in der es hieß, er sei nur verwundet worden?«

»Als wir den Brief losschickten, war er auch nur verwundet«, erwiderte der Colonel. »Er wurde zweimal getroffen, innerhalb von wenigen Tagen.«

»Was?« Edward versuchte das Ganze zu begreifen. »Was zum Teufel ist passiert?«

Stubbs stöhnte und schien in sich zusammenzusinken. »Ich konnte ihn nicht hierher zurückbringen. Nicht wenn ich mir seiner Loyalität nicht sicher sein konnte.«

»Thomas Harcourt war kein Verräter«, raunzte Edward ihn an.

»Es gab keinen Weg, das sicher festzustellen«, gab Stubbs zurück. »Was zum Teufel sollte ich denn davon halten? Ich bin nach New Rochelle gereist, genau wie er es mir beschrieben hat, und bevor er noch irgendetwas anderes sagen konnte als meinen Namen, wurde schon auf mich geschossen.«

»Auf ihn«, korrigierte Edward. Schließlich war Thomas derjenige gewesen, der getroffen worden war.

Stubbs kippte seinen Brandy hinunter – bereits sein zweites Glas – und goss sich noch einmal nach. »Ich weiß nicht, auf wen zum Teufel die geschossen haben. Gut möglich, dass ich das Ziel war und sie mich nur verfehlt haben. Sie wissen doch, dass das in den Kolonien größtenteils ungeschultes Gesindel ist, die Hälfte von denen könnte nicht einmal eine Mauer treffen.«

Edward brauchte einen Moment, um das zu verarbeiten. Er war felsenfest davon überzeugt, dass Thomas kein Verräter gewesen war, aber er konnte nachvollziehen, dass Colonel Stubbs – der ihn nicht so gut kannte – da seine Zweifel hatte.

»Captain Harcourt wurde in die Schulter getroffen«, sagte Stubbs grimmig. »Ein glatter Durchschuss. Die Blutung war gar nicht so schwer zu stoppen, aber er hat große Schmerzen gelitten.«

Edward schloss die Augen und atmete tief durch, doch es beruhigte ihn nicht. Er hatte schon zu viele Männer mit Schussverletzungen gesehen.

»Ich habe ihn nach Dobbs Ferry gebracht«, fuhr Stubbs fort. »Wir haben dort in der Nähe des Flusses einen kleinen Außenposten. Er ist nicht direkt hinter den feindlichen Linien, aber fast.«

Edward kannte Dobbs Ferry gut. Die Briten benutzten den Ort seit der Schlacht von White Plains vor drei Jahren als Treffpunkt. »Was ist dann passiert?«

Colonel Stubbs sah ihn mit ausdrucksloser Miene an. »Ich bin hierher zurückgekehrt.«

»Sie haben ihn dort gelassen!«, rief Edward empört. Wer ließ denn einen verwundeten Soldaten in der Wildnis zurück?

»Er war nicht allein. Ich ließ drei Mann zu seiner Bewachung abstellen.«

»Sie haben ihn als Gefangenen gehalten?«

»Es war auch zu seiner eigenen Sicherheit. Ich wusste nicht, ob wir ihn von der Flucht abhielten oder die Rebellen davor, ihn umzubringen.« Stubbs betrachtete Edward zunehmend ungeduldig. »Du lieber Himmel, Rokesby, ich bin hier nicht der Feind.«

Edward hielt den Mund.

»Er hätte die Reise nach New York ohnehin nicht bewältigen können«, sagte Stubbs kopfschüttelnd. »Dazu hatte er zu große Schmerzen.«

»Sie hätten bleiben können.«

»Nein, hätte ich nicht«, antwortete Stubbs. »Ich musste ins Hauptquartier zurück. Ich wurde dort erwartet. Es wusste doch keiner, dass ich mich davongemacht hatte. Glauben Sie mir, sobald mir eine passende Ausrede eingefallen war, bin ich zurück, um ihn zu holen. Es waren gerade einmal zwei Tage vergangen.« Er schluckte und wurde zum ersten Mal seit Edwards Eintreffen bleich. »Aber als ich dort ankam, waren sie tot.«

»Sie?«

»Harcourt, die drei Männer, die ihn bewachen sollten. Alle.«

Edward sah auf das Glas in seiner Hand. Er hatte es ganz vergessen. Er sah sich dabei zu, wie er es abstellte, fast als könnte das irgendwie verhindern, dass seine Finger so zitterten. »Was ist passiert?«, fragte er.

»Ich weiß es nicht.« Stubbs schloss die Augen. In seiner Miene spiegelten sich schmerzvolle Erinnerungen, und er flüsterte: »Sie wurden alle erschossen.«

Edward stieg die Galle hoch. »War es eine Hinrichtung?«

»Nein.« Stubbs schüttelte den Kopf und machte die Augen wieder auf. »Es hatte einen Kampf gegeben.«

»Unter Thomas' Beteiligung? War er nicht ein Gefangener?«

»Er war nicht gefesselt. Es war offensichtlich, dass er mitgekämpft hatte, trotz seiner Verletzung. Aber ...« Stubbs schluckte, wandte sich ab.

»Was aber?«

»Man konnte unmöglich sagen, auf welcher Seite er gekämpft hatte.«

»Sie kannten ihn doch, Sie müssten es besser wissen«, sagte Edward leise.

»Habe ich das? Haben Sie das?«

»Ja, verdammt, ich kannte ihn!« Laut brachen die Worte aus ihm hervor, und er sprang aufgewühlt auf.

»Nun, ich aber nicht«, versetzte Stubbs. »Und es ist meine verdammte Pflicht, jedem zu misstrauen.« Er fasste sich an die Stirn, presste sich Daumen und Mittelfinger an die Schläfen. »Ich habe das alles so satt.«

Edward tat einen Schritt zurück. So hatte er den Colonel noch nie gesehen. Er war sich nicht sicher, ob er überhaupt schon einmal jemanden so gesehen hatte.

»Wissen Sie, was es mit einem anstellt?«, fragte Stubbs. Seine Stimme war kaum lauter als ein Flüstern. »Wenn man niemandem vertraut?«

Edward antwortete nicht. Er war immer noch so zornig, so voller Wut und Empörung, aber er wusste nicht mehr, gegen wen er sie richten sollte. Jedenfalls nicht gegen Stubbs. Er nahm dem Colonel das Brandyglas aus der zitternden Hand und ging hinüber zur Karaffe, wo er ihnen beiden nachgoss.

Ihm war egal, dass es gerade einmal acht Uhr morgens war. Einen klaren Kopf brauchten sie beide nicht.

Vermutlich wollte auch keiner von beiden einen klaren Kopf haben.

»Was ist mit den Leichen geschehen?«, fragte Edward.

»Ich habe sie begraben.«

»Alle?«

Der Colonel schloss wieder die Augen. »Es war kein angenehmer Tag.«

»Haben Sie irgendwelche Zeugen?«

Stubbs blickte scharf auf. »Sie vertrauen mir nicht?«

»Verzeihen Sie mir«, sagte Edward, denn er vertraute Stubbs tatsächlich. In dieser Sache ... eigentlich in allem, wenn er ehrlich war. Er wusste nicht, wie der Mann das alles für sich behalten hatte. Es musste ihn innerlich schier zerrissen haben.

»Bei den Gräbern hatte ich Hilfe«, sagte Stubbs. Er klang erschöpft und ausgebrannt. »Ich gebe Ihnen die Namen der Männer, die mir geholfen haben, wenn Sie sie benötigen.«

Edward sah ihn lange an, ehe er erwiderte: »Nein, das ist nicht nötig.« Doch dann schüttelte er den Kopf, als versuchte er seine Gedanken zu ordnen. »Warum haben Sie diesen Brief abgeschickt?«

Stubbs blinzelte. »Welchen Brief?«

»Den von General Garth. In dem er geschrieben hatte, dass Thomas verletzt sei. Ich nehme an, dass er das auf Ihre Aufforderung hin tat.«

»Als wir den Brief abschickten, hat das auch der Wahrheit entsprochen«, sagte der Colonel. »Ich wollte seine Familie so schnell wie möglich informieren. An dem Morgen, nachdem ich ihn in Dobbs Ferry zurückgelassen hatte, sollte ein Schiff in See stechen. Wenn ich jetzt darüber nachdenke ...« Er fuhr sich durch das schüttere Haar und schien noch weiter in sich zusammenzusacken. Mit einem Seufzen fügte er hinzu: »Ich war so froh, dass es mir gelungen war, den Brief so schnell abzuschicken.«

»Sie dachten nie daran, Ihren Irrtum zu korrigieren und einen zweiten Brief zu senden?«

»Es gab zu viele unbeantwortete Fragen.«

»Und deswegen konnten Sie die Familie nicht verständigen?«, fragte Edward ungläubig.

»Ich wollte den Brief losschicken, sobald wir diese Antworten gehabt hätten«, erklärte Stubbs steif. »Ich hatte wirklich nicht damit gerechnet, dass die Schwester seinetwegen den Atlantik überqueren würde. Obwohl, ich weiß nicht, vielleicht kam sie ja Ihretwegen.«

Unwahrscheinlich.

Stubbs ging zu seinem Schreibtisch und zog eine Schublade auf. »Ich habe seinen Ring.«

Edward sah zu, wie er umständlich eine Schachtel herausnahm, sie öffnete und dann einen Siegelring hervorholte.

Stubbs hielt ihn ihm hin. »Ich dachte, seine Familie würde ihn gern haben wollen.«

Edward starrte den goldenen Ring an, der in seine Handfläche fiel. Um die Wahrheit zu sagen, erkannte er ihn nicht. Er hatte sich Thomas' Siegelring nie näher angesehen. Aber er wusste, dass Cecilia ihn erkennen würde.

Es würde ihr das Herz brechen.

Stubbs räusperte sich. »Was werden Sie Ihrer Frau sagen?«

Seiner Frau. Wieder dieses Wort. Verdammt. Sie war nicht seine Frau. Er wusste nicht, was sie war, aber seine Frau war sie nicht.

»Rokesby?«

Er sah auf. Mit Cecilias Unehrlichkeit konnte er sich später noch auseinandersetzen. Jetzt würde er erst einmal ein wenig Freundlichkeit im Herzen aufbringen und sie um ihren Bruder trauern lassen, ehe er sie mit ihren Lügen konfrontierte.

Edward atmete tief durch und sah dem Colonel direkt in die Augen. »Ich werde ihr sagen, dass ihr Bruder als Held gestorben ist. Ich werde ihr erzählen, wie sehr Sie es bedauern, dass Sie ihr die Wahrheit aufgrund der geheimen Natur dieser außerordentlich wichtigen Mission nicht gleich enthüllen konnten, als sie sich bei Ihnen erkundigte.« Er tat einen Schritt auf den Colonel zu, und dann noch einen. »Ich werde ihr sagen, dass Sie demnächst mit ihr zu sprechen wünschen, um sich für den Kummer zu entschuldigen, den Sie ihr bereitet haben, und um ihr all die posthumen Ehrungen zu übergeben, die er bekommen hat.«

»Es gibt keine …«

»Erfinden Sie welche«, herrschte Edward ihn an.

Der Colonel hielt seinem Blick ein paar Momente stand und sagte dann: »Ich werde Vorkehrungen für einen Orden treffen.«

Edward nickte zustimmend und wandte sich zur Tür.

Doch die Stimme des Colonels hielt ihn zurück. »Wollen Sie sie wirklich anlügen?«

Edward drehte sich langsam um. »Wie bitte?«

»Ich habe zwar das Gefühl, als wüsste ich allmählich nicht mehr viel«, sagte Stubbs und seufzte, »doch mit der Ehe kenne ich mich aus. Sie wollen nicht mit einer Lüge anfangen.«

»Tatsächlich.«

Der Colonel sah ihn fragend an. »Gibt es vielleicht etwas, was Sie mir nicht erzählen, Captain Rokesby?«

Edward schob die Tür auf und ging hinaus, doch erst nachdem er außer Hörweite des Colonels war, brummte er: »Sie haben ja keine Ahnung.«

16. KAPITEL

Ich habe so lang nichts von Dir gehört. Ich versuche, mir keine Sorgen zu machen, aber es ist schwierig.
– CECILIA HARCOURT AN IHREN BRUDER THOMAS

Als Edward um neun noch nicht zurück war, war Cecilia ein wenig verwundert.

Als er um halb zehn immer noch nicht da war, verwandelte sich ihre Verblüffung in Sorge.

Und um zehn, als die Glocken in der nahen Kirche zu läuten begannen, nahm sie seine Botschaft noch einmal zur Hand, nur um sicherzugehen, dass sie sich beim ersten Mal nicht verlesen hatte.

Bin Frühstück holen gegangen. Bin wieder da, bevor Du aufwachst.

Sie biss sich auf die Unterlippe. Schwer zu sehen, wie sie sich da hätte verlesen sollen.

Allmählich fragte sie sich, ob er unten festsaß, von einem anderen Offizier in ein Gespräch verwickelt. Das kam andauernd vor. Jeder schien ihn zu kennen, und die meisten wollten ihm zu seiner sicheren Rückkehr gratulieren. Soldaten konnten ziemlich redselig sein, vor allem wenn sie sich langweilten.

Und dieser Tage schienen sich alle zu langweilen, obwohl die meisten rasch darauf hinwiesen, dass das immer noch besser war als zu kämpfen.

Und so begab sich Cecilia in den Schankraum des Devil's Head, vollkommen gefasst darauf, Edward aus einem unerwünschten Gespräch befreien zu müssen. Sie würde ihn an ihre »äußerst wichtige Verabredung« erinnern, und dann würden sie vielleicht wieder nach oben gehen ...

Aber er war nicht im Schankraum. Auch nicht im Hinterzimmer.

Bin wieder da, bevor du aufwachst.

Ganz offensichtlich stimmte etwas nicht. Edward wachte immer vor ihr auf, aber sie war keine Langschläferin. Das wusste er auch. Um halb neun war sie stets angezogen und bereit zum Frühstück.

Sie hatte gute Lust, nach ihm zu suchen, aber sie wusste auch, dass er, keine fünf Minuten nachdem sie sich aufgemacht hätte, zurückkommen und dann seinerseits losziehen würde, um *sie* zu suchen, und dann würden sie sich den ganzen Morgen über knapp verfehlen.

Also wartete sie.

»Sie sind heute aber spät dran«, sagte der Wirt, als er sie unschlüssig dastehen sah. »Nichts zu essen für Sie?«

»Nein, danke. Mein Ehemann besorgt ...« Sie runzelte die Stirn. »Haben Sie Captain Rokesby heute Morgen schon gesehen?«

»Nicht in den letzten Stunden, Madam. Er hat mir Guten Morgen gewünscht und ist dann ausgegangen. Richtig glücklich hat er ausgesehen.« Der Wirt schenkte ihr ein schiefes Grinsen und wischte einen Krug aus. »Er hat gepfiffen.«

Es verriet einiges über Cecilias Maß an Sorge, dass diese Bemerkung sie nicht einmal ein bisschen in Verlegenheit brachte. Sie blickte auf das Fenster, das zur Straße hinausging, nicht dass sie durch das gewölbte Glas mehr als ein paar schemenhafte Gestalten hätte sehen können. »Ich erwarte ihn schon seit geraumer Zeit zurück«, sagte sie, beinahe zu sich selbst.

Der Wirt zuckte mit den Schultern. »Der kommt sicher bald wieder, Sie werden schon sehen. Brauchen Sie bis dahin wirklich nichts?«

»Nein, vielen Dank. Ich …«

Die Vordertür ließ ihr übliches Knarren hören, als jemand sie aufstieß, und Cecilia wirbelte herum in der festen Überzeugung, dass es sich bei dem Neuankömmling um Edward handeln musste.

Doch er war es nicht.

»Captain Montby«, sagte sie mit einem raschen Knicks, als sie den jungen Offizier erkannte, der in der vorigen Woche das Zimmer für sie geräumt hatte. Er war ein paar Tage unterwegs gewesen und nun wieder da und teilte sich das Zimmer mit einem anderen Soldaten. Sie hatte ihm mehrmals für seine Großzügigkeit gedankt, doch er hatte immer darauf bestanden, dass es seine Pflicht als Gentleman und ihm eine Ehre sei. Außerdem sei ein halbes Zimmer im Devil's Head weitaus besser als die Unterkünfte, die britische Soldaten für gewöhnlich zugewiesen bekämen.

»Mrs. Rokesby«, erwiderte er den Gruß. Er neigte den Kopf und lächelte sie an. »Einen guten Morgen wünsche ich. Wollen Sie zu Ihrem Mann gehen?«

Cecilia richtete sich auf. »Wissen Sie denn, wo er ist?«

Captain Montby wies recht ziellos mit dem Kinn über die

Schulter. »Ich habe ihn gerade drüben in der Fraunces Tavern gesehen.«

»Was?«

Offensichtlich hatte sie ein wenig schrill geklungen, denn Captain Montby wich ein Stückchen zurück, ehe er sagte: »Ähm, ja. Ich habe nur einen kurzen Blick auf ihn erhascht auf der anderen Seite des Raums, aber ich bin mir ziemlich sicher, dass er es war.«

»Im Fraunces? Sind Sie sicher?«

»Ich glaube schon«, meinte der Captain. Seine Stimme hatte den vorsichtigen Klang eines Mannes angenommen, der nicht in irgendwelche häuslichen Auseinandersetzungen hineingezogen werden wollte.

»War er in Begleitung?«

»Ich habe niemanden gesehen.«

Cecilia presste die Lippen zu einer festen Linie zusammen und wandte sich zur Tür. Sie hielt nur kurz inne, um sich bei Captain Montby für seine Hilfe zu bedanken. Sie hatte keine Ahnung, was Edward im Fraunces zu suchen hatte. Selbst wenn er dort hingegangen war, um Frühstück zu holen (was überhaupt keinen Sinn ergab, da ihnen im Devil's Head genau dasselbe serviert wurde), hätte er jetzt doch sicher längst wieder hier sein müssen.

Mit einer äußerst kalten Mahlzeit.

Und er war allein. Was bedeutete – also, wenn sie ehrlich war, wusste sie nicht, was das zu bedeuten hatte.

Sie war nicht direkt zornig auf ihn. Er hatte schließlich jedes Recht, dorthin zu gehen, wohin er wollte. Es war nur, dass er gesagt hatte, er komme zurück. Wenn sie gewusst hätte, dass er das nicht vorhatte, hätte sie andere Pläne gemacht.

Wie diese anderen Pläne ausgesehen hätten, wusste sie zwar nicht, schließlich war sie auf einem fremden Kontinent gestrandet, wo sie so gut wie niemanden kannte. Aber darum ging es nicht.

Das Fraunces war nicht weit entfernt vom Devil's Head – all die Tavernen lagen relativ nah beisammen –, sodass sie nur etwa fünf Minuten unter der immer greller strahlenden Sonne brauchte, bis sie ihr Ziel erreicht hatte.

Sie zog die schwere Holztür auf und trat ein. Ihre Augen brauchten einen Moment, bis sie sich auf das schummrige und verqualmte Licht in der Taverne eingestellt hatten. Ein paarmal Blinzeln klärte die Sicht, und da saß Edward auch schon an einem Tisch auf der anderen Seite des Raums.

Allein.

Etwas von dem Feuer, das ihre Schritte beflügelt hatte, verließ sie, und sie hielt inne und nahm den Anblick in sich auf. Irgendetwas stimmte nicht.

Seine Haltung war merkwürdig. Er lümmelte in seinem Stuhl – was er in der Öffentlichkeit niemals tat, egal wie müde er war –, und seine Hand – die, die sie von ihrem Standpunkt aus sehen konnte – war beinahe zu einer Klaue zusammengekrümmt. Wenn seine Nägel nicht so sauber geschnitten gewesen wären, hätte er auf dem Holztisch Kratzspuren hinterlassen.

Vor ihm stand ein leeres Glas.

Zögernd tat sie einen Schritt. Hatte er getrunken? Es sah jedenfalls so aus, obwohl auch das nicht zu ihm passte. Es war noch nicht einmal Mittag.

Cecilias Herz schlug langsamer … und raste dann auf einmal, und die Luft um sie wurde dick und schwer vor Angst.

Es gab nur zwei Dinge, die Edward so hätten verändern

können. Zwei Dinge, die ihn hätten vergessen lassen können, dass er versprochen hatte, in ihr Zimmer im Devil's Head zurückzukehren.

Entweder hatte er das Gedächtnis wiedererlangt ...

Oder Thomas war tot.

Edward hatte nicht die Absicht gehabt, sich zu betrinken.

Er hatte Colonel Stubbs' Büro voll Zorn verlassen, doch als er dann auf der Straße gestanden hatte, war die Wut verraucht, und an ihre Stelle war ... nichts getreten.

Er fühlte sich leer.

Taub.

Thomas war tot. Cecilia war eine Lügnerin.

Und er war ein verdammter Narr.

Stocksteif stand er vor dem Gebäude, das für so viele britische Offiziere das Hauptquartier war, und starrte blicklos vor sich hin. Er wusste nicht, wohin er gehen sollte. Nicht ins Devil's Head, er war noch nicht bereit, ihr zu begegnen.

Herr im Himmel, darüber wollte er jetzt noch nicht einmal nachdenken. Vielleicht ... *vielleicht* hatte sie ja einen guten Grund gehabt für ihre Lügen, aber er ... er ...

Er atmete tief durch.

Sie hatte so viele Gelegenheiten gehabt, ihm die Wahrheit zu erzählen, so viele Momente, in denen sie das Schweigen hätte brechen und sich an ihn hätte wenden können. Sie hätte ihm sagen können, dass sie ihn angelogen hatte, sie hätte ihm erklären können warum, und, verdammt, er hätte ihr vermutlich verziehen, weil er so verdammt verliebt in sie war, dass er ihr den Mond vom Himmel geholt hätte, nur um sie glücklich zu machen.

Er hatte *geglaubt*, sie wäre seine Frau.

Er hatte geglaubt, dass er versprochen hätte, sie zu ehren und zu beschützen.

Stattdessen war er ein Schuft der übelsten Sorte, ein richtiger Wolf im Schafspelz. Es spielte keine Rolle, dass er geglaubt hatte, dass sie verheiratet waren. Er hatte trotzdem mit einer unverheirateten Jungfrau geschlafen. Schlimmer noch, mit der Schwester seines besten Freundes.

Er würde sie jetzt natürlich heiraten müssen. Vielleicht war das ja die ganze Zeit ihr Plan gewesen. Nur dass das hier *Cecilia* war und er geglaubt hatte, er würde sie kennen. Und das, noch bevor er sie dann tatsächlich kennengelernt hatte.

Er wischte sich mit der Hand über die Stirn, setzte Finger und Daumen in die Vertiefungen an seinen Schläfen. Ihm tat der Kopf weh. Er presste mit den Fingern gegen den Schmerz, aber es half nichts. Denn als es ihm endlich gelang, Cecilia aus seinen Gedanken zu vertreiben, blieb ihr Bruder zurück.

Thomas war tot, er konnte nicht aufhören, daran zu denken und dass keiner je sicher wissen würde, was passiert war, und dass er unter Fremden gestorben war und man ihn des Verrats verdächtigt hatte. Er konnte nicht aufhören, daran zu denken, dass sein Freund einen Bauchschuss erlitten hatte. Es war ein schrecklicher Tod ... langsam und unglaublich schmerzhaft.

Und er konnte nicht aufhören, daran zu denken, dass er Cecilia würde anlügen müssen. Ihr von einem weniger grauenhaften Tod erzählen. Einem raschen, schmerzlosen Tod.

Und einem heroischen.

Die Ironie entging ihm nicht. Nun war er an der Reihe, sie anzulügen.

Aber er wusste, dass es seine Aufgabe war, sie über Thomas' Tod zu informieren. Egal wie zornig er auf sie war – und wenn er ehrlich war, wusste er gerade gar nicht, was er empfand – Thomas war sein bester Freund gewesen. Selbst wenn Edward Cecilia Harcourt niemals begegnet wäre, wäre er nach Derbyshire gereist, um ihr den Ring ihres Bruders persönlich zu übergeben.

Aber er war noch nicht bereit, ihr entgegenzutreten. Er war noch nicht bereit, etwas anderes zu sehen als den Boden eines weiteren Glases Brandy. Oder Wein. Oder sogar Wasser, solange er es nur in Ruhe trinken konnte.

Und so entschied er sich, in die Frauces Taverne zu gehen, wo er weitaus weniger Gefahr lief, einem Freund zu begegnen, als im Devil's Head. Morgens war in der Taverne nicht viel los. Man konnte sich mit dem Rücken zum Raum an einen Tisch sitzen, und wenn man Glück hatte, brauchte man stundenlang kein einziges Wort zu sagen.

Als er dort ankam, warf der Barkeeper nur einen kurzen Blick auf ihn und reichte ihm einen Drink. Edward war sich nicht mal sicher, was es war. Irgendetwas Selbstgebrautes, illegal vielleicht, auf jeden Fall stark.

Er nahm noch einen.

Und saß dann den ganzen Morgen in der hinteren Ecke. Hin und wieder kam jemand vorbei und brachte ihm noch ein Glas. Irgendwann stellte ein Schankmädchen ein Stück Brot vor ihn hin, vermutlich, um den Alkohol aufzusaugen. Er probierte einen Bissen. Er lag ihm wie ein Stein im Magen.

Er wandte sich wieder seinem Drink zu.

Doch sosehr er sich auch bemühte, er schaffte es nicht, sich bis zur Besinnungslosigkeit zu betrinken. Er schaffte es nicht einmal so weit, alles zu vergessen. Anscheinend spielte es keine Rolle, wie oft sein Glas nachgefüllt wurde. Er schloss dann kurz die Augen in der Überzeugung, dass diesmal alles einfach schwarz oder wenigstens grau werden würde, dass Thomas zwar immer noch tot wäre, er aber nicht darüber nachdenken würde. Dass Cecilia zwar immer noch eine Lügnerin wäre, er aber auch darüber nicht nachdenken würde.

Aber es funktionierte nicht. So viel Glück hatte er einfach nicht.

Und dann kam *sie*.

Er brauchte nicht einmal hochzusehen, um zu wissen, dass sie es war, als die Tür aufging und sich ein heller Streifen Licht über den Raum ergoss. Er spürte es in der Luft, in dem dunklen, düsteren Wissen, dass dies der schlimmste Tag seines Lebens war und er nicht besser werden würde.

Er sah auf.

Sie stand an der Tür, in der Nähe eines Fensters, durch das gedämpftes Sonnenlicht fiel und ihr Haar wie einen Heiligenschein aufleuchten ließ.

War ja klar, dass sie wie ein Engel aussehen würde.

Er hatte sie für *seinen* Engel gehalten.

Ein paar Momente regte sie sich nicht. Er wusste, dass er eigentlich hätte aufstehen sollen, doch er hatte das Gefühl, dass ihn der Alkohol nun doch allmählich eingeholt hatte, und so misstraute er seinem Stehvermögen.

Oder seinem Urteilsvermögen. Wenn er aufstand, würde er vielleicht zu ihr gehen. Wenn er zu ihr ging, würde er sie vielleicht in die Arme nehmen.

Das würde er bedauern. Später, wenn er wieder klar denken konnte, würde er es bedauern.

Vorsichtig machte sie einen Schritt auf ihn zu, und dann noch einen. Er sah, wie ihre Lippen seinen Namen formten, doch er konnte nichts hören. Ob das daran lag, dass sie keinen Laut von sich gegeben hatte, oder daran, dass er nicht hatte hören wollen, würde er nie erfahren, aber er sah ihr an, dass sie wusste, dass etwas nicht stimmte.

Er griff in die Tasche.

»Was ist passiert?« Sie war näher gekommen. Ihm blieb nichts anderes übrig, als ihre Worte zu hören.

Er zog den Ring heraus und legte ihn auf den Tisch.

Ihr Blick folgte seinen Bewegungen, und zuerst schien sie ihre Bedeutung nicht zu erfassen. Dann griff sie mit zitternden Fingern nach dem Ring und sah ihn sich aus der Nähe an.

»Nein«, flüsterte sie.

Er schwieg.

»Nein. Nein. Das kann nicht seiner sein. So einmalig ist er doch nicht. Der Ring könnte jedem gehören.« Sie warf den Ring auf den Tisch, als hätte er ihr die Haut verbrannt. »Das ist nicht seiner. Sag mir, dass es nicht seiner ist.«

»Tut mir leid«, sagte Edward.

Cecilia schüttelte den Kopf. »Nein«, wiederholte sie, doch diesmal klang sie wie ein verletztes Tier.

»Es ist seiner, Cecilia«, sagte Edward. Er machte keine Anstalten, sie zu trösten. Er hätte es tun sollen. Er *hätte* es auch getan, wenn er sich innerlich nicht so tot gefühlt hätte.

»Woher hast du ihn?«

»Von Colonel Stubbs.« Edward hielt inne, versuchte sich darüber klar zu werden, was er ihr preisgeben wollte. Und was nicht. »Er bat mich, mich bei dir für ihn zu entschuldigen. Und dir sein Beileid auszusprechen.«

Sie starrte auf den Ring, und dann hob sie plötzlich den Kopf, als wäre sie von einer winzigen Nadel gestochen worden. »Warum sollte er sich entschuldigen?«

Natürlich stellte sie diese Frage. Sie war klug. Das liebte er unter anderem besonders an ihr. Er hätte wissen sollen, dass sie sich sofort auf den Teil seiner Bemerkungen stürzen würde, der irgendwie nicht ganz stimmig war.

Edward räusperte sich. »Er wollte sich dafür entschuldigen, dass er es dir nicht früher gesagt hat. Er konnte nicht. Thomas war in eine sehr wichtige Sache verwickelt. Etwas ... Geheimes.«

Sie umklammerte die Lehne des Stuhls, der neben seinem stand, gab es dann offenbar auf, Stärke zeigen zu wollen, und setzte sich. »Dann wusste er es die ganze Zeit?«Edward nickte. »Es ist im März passiert.«

Er hörte, wie sie nach Luft schnappte – ein leises Geräusch, doch voll Schrecken. »Er saß bei mir«, flüsterte sie fassungslos. »In der Kirche, als du noch bewusstlos warst. An einem Tag sogar stundenlang. Wie konnte er das nur tun? Er wusste doch, dass ich nach Thomas suchte. Er wusste es ...« Sie schlug sich die Hand vor den Mund, und ihr Atem ging immer keuchender. »Wie konnte er nur so grausam sein?«

Edward antwortete nicht.

Cecilias Blick wurde scharf, und das helle Grün ihrer Iris nahm eine metallische Färbung an. »Hast *du* es gewusst?«

»Nein.« Er starrte sie ausdruckslos an. »Woher hätte ich es denn wissen sollen?«

»Natürlich«, flüsterte sie. »Tut mir leid.« Eine Weile saß sie nur da, reglos, eine Figur hoffnungslosen, ratlosen Kummers. Edward konnte nur vermuten, was ihr durch den Kopf ging. Hin und wieder schien sie ein wenig schneller zu blinzeln, manchmal bewegten sich ihre Lippen, als wollte sie etwas sagen.

Schließlich hielt er es nicht mehr aus. »Cecilia?«

Langsam drehte sie sich zu ihm um, zog die Brauen zusammen, fragte: »Ist er beerdigt worden? Richtig?«

»Ja«, entgegnete er. »Darum hat Colonel Stubbs sich persönlich gekümmert.«

»Könnte ich dorthin …«

»Nein«, unterbrach er sie entschieden. »Er wurde in Dobbs Ferry begraben. Weißt du, wo das ist?«

Sie nickte.

»Dann weißt du, dass es dort für dich viel zu gefährlich ist. Auch für *mich* ist es zu gefährlich, es sei denn, die Armee beordert mich dorthin.«

Sie nickte noch einmal, diesmal jedoch weniger entschlossen.

»Cecilia …«, meinte er warnend. Herr im Himmel, er wollte nicht einmal daran denken, ihr in Feindesgebiet nachzujagen. Diese Ecke von Westchester war eine Art Niemandsland. Deswegen war er so überrascht gewesen, als Colonel Stubbs gesagt hatte, dass er sich dort allein mit Thomas getroffen hatte. »Versprich mir«, sagte Edward eindringlich, die Finger um die Tischplatte gekrallt. »Versprich mir, dass du nicht hinfährst.«

Sie warf ihm einen Blick zu, der fast verblüfft war. »Natürlich nicht. Ich bin keine …« Sie presste die Lippen zusammen, schluckte hinunter, was immer sie gerade hatte sagen wollen, und erklärte stattdessen: »So etwas würde ich nie tun.«

Edward nickte knapp. Mehr brachte er nicht fertig, ehe er seinen Atem wieder unter Kontrolle hatte.

»Er hat wohl keinen Grabstein«, sagte sie nach ein paar Augenblicken. »Wie sollte es auch einen geben?«

Es war eine rhetorische Frage, doch der Schmerz in ihrer Stimme veranlasste ihn dazu, trotzdem zu antworten. »Colonel Stubbs sagte, er habeeinen Steinhaufen hinterlassen.«

Das stimmte zwar nicht, aber der Gedanke, dass das Grab ihres Bruders markiert worden war, auch wenn es sich nur um ein paar Steine handelte, würde sie trösten.

Er ergriff das leere Glas und ließ es sich durch die Finger gleiten. In dem abgerundeten Boden waren ein paar Tropfen zurückgeblieben, und er beobachtete, wie sie hierhin und dorthin flossen und dabei immer demselben feuchten Pfad folgten. Wie sehr würde er das Glas kippen müssen, um ein neues Rinnsal zu erzwingen? Und konnte er mit seinem Leben dasselbe machen? Konnte er es so umstoßen, dass die Sache einen anderen Ausgang nahm? Was, wenn er es ganz auf den Kopf stellte? Was dann?

Doch von all dem, was in ihm vorging, war ihm äußerlich nichts anzusehen. Er konnte die Unbeweglichkeit in seinem Gesicht spüren, die starre Ausdruckslosigkeit, die kein Gefühl offenbarte. Er konnte einfach nicht anders. Wenn er auch nur im Geringsten nachgab, würden Gott weiß was für Gefühle aus ihm herausströmen.

»Du solltest den Ring nehmen«, sagte er.

Sie nickte und hob ihn auf, blinzelte die Tränen zurück, als sie ihn betrachtete. Edward wusste, was sie dort sah. Seines Wissens hatten die Harcourts kein eigenes Wappen, und so war auf der Siegelfläche von Thomas' Ring nur der Buchstabe H zu sehen, in eleganter Schreibschrift mit einem schwungvollen Schnörkel am Ansatz.

Doch dann drehte Cecilia den Ring um und sah auf die Innenseite. Neugierig geworden, reckte Edward den Hals. Nach einer Gravur hatte er nicht gesucht. Vielleicht war es doch nicht Thomas' Ring. Vielleicht hatte Colonel Stubbs gelogen. Vielleicht …

Über Cecilias Lippen kam ein gequältes Schluchzen, so

plötzlich, so harsch, dass sie beinahe überrascht wirkte, dass dieser Laut von ihr gekommen war. Sie schloss die Faust um den Ring und schien vor seinen Augen zusammenzusacken, legte den Kopf auf den Unterarm und weinte.

Himmel hilf, doch er umfasste ihre Hand mit seiner.

Was immer sie auch getan hatte, aus welchem Grund auch immer – jetzt konnte er sie damit nicht konfrontieren.

»Ich wusste …«, brachte sie hervor und atmete bebend ein. »Ich wusste schon, dass er vermutlich tot ist. Aber mein Kopf und mein Herz … sie waren nicht in Einklang miteinander.« Sie sah auf. Ihre Augen waren riesig in dem tränenüberströmten Gesicht. »Weißt du, was ich meine?«

Ihr zu antworten, traute er sich nicht zu, doch er nickte. Er war sich nicht sicher, ob sein Kopf und sein Herz je wieder im Einklang miteinander stehen würden.

Edward nahm den Ring und fragte sich, wie die Inschrift wohl lauten mochte. Er drehte ihn, sodass das Innere ein wenig Licht abbekam.

THOMAS HORATIO

»Die Männer in meiner Familie haben alle denselben Ring«, erklärte Cecilia. »Ihre Vornamen werden in die Innenseite graviert, damit sie sie auseinanderhalten können.«

»Horatio«, murmelte Edward. »Das wusste ich gar nicht.«

»Mein Großvater hieß Horace«, sagte sie. Allmählich schien sie ruhiger zu werden. Alltägliche Gespräche hatten manchmal diese Wirkung. »Aber meiner Mutter war der Name zuwider. Und jetzt …« Sie stieß ein ersticktes Lachen aus und wischte sich das Gesicht wenig elegant mit dem Handrücken ab. Edward hätte ihr ein Taschentuch angeboten, wenn er eines eingesteckt hätte. Doch er war an diesem Morgen in höchster Eile aufgebrochen, ganz versessen darauf, sie mit Leckerbissen zu überraschen. Er hatte nicht geglaubt, länger als zwanzig Minuten weg zu sein.

»Mein Vetter heißt Horace«, fuhr sie fort und hätte dabei beinahe die Augen verdreht. »Der, der mich heiraten wollte.«

Edward sah auf seine Hände und bemerkte, dass er den Ring die ganze Zeit darin herumgerollt hatte. Er legte ihn hin.

»Ich hasse ihn!«, rief sie so intensiv, dass er aufsah. Ihre Augen brannten. Er hätte nicht gedacht, dass derart helle Augen ein solches Feuer enthalten könnten, doch dann fiel ihm ein, dass die Flammen eines besonders heiß brennenden Feuers ebenfalls kalt wirkten.

»Ich hasse ihn so sehr«, bekräftigte sie. »Wenn er nicht gewesen wäre, wäre ich nicht …« Sie zog plötzlich geräuschvoll die Nase hoch.

»Wärst du nicht …?«, fragte Edward leise.

Sie antwortete nicht gleich. Schließlich schluckte sie und sagte: »Ich wäre vermutlich nicht hergekommen.«

»Und du hättest mich nicht geheiratet.«

Er sah ihr direkt ins Gesicht, fing ihren Blick auf. Wenn sie ihm die Wahrheit sagen wollte, wäre jetzt der richtige Zeitpunkt gekommen. Laut ihrer Geschichte hatte sie an ihrem Teil der Zeremonie erst auf dem Schiff teilgenommen.

»Wenn du nicht nach New York übergesetzt hättest«, nahm Edward den Faden wieder auf, »wann hättest du mich denn dann geheiratet?«

»Ich weiß nicht«, räumte sie ein.

»Dann war es vielleicht am besten so.« Er fragte sich, ob sie ebenfalls wahrnahm, was er in seiner Stimme wahrnahm. Sie war ein wenig zu leise, ein wenig zu glatt.

Er versuchte sie zu ködern, er konnte nicht anders.

Sie bedachte ihn mit einem merkwürdigen Blick.

»Wenn Vetter Horace dich nicht so drangsaliert hätte«, fuhr Edward fort, »wären wir jetzt nicht verheiratet. Obwohl ich vermutlich glauben würde ...« Er ließ den Satz absichtlich verklingen, wartete darauf, dass sie ihn zum Weitersprechen aufforderte.

»Obwohl du glauben würdest ...«

»*Ich* würde glauben, dass wir verheiratet sind«, sagte er. »Schließlich habe ich die Stellvertreterzeremonie schon vor Monaten durchlaufen. Stell dir nur vor, all die Zeit hätte ich Junggeselle sein können, ohne es zu wissen.«

Er sah flüchtig auf. *Sag etwas.*

Sie sagte nichts.

Edward schnappte sich das Glas und trank die letzten Tropfen, nicht dass noch viel übrig gewesen wäre.

»Wie geht es jetzt weiter?«, flüsterte sie.

Er zuckte mit den Schultern. »Ich bin mir nicht sicher.«

»Hatte er noch irgendwelche anderen Sachen? Außer dem Ring?«

Edward dachte an jenen letzten Tag zurück, bevor er und Thomas nach Connecticut aufgebrochen waren. Sie hatten nicht gewusst, wie lang sie unterwegs sein würden, und so hatte der Colonel Vorkehrungen getroffen, um ihre Habseligkeiten aufzubewahren. »Colonel Stubbs wird seine Sachen haben«, sagte er. »Ich sorge dafür, dass du sie bekommst.«

»Danke.«

»Er hatte eine Miniatur von dir«, platzte Edward heraus.

»Wie bitte?«

»Eine Miniatur. Er hatte sie immer bei sich. Ich meine, nein, er hat sie nicht die ganze Zeit mit sich herumgetragen oder so, aber wenn er versetzt wurde, hat er immer darauf geachtet, sie mitzunehmen.«

Um ihre Lippen zitterte die Andeutung eines Lächelns. »Ich habe auch eine von ihm. Habe ich sie dir noch nicht gezeigt?«

Edward schüttelte den Kopf.

»Oh. Tut mir leid. Das hätte ich tun sollen.« Sie sank in sich zusammen, sah vollkommen einsam und verloren aus. »Sie wurden zur selben Zeit gemalt. Ich glaube, ich war sechzehn.«

»Ja, du siehst darauf jünger aus.«

Einen Augenblick wirkte sie verwirrt, dann blinzelte sie mehrmals und sagte: »Du hast sie gesehen. Natürlich. Thomas hat mir geschrieben, dass er sie dir gezeigt hat.«

Edward nickte.

»Ein oder zwei Mal«, log er. Sie brauchte nicht zu erfahren, wie viele Stunden er damit verbracht hatte, ihr Bildnis anzustarren und sich zu fragen, ob sie wirklich so nett und witzig war wie in ihren Briefen.

»Ich habe es nie für ein gutes Porträt gehalten«, sagte sie. »Dem Maler ist mein Haar zu hell geraten. Und so wie auf dem Bild lächle ich nie.«

Nein, das tat sie nicht. Aber wenn er das bestätigte, würde er zugeben, dass er die Miniatur weitaus besser kannte als nur von »ein oder zwei« Blicken darauf.

Cecilia nahm den Ring. Sie hielt ihn zwischen Daumen und Zeigefingern beider Hände.

Sie starrte darauf. Eine lange Weile. »Möchtest du zurück in den Gasthof?«, fragte sie schließlich.

Doch sie sah dabei nicht auf.

Und weil Edward sich es nicht zutraute, mit ihr allein zu

sein, erwiderte er: »Ich brauche im Augenblick etwas Zeit für mich.«

»Natürlich.« Sie sagte es zu schnell und stand hastig auf. Der Ring verschwand in ihrer Hand. »Ich auch.«

Das war gelogen. Sie wussten es beide.

»Ich gehe jetzt zurück«, meinte sie und deutete sinnlos zur Tür. »Ich glaube, ich möchte mich ein wenig hinlegen.«

Er nickte. »Wenn es dir nichts ausmacht, bleibe ich hier.«

Vage wies sie auf sein leeres Glas. »Vielleicht solltest du lieber nicht ...«

Er hob die Augenbrauen, eine Herausforderung an sie, den Satz zu beenden.

»Ach, vergiss es.«

Kluges Mädchen.

Sie tat einen Schritt, hielt noch einmal inne. »Soll ich ...«

Es war so weit. Sie würde es ihm erzählen. Sie würde ihm alles erklären, und es wäre in Ordnung, er würde sich nicht hassen, er würde sie nicht hassen, und ...

Er hatte gar nicht bemerkt, dass er angefangen hatte aufzustehen, bis er mit den Beinen gegen den Tisch stieß. »Was?«

Sie schüttelte den Kopf. »Ach, egal.«

»Sag es mir.«

Sie warf ihm einen merkwürdigen Blick zu und sagte dann: »Ich wollte dich nur fragen, ob ich dir etwas aus der Bäckerei mitbringen soll. Aber ich glaube, ich will jetzt überhaupt niemanden sehen, und so ... also, ich würde lieber direkt in den Gasthof zurückkehren.«

Die Bäckerei.

Edward ließ sich auf den Stuhl zurückfallen, und bevor er sich noch beherrschen konnte, entrang sich ihm ein harsches, zorniges Auflachen.

Cecilia riss die Augen auf. »Ich kann trotzdem gehen. Wenn du Hunger hast, kann ich …«

»Nein«, unterbrach er sie. »Geh nach Hause.«

»Nach Hause«, wiederholte sie.

Er hob einen Mundwinkel zu einem humorlosen Lächeln. »Satans Heimstatt.«

Sie nickte. Ihre Lippen zitterten, als wüsste sie nicht, wie sie auf das Lächeln reagieren sollte. »Nach Hause.« Sie sah zur Tür, dann wieder zu ihm. »Also dann.«

Doch sie zögerte. Ihr Blick suchte den seinen, sie schien auf etwas zu warten. Auf etwas zu hoffen.

Von ihm kam jedoch nichts. Er hatte nichts, was er ihr hätte geben können.

Und so ging sie.

Und Edward bestellte sich noch einen Drink.

17. KAPITEL

Endlich sind wir in New York! Und keinen Moment zu früh. Wir sind mit dem Schiff von Rhode Island gekommen, und wieder einmal wurde Edward schrecklich seekrank. Ich habe ihm gesagt, dass das nur gerecht ist: Er ist sonst in allem, was er tut, entsetzlich gut.

Ah, jetzt schaut er mich wütend an. Ich habe die schlechte Angewohnheit, meine Worte beim Schreiben laut mitzusprechen, und meine Beschreibung behagt ihm nicht. Aber mach Dir keine Sorgen. Er ist außerdem sehr gutmütig und überhaupt nicht nachtragend.

Aber wie wütend er schaut! Wie wütend er schaut!

Vielleicht bringe ich Ihren Bruder um.

– THOMAS HARCOURT (UND EDWARD ROKESBY) AN CECILIA HARCOURT

Benommen ging Cecilia zum Devil's Head zurück.

Thomas war tot.

Er war *tot*.

Sie hatte geglaubt, darauf vorbereitet zu sein. Als die Wochen verstrichen waren, ohne dass sie von ihm gehört hatte, hatte sie gewusst, dass die Chancen, Thomas am Leben zu finden, allmählich schwanden. Und doch, jetzt … da sie den Beweis in Gestalt seines Siegelrings in der Tasche hatte …

War sie am Boden zerstört.

Nicht einmal sein Grab konnte sie besuchen. Edward hatte gesagt, dass es zu weit von Manhattan entfernt lag, zu nah an General Washington und seiner Kontinentalarmee.

Eine tapferere Frau wäre vielleicht trotzdem hingegangen. Ein tollkühneres Wesen hätte das Haar zurückgeworfen, mit dem Fuß aufgestampft und darauf bestanden, auf die letzte Ruhestätte ihres Bruders Blumen zu legen.

Billie Bridgerton hätte es getan.

Cecilia schloss einen Moment die Augen und fluchte verhalten. Sie musste aufhören, an diese verdammte Billie Bridgerton zu denken. Das wurde allmählich zur Obsession.

Aber wer sollte ihr das zum Vorwurf machen? Edward redete doch *andauernd* von ihr.

Also gut, vielleicht nicht andauernd, aber öfter als zweimal. Öfter als ... Also, jedenfalls so oft, dass Cecilia das Gefühl hatte, nun wirklich genug über Lord Bridgerton älteste Tochter in Erfahrung gebracht zu haben, herzlichen Dank auch. Vermutlich war Edward sich gar nicht dessen bewusst, aber sie erschien in fast jeder Geschichte, die er von seiner Jugend in Kent erzählte. Billie Bridgerton verwaltete die väterlichen Ländereien. Sie ging mit den Männern auf die Jagd. Und als Cecilia ihn gefragt hatte, wie sie aussehe, hatte er erwidert: »Sie ist sogar ziemlich hübsch. Viele Jahre lang ist mir das nicht mal aufgefallen. Ich glaube, bis ich acht wurde, war mir nicht mal klar, dass es sich bei Billie um ein Mädchen handelt.«

Und Cecilias Antwort?

»Oh.«

Was für ein Musterbeispiel an Eloquenz und Einsicht sie doch war. *Darin* hatte ihre wortgewandte Antwort bestanden. Aber sie konnte ihm ja wohl kaum erzählen, dass sie sich nach all seinen Geschichten über die erstaunliche, übermenschliche Billie Ich-kann-ein-Pferd-auch-rückwärts-reiten Bridgerton die junge Frau als überlebensgroße Amazone mit riesigen Händen, einem Hals wie ein Mann und schiefen Zähnen vorgestellt hatte.

Nicht dass schiefe Zähne in irgendeiner Weise in Edwards Beschreibungen aufgetaucht wären, doch Cecilia hatte schon seit Langem akzeptiert, dass ein winziger Teil tief in ihrem Innersten kleinlich und rachsüchtig war, und, zum Kuckuck, sie *wollte* sich Billie Bridgerton mit schiefen Zähnen vorstellen.

Und einem Hals wie ein Mann.

Aber nein, Billie Bridgerton war hübsch, Billie Bridgerton war stark, und wenn Billie Bridgertons Bruder gestorben wäre, wäre *sie* bestimmt ins feindliche Land vorgedrungen, um dafür zu sorgen, dass sein Grab einen ordentlichen Grabstein bekäme.

Cecilia nicht. Was immer sie an Mut auch besessen haben mochte, er war aufgebraucht, als sie an Bord der Lady Miranda gegangen war und England im Osten hatte verschwinden sehen. Und wenn es etwas gab, das sie in den letzten Monaten über sich erfahren hatte, dann dass sie nicht zu den Frauen gehörte, die in nichtmetaphorisches unbekanntes Terrain vordrangen, es sei denn, es ging um Leben oder Tod.

Alles, was ihr jetzt noch zu tun blieb, war …

Nach Hause zu fahren.

Sie gehörte nicht nach New York, das wusste sie. Und zu Edward gehörte sie auch nicht. Und er nicht zu ihr. Es gab nur eine Sache, die sie wahrhaftig aneinander hätte binden können …

Sie erstarrte, und dann legte sie sich die Hand auf den flachen Bauch, direkt über ihrem Schoß.

Sie *könnte* ein Kind erwarten. Es war unwahrscheinlich, aber doch möglich.

Und plötzlich fühlte es sich ganz real an. Sie wusste, dass sie aller Wahrscheinlichkeit nach nicht schwanger war, doch ihr Herz schien diese neue Person zu erkennen – eine wundersame kleine Ausgabe von Edward, und vielleicht auch von ihr selbst, aber in ihrer Fantasie geriet das Kind ganz nach ihm, mit einem Flaum dunklen Haars und Augen so blau, dass sie dem Himmel gleichkamen.

»Miss?«

Cecilia sah auf und blinzelte. Erst jetzt bemerkte sie, dass sie mitten auf der Straße stehen geblieben war. Eine ältere Frau mit gestärkter weißer Haube sah sie mit freundlicher Sorge an.

»Geht es Ihnen gut, Miss?«

Cecilia nickte und setzte sich wieder in Bewegung. »Ich bitte um Entschuldigung«, sagte sie und ging auf die eine Straßenseite. Sie fühlte sich benommen und konnte sich gar nicht richtig auf die gute Samariterin vor ihr konzentrieren. »Es ist nur … ich habe gerade schlechte Nachrichten erhalten.«

Die Frau blickte auf Cecilias Hand, die noch immer auf ihrem Bauch ruhte. Als sie Cecilia daraufhin in die Augen sah, lag in ihrem Blick tiefes Mitgefühl.

»Ich muss gehen«, platzte Cecilia heraus, und dann rannte sie praktisch den ganzen Weg zurück ins Devil's Head und hinauf auf ihr Zimmer. Dort warf sie sich aufs Bett, und als sie diesmal weinte, geschah es sowohl aus Kummer als auch aus Verzweiflung.

Die Frau hatte gedacht, sie sei schwanger. Ledig und schwanger. Sie hatte auf Cecilias ringlosen Finger geblickt und ein Urteil gefällt, und, oh Gott, irgendwo musste in alledem eine gewisse Ironie stecken.

Edward hatte ihr einen Ring besorgen wollen. Einen Ring für eine Ehe, die gar nicht existierte.

Cecilia lachte. Inmitten ihrer Tränen, inmitten ihres Betts begann sie zu lachen.

Es war ein schreckliches Geräusch.

Wenn sie schwanger wäre, würde zumindest der Kindesvater glauben, dass sie verheiratet wären. Alle würden es glauben.

Bis auf die Frau auf der Straße.

In einem Augenblick war Cecilia von einer jungen Dame, die ein wenig Freundlichkeit brauchte, zu einem gefallenen Mädchen geworden, das bald an den Rand der Gesellschaft verwiesen werden würde.

Sie war sich bewusst, dass sie ziemlich viel in den Blick einer Fremden hineininterpretierte, doch sie wusste auch, wie die Welt funktionierte. Wenn sie schwanger wäre, wäre ihr Leben ruiniert. Niemals würde man sie in der vornehmen Gesellschaft akzeptieren. Wenn ihre Freunde zu Hause mit ihr in Kontakt zu bleiben wünschten, würden sie es heimlich tun müssen, um ihren eigenen guten Ruf zu schützen.

Vor ein paar Jahren hatte es in Matlock ein Mädchen gegeben, das schwanger geworden war. Verity Markham hatte sie geheißen, Cecilia hatte sie nur flüchtig gekannt. Eigentlich nur dem Namen nach. Niemand wusste, wer der Vater des Kindes war, aber das spielte auch keine Rolle. Sobald sich Veritys Zustand herumsprach, verbot Cecilias Vater ihr jeglichen Kontakt. Cecilia war verblüfft von seiner Vehemenz, denn sonst kümmerte sich ihr Vater nie um den örtlichen Klatsch. Aber dies war anscheinend eine Ausnahme.

Sie widersetzte sich seinem Befehl nicht. Sie hatte nicht einmal daran gedacht, ihn zu hinterfragen. Aber nun drängte sich die Frage auf – wenn Verity ihre Freundin gewesen wäre, oder etwas mehr als eine flüchtige Bekannte – wäre Cecilia mutig genug gewesen, ihrem Vater zu trotzen? Sie hätte gern geglaubt, dass sie es gewesen wäre, doch insgeheim wusste sie, dass Verity schon eine sehr gute Freundin hätte sein müssen, damit sie das auf sich genommen hätte. Nicht dass Cecilia unfreundlich gewesen wäre, sie wäre einfach nicht auf die Idee gekommen, sich anders zu verhalten.

Die Gesellschaft hatte nicht umsonst Regeln, zumindest hatte sie das immer geglaubt. Vielleicht war es korrekter zu sagen, dass sie sich nie Gedanken *über* diese Regeln gemacht hatte. Sie hatte sie einfach befolgt.

Aber jetzt, da sie vor sich das Schreckgespenst sah, selbst ein gefallenes Mädchen zu sein …

Wünschte sie sich, dass sie freundlicher gewesen wäre. Sie wünschte, sie wäre zu Verity Markham gegangen und hätte ihr die Hand in Freundschaft gereicht. Sie wünschte, sie hätte sich öffentlich hinter sie gestellt. Verity hatte das Dorf schon vor Langem verlassen; ihre Eltern erzählten jedem, dass sie jetzt bei ihrer Großtante in Cornwall lebte, aber das glaubte ihnen in Matlock kein Mensch. Cecilia hatte keine Ahnung, wohin Verity gegangen war, nicht einmal, ob sie ihr Kind hatte behalten dürfen.

Ihrer Kehle entrang sich ein Schluchzen, so überraschend, so heftig, dass sie sich die Faust an die Lippen pressen musste, um es zu unterdrücken. Sie konnte das alles – vielleicht – ertragen, wenn sie die Einzige wäre, die betroffen wäre. Aber wenn ein Kind käme … *Ihr* Kind. Sie wusste nicht, was es hieß, Mutter zu sein. Sie wusste ja kaum, was es hieß, eine zu haben. Aber eines wusste sie: Sie konnte ihr Kind nicht einem Leben als Bastard aussetzen, wenn es in ihrer Macht stand, das zu verhindern.

Sie hatte Edward schon so viel geraubt – sein Vertrauen, seinen Namen. Sein Kind könnte sie ihm nicht auch noch nehmen. Das wäre die ultimative Grausamkeit. Er wäre ein guter Vater. Nein, er wäre ein *großartiger* Vater. Und er würde es gerne sein.

Wenn ein Kind entstanden war ... musste sie es ihm sagen.

Sie gab sich selbst ein Versprechen. Wenn sie schwanger war, würde sie bleiben. Sie würde Edward alles erzählen und die Konsequenzen um des Kindes willen auf sich nehmen.

Aber wenn sie nicht schwanger war – und wenn ihre Blutung dem üblichen Zeitplan folgte, hätte sie in einer Woche Gewissheit –, würde sie gehen. Edward verdiente es, sein Leben wiederzuerlangen, das, das er geplant hatte, nicht das, das sie ihm aufgedrängt hatte.

Sie würde ihm alles erzählen, aber sie würde es in Form eines Briefes tun.

Wenn sie das zum Feigling machte, dann war das eben so. Selbst Billie Bridgerton wäre nicht mutig genug gewesen, ein solches Geständnis von Angesicht zu Angesicht zu abzulegen.

Es dauerte mehrere Stunden, doch irgendwann hatte Edward das Gefühl, sich wieder so weit in der Hand zu haben, um ins Devil's Head zurückkehren zu können.

Zu Cecilia.

Die nicht seine Frau war.

Er hatte längst aufgehört mit Trinken, und so war er nüchtern, oder zumindest fast. Er hatte jede Menge Zeit gehabt, sich zu sagen, dass er an diesem Tag nicht über sie nachdenken wolle. Der Tag heute gehörte Thomas. Musste ihm gehören. Wenn sein Leben schon an einem einzigen Tag in die Brüche gehen sollte, würde er sich seine Katastrophen verdammt noch mal eine nach der anderen vornehmen.

Er würde sich nicht wegen irgendetwas aufregen, das Cecilia gesagt oder getan hatte, und ganz bestimmt würde er seine Energie nicht auf etwas verwenden, das sie *nicht* gesagt hatte. Darüber würde er nicht nachdenken. Er würde *nicht* darüber nachdenken.

Wirklich nicht.

Er wollte sie anschreien. Er wollte sie bei den Schultern packen und schütteln und sie dann anflehen, ihm zu sagen, warum sie das getan hatte.

Er wollte mit ihr nichts mehr zu tun haben.

Er wollte sie für immer an sich binden.

Er wollte über all das heute *nicht* nachdenken, verdammt.

Heute würde er um seinen Freund trauern. Und er würde der Frau, die nicht seine Frau war, dabei helfen, um ihren Bruder zu trauern. Denn so war er eben.

Verdammt.

Er stand vor Zimmer Nummer zwölf, atmete tief durch und legte die Hand auf den Türknauf.

Vielleicht konnte er sich nicht dazu überwinden, Cecilia so zu trösten, wie er es hätte tun sollen, doch zumindest konnte er ihr ein paar Tage schenken, bevor er sie wegen ihrer Lügen zur Rede stellte. Er hatte noch nie jemanden verloren, der ihm so nahestand: Thomas war ein lieber Freund gewesen, aber sie waren keine Brüder, und Edward wusste, dass sich sein Schmerz mit Cecilias nicht vergleichen ließ. Aber er konnte ihn sich vorstellen. Wenn Andrew etwas zustoßen sollte ...

oder Mary ... sogar George oder Nicholas, denen er beide nicht so nahestand ...

Er wäre am Boden zerstört.

Außerdem musste er sich über eine ganze Menge Dinge klar werden. Cecilia würde nicht verschwinden, und überstürzte Entscheidungen brachten einem oft nichts als neue Probleme.

Er öffnete die Tür, blinzelte in das Sonnenlicht, das auf den düsteren Flur fiel. Jedes Mal, dachte er. Jedes Mal, wenn er diese verfluchte Tür aufmachte, überraschte ihn das Sonnenlicht.

»Du bist wieder da«, sagte Cecilia. Sie saß auf dem Bett, lehnte am Kopfteil und hatte die Füße ausgestreckt. Sie trug immer noch ihr blaues Kleid, was nicht weiter verwunderlich war, da es noch nicht mal Zeit zum Dinner war.

Er würde das Zimmer verlassen müssen, wenn sie sich entschloss, ihr züchtiges weißes Baumwollnachthemd anzulegen. Bestimmt würde sie es vorziehen, beim Umkleiden ungestört zu sein.

Nachdem sie ja gar nicht seine Frau war.

Die Stellvertretertrauung hatte es nie gegeben. Er hatte keine Papiere unterzeichnet. Cecilia war die Schwester eines lieben Freundes und mehr nicht.

Aber was hatte sie davon, sich als seine Ehefrau auszugeben? Es ergab keinen Sinn. Sie hatte doch nicht wissen können, dass er das Gedächtnis verlieren würde. Sie hätte aller Welt erzählen können, dass sie mit einem bewusstlosen Mann verheiratet war, aber sie musste sich doch darüber im Klaren gewesen sein, dass ihre Lügen entlarvt werden würden, sobald er erwachte.

Außer sie war das Risiko eingegangen ... ihre Zukunft darauf zu setzen, dass er *nicht* mehr aufwachen würde. Wenn er gestorben wäre, während alle Welt geglaubt hätte, sie wären verheiratet …

Die Frau eines Rokesby zu sein war gar nicht so schlecht.

Seine Eltern hätten sie bei ihrer Rückkehr nach England willkommen geheißen. Sie wussten, dass er mit Thomas befreundet war, hatten ihn sogar einmal an Weihnachten zum Essen eingeladen. Sie hätten keinen Grund gehabt, Cecilias Wort anzuzweifeln, wenn sie bei ihnen aufgetaucht wäre und behauptet hätte, ihren Sohn geheiratet zu haben.

Aber all das war so berechnend. Es sah ihr gar nicht ähnlich. Oder doch?

Er schloss die Tür hinter sich und nickte ihr kurz zu, bevor er sich auf dem einen Stuhl im Zimmer niederließ, um sich die Stiefel auszuziehen.

»Brauchst du Hilfe?«, fragte sie.

»Nein«, sagte er und senkte den Blick, bevor er sehen konnte, wie sie schluckte. Das tat sie in Augenblicken wie diesen, wenn sie nicht wusste, was sie sagen sollte. Er hatte sie dabei immer so gern beobachtet, den zart gebogenen Hals, den anmutigen Schwung der Schulter. Wie sie die Lippen beim Schlucken zusammenpresste – nicht direkt wie zum Kuss, aber doch so ähnlich, dass er sich immer vorbeugen und es in einen verwandeln wollte.

An diesem Abend wollte er sich das nicht ansehen.

»Ich …«

Beim Klang ihrer Stimme blickte er abrupt auf. »Was ist?«

Aber sie schüttelte nur den Kopf. »Ach, nichts.«

Er hielt ihrem Blick stand, und er war froh, dass das Licht mit der nahenden Dämmerung schwächer geworden war. Wenn es zu dunkel war, ihre Augen zu sehen, konnte er sich nicht darin verlieren. Er konnte so tun, als wären sie nicht grün wie die Gischt oder – wenn das Licht immer noch von den orangeroten Streifen der Morgenröte eingefärbt war – wie das erste junge Laub im Frühling.

Mühsam zog er sich die Stiefel aus und stand dann auf, um sie säuberlich auf ihren Platz neben seiner Truhe zu stellen. Die Stille lastete schwer auf dem Zimmer, und er spürte, wie Cecilia ihn bei all seinen Bewegungen beobachtete. Normalerweise hätte er mit ihr geplaudert, hätte müßige Fragen zu ihrem Nachmittag gestellt oder, wenn sie den Tag zusammen verbracht hätten, das Erlebte kommentiert. Sie hätte sich vielleicht an etwas erinnert, das sie amüsiert hatte, und er hätte gelacht und sich dann, wenn er den Rock in den Schrank hängte, über das merkwürdige Prickeln gewundert, das ihn am ganzen Körper überlief.

Aber er hätte sich nur kurz gewundert. Denn es war offensichtlich, was es zu bedeuten hatte.

Glück.

Liebe.

Gott sei Dank hatte er es ihr nie gesagt.

»Ich …«

Er sah auf. Schon wieder ein Satz, der mit einem zögernden *Ich* begann. »Was ist, Cecilia?«

Als sie seinen Ton hörte, blinzelte sie. Er war zwar nicht unfreundlich gewesen, aber ziemlich brüsk. »Ich weiß nicht, was ich mit Thomas' Ring machen soll«, sagte sie leise.

Ah. Das also hatte sie die ganze Zeit sagen wollen. Er zuckte mit den Schultern. »Du könntest ihn auf eine Kette fädeln und dir um den Hals hängen.«

Sie nestelte an der fadenscheinigen Bettdecke herum. »Das könnte ich wohl tun.«

»Du könntest ihn für deine Kinder aufbewahren.«

Deine Kinder, hatte er gesagt, wie ihm sofort bewusst wurde. Nicht *unsere* Kinder.

Hatte sie diesen Versprecher bemerkt? Er glaubte nicht. Ihre Miene hatte sich nicht geändert. Sie sah immer noch bleich und benommen aus und genauso, wie man es von einer Frau erwarten würde, die soeben vom Tod ihres geliebten Bruders erfahren hatte.

Welche Lügen Cecilia auch erzählt haben mochte, ihre Zuneigung zu Thomas war nicht ausgedacht. Die war echt, das wusste er.

Plötzlich kam er sich wie ein ausgemachter Schuft vor. Sie trauerte. Sie litt *Schmerzen*.

Er hätte sie gern gehasst. Und vielleicht würde er das irgendwann auch. Aber jetzt konnte er nichts anderes tun als zu versuchen, ihr den Schmerz zu nehmen.

Mit einem zutiefst erschöpften Seufzen ging er zum Bett und setzte sich neben sie. »Tut mir leid«, sagte er und legte ihr den Arm um die Schultern.

Sie entspannte sich nicht sofort. Sie war steif vor Kummer und vermutlich auch vor Verwirrung. Er hatte sich nicht als der liebende Ehemann erwiesen, als der er sich bisher doch weiß Gott gezeigt hatte – bis zu seinem Treffen mit Colonel Stubbs an diesem Morgen.

Er versuchte sich auszumalen, was passiert wäre, wenn die Nachricht von Thomas' Tod nicht einhergegangen wäre mit der Entlarvung von Cecilias Lügen.

Was hätte er getan? Wie hätte er reagiert?

Er hätte seinen eigenen Schmerz hintangestellt.

Er hätte sie getröstet, beruhigt.

Er hätte sie gehalten, bis sie eingeschlafen wäre, bis sie keine Tränen mehr gehabt hätte, und dann hätte er ihr einen sanften Kuss auf die Stirn gehaucht und sie zugedeckt.

»Wie kann ich dir helfen?«, fragte er rau. Es bedurfte all seiner Kraft, diese Worte auszusprechen, und gleichzeitig war es das Einzige, was er zu sagen hatte.

»Ich weiß nicht.« Ihre Stimme war gedämpft, sie hatte das Gesicht an seine Schulter gelegt. »Kannst du einfach … hierbleiben? Neben mir sitzen bleiben?«

Er nickte. Das konnte er tun. Irgendwo tief im Herzen tat es ihm weh, aber er konnte es tun.

So saßen sie stundenlang. Edward ließ ein Tablett mit dem Abendessen heraufkommen, doch sie rührten es beide nicht an. Er ging aus dem Zimmer, damit sie sich für die Nacht umziehen konnte, und sie drehte das Gesicht zur Wand, als er dasselbe tat.

Es war, als hätte es ihre eine Nacht der Leidenschaft nie gegeben.

All das Feuer, all das Staunen … es war weg.

Plötzlich dachte er daran, wie sehr er es hasste, die Zimmertür zu öffnen und dass er nie auf das helle Licht gefasst zu sein schien.

Was für ein Dummkopf er doch gewesen war. Was für ein verdammter Dummkopf.

18. KAPITEL

Der Brief ist für Euch beide. Ich bin so froh, dass Ihr einander habt. Die Welt ist ein freundlicherer Ort, wenn man seine Lasten miteinander teilen kann.
– CECILIA HARCOURT AN THOMAS HARCOURT UND EDWARD ROKESBY

Am nächsten Morgen wachte Edward als Erster auf.

Er wachte immer als Erster auf, aber bisher war er nie so dankbar dafür gewesen wie jetzt. Es war bereits hell, aber noch nicht ganz, wenn man nach dem Licht ging, das am Rand der Vorhänge ins Zimmer fiel. Draußen erwachte New York bereits zum Leben, doch die Alltagsgeräusche waren erst noch vereinzelt und gedämpft zu hören. Ein Karren fuhr knarrend vorbei, ein Hahn krähte. Hin und wieder war ein lauter Gruß zu hören.

Es reichte, um die dicken Wände des Gasthofs zu durchdringen, war aber nicht genug, um jemanden zu wecken, der so tief schlief wie Cecilia.

Den größten Teil seines Lebens hatte Edward den relativ menschenleeren frühen Morgen dafür genutzt, um aufzustehen und sein Tagwerk in Angriff zu nehmen. Er hatte es immer bemerkenswert gefunden, wie viel mehr man schaffen konnte, wenn nicht so viele andere Menschen um einen herum waren.

Doch in letzter Zeit – oder um genauer zu sein, in der kurzen Zeit, seit Cecilia in sein Leben getreten war – nutzte er die frühmorgendliche Ruhe, um seine Gedanken zu ordnen. Es half, dass das Bett so bequem war. Und warm.

Und dass Cecilia bei ihm war.

Nachts rollte sie zu ihm herüber, und er liebte es, ihre weiche Nähe ein paar Minuten zu genießen, ehe er leise aus dem Bett schlüpfte und sich anzog. Manchmal hatte sie ihm nachts den Arm über die Brust und die Schultern gelegt, manchmal hatte sie ihren Fuß an seine Wade gepresst.

Aber er stand immer auf, bevor sie erwachte. Über den Grund war er sich nicht ganz im Klaren. Vielleicht wollte er nicht, dass sie erfuhr, wie sehr er ihre Nähe genoss. Vielleicht wollte er nicht einräumen, wie viel Frieden er in diesen gestohlenen Augenblicken fand.

Und dann war da der gestrige Tag gewesen, an dem er so darauf gebrannt hatte, aufzustehen und in die Bäckerei zu stürmen, um ihr ein paar Leckerbissen zu kaufen.

Das hatte ja wirklich gut funktioniert.

An diesem Morgen lag sie an ihn gekuschelt, ihr Gesicht in der Nähe seiner Brust an ihn geschmiegt. Er hatte den Arm um sie gelegt und hielt sie fest. Sie war ihm so nah, dass er ihren Atem auf seiner Haut spürte.

Im Schlaf hatte er ihr das Haar gestreichelt.

Er hielt inne, als er bemerkte, was er getan hatte, doch er löste sich nicht von ihr. Er brachte es einfach nicht fertig. Wenn er vollkommen still lag, konnte er sich beinahe einreden, dass der Tag davor nicht passiert war. Wenn er die Augen nicht öffnete, konnte er so tun, als wäre Thomas noch am Leben. Und seine Ehe mit Cecilia … real. Sie gehörte in seine Arme, es war richtig, dass der zarte Duft ihres Haares ihn in der Nase kitzelte. Wenn er sie herumrollte und Trost fand in ihrem Leib, dann wäre das nicht nur sein gutes Recht, sondern auch ein Segen und ein Sakrament.

Stattdessen war er der Mann, der eine unschuldige junge Dame verführt hatte.

Und sie war die Frau, die ihm das aufgebürdet hatte.

Er hätte sie gern gehasst. Manchmal glaubte er, dass er es tat. Meist war er sich nicht sicher.

Cecilia neben ihm begann sich zu rühren. »Edward?«, flüsterte sie. »Bist du wach?«

War es eine Lüge, wenn er so tat, als schliefe er? Vermutlich. Aber im Buch der jüngsten Unwahrheiten spielte sie keine große Rolle.

Er entschied sich nicht bewusst dafür, so zu tun, als schliefe er noch. So berechnend war er nicht. Aber als ihr Geflüster über sein Ohr strich, erwachte eine gewisse Erbitterung in ihm, und er wollte ihr nicht antworten.

Er wollte einfach nicht.

Und nachdem sie einen leisen Ton der Überraschung ausgestoßen hatte und sich etwas aufrechter hinsetzte, begann er ein seltsames Gefühl von Macht zu verspüren. Sie glaubte, er schliefe noch.

Sie glaubte etwas von ihm, das nicht stimmte.

Es war dasselbe, was sie ihm angetan hatte, wenn auch in weitaus kleinerem Maßstab. Sie hatte die Wahrheit zurückgehalten und war dadurch in Besitz der Macht gelangt.

Vielleicht verspürte er auch Rachegelüste. Vielleicht hatte er das Gefühl, dass ihm Unrecht geschehen war. An seiner Reaktion war nichts sonderlich Edles, aber es gefiel ihm, sie hinters Licht zu führen, genau wie sie ihn hinters Licht geführt hatte.

»Was mache ich nur?«, hörte er sie murmeln. Sie drehte sich auf die Seite, weg von ihm. Doch ihr Körper war ihm immer noch nahe.

Und er begehrte sie immer noch.

Was würde passieren, wenn er ihr nicht erzählte, dass er das Gedächtnis wiedererlangt hatte? Irgendwann würde er die Wahrheit offenbaren müssen, aber es gab keinen Grund, warum das sofort sein sollte. Die meisten seiner Erinnerungen hatten ohnehin nichts mit ihr zu tun. Da war die Reise nach Connecticut, hoch zu Pferd in einem elend kalten Regen. Der Schreckensmoment, als ihn ein Farmer namens McClellan dabei ertappt hatte, wie er in Norwalk am Ufer herumschlich. Edward griff nach seiner Waffe, doch als dann aus den Schatten noch zwei Männer – McClellans Söhne, wie sich herausstellte – auftauchten, erkannte er schnell, dass Widerstand zwecklos war. Mit einer Flinte und einer Mistgabel im Nacken führte man ihn in die Scheune der McClellans und fesselte ihn dort, um ihn wochenlang festzuhalten.

Dort stieß er dann auf die Katze – die, von der er Cecilia erzählt hatte, dass er sich an sie erinnere. Die schmuddelige kleine Mieze war an etwa dreiundzwanzig Stunden jeden Tag seine einzige Gefährtin. Das arme Ding war gezwungen, sich Edwards komplette Lebensgeschichte anzuhören.

Immer wieder.

Doch die Katze fand anscheinend Gefallen an Edwards Erzählkünsten, denn sie revanchierte sich mit Unmengen toter Vögel und Mäuse. Edward versuchte die Geschenke in dem Geist entgegenzunehmen, in dem sie gemacht wurden, und wartete immer ab, bis die kleine Fellnase einmal nicht hinsah, bevor er die toten Tiere zum Scheunentor kickte.

Dass Farmer McClellan auf nicht weniger als sechs zerfleischte Nager trat, war ein zusätzlicher Bonus. Für einen Mann, der den ganzen Tag mit Tieren arbeitete, erwies er sich als erstaunlich zimperlich. Das Gejaule und Geschrei, das er ausstieß, wenn die winzigen Knöchelchen unter seinen Stiefeln zerbarsten, gehörte zu Edwards wenigen Quellen der Erheiterung.

Doch McClellan machte sich nicht die Mühe, oft in der Scheune nach ihm zu sehen. Edward hatte nie herausbekommen, was er eigentlich von ihm gewollt hatte. Vermutlich Lösegeld. McClellan und seine Söhne schienen Washingtons Sache nicht sonderlich ergeben zu sein. Königstreue waren sie noch viel weniger.

Der Krieg ließ die Menschen mitunter gewinnsüchtig werden, vor allem, wenn sie schon vorher gierig gewesen waren.

Am Ende war es McClellans Frau, die Edward gehen ließ. Nicht etwa, weil sie Edwards Charme nicht widerstehen konnte, obwohl er sich große Mühe gab, sich gegenüber den Frauen der Familie höflich und ritterlich zu erweisen. Nein, Mrs. McClellan sagte ihm, sie habe es satt, das ganze Essen mit ihm zu teilen. Sie hatte neun Kinder zur Welt gebracht, von denen kein einziges sich die Mühe gemacht hatte, jung zu sterben. Sie hatten zu viele Mäuler zu stopfen.

Edward wies sie nicht darauf hin, dass während seines Aufenthalts nicht allzu viel für ihn abgefallen war. Nicht wenn sie die Seile löste, die um seine Knöchel gebunden waren.

»Warten Sie mit dem Aufbruch, bis es dunkel ist«, riet sie ihm. »Und halten Sie sich dann Richtung Osten. Die Jungs sind dann alle im Ort.«

Sie sagte ihm nicht, warum sich alle im Ort versammelten, und er fragte nicht nach. Er hielt sich an ihre Anweisungen und wandte sich nach Osten, obwohl er eigentlich genau die entgegengesetzte Richtung hätte einschlagen müssen. Er reiste zu Fuß und bei Nacht, und so war er eine ganze Woche unterwegs gewesen. Er hatte den Long Island Sound überquert und sich ohne Zwischenfall nach Williamsburg begeben. Und dann ...

Edward runzelte die Stirn, bis ihm wieder einfiel, dass er ja so tat, als schliefe er. Doch Cecilia hatte nichts bemerkt, sie lag immer noch mit dem Rücken zu ihm.

Was war in Williamsburg bloß geschehen? Da war seine Erinnerung immer noch verschwommen. Er hatte seinen Rock einem Fischer gegeben, der ihn dafür über den Fluss hatte bringen wollen. Er war ins Boot gestiegen ...

Der Fischer hatte ihm wohl eins über den Schädel gezogen. Edward wusste nicht recht, warum. Er hatte nichts, was zu stehlen sich gelohnt hätte.

Nicht mal mehr einen Rock.

Vermutlich sollte er dankbar sein, dass man ihn am Ufer von Kips Bay liegen gelassen hatte. Der Fischer hätte ihn auch ganz einfach über den Bootsrand in ein nasses Grab werfen können. Niemand hätte je erfahren, was ihm aus ihm geworden war.

Er fragte sich, wie lang seine Familie wohl gewartet hätte, bis sie ihn für tot hätte erklären lassen.

Dann schalt er sich für seine morbiden Gedanken. Er war am Leben. Er sollte glücklich sein.

Das bin ich auch, entschied er. Nur nicht an diesem Morgen. Das hatte er sich verdient.

»Edward?«

Verdammt. Seine Miene musste seine gewundenen Gedankengänge wohl widergespiegelt haben. Er öffnete die Augen.

»Guten Morgen«, sagte Cecilia. Doch in ihrem Ton lag etwas Zurückhaltendes. Es war keine Schüchternheit, zumindest glaubte er das nicht. Vermutlich stand zu erwarten, dass sie jetzt, da sie miteinander geschlafen hatten, ein wenig verlegen und befangen war. Eigentlich hätte sie am Morgen davor verlegen und befangen sein müssen. Vermutlich wäre sie das auch gewesen, wenn er nicht das Zimmer verlassen hätte, bevor sie aufgewacht war.

»Du hast noch geschlafen«, fuhr sie fort. Sie lächelte, allerdings nur ein bisschen. »Du wachst sonst nie nach mir auf.«

Er zuckte mit den Schultern. »Ich war müde.«

»Kein Wunder«, sagte sie leise. Sie senkte den Blick, wandte ihn dann ab, seufzte und sagte: »Ich sollte jetzt aufstehen.«

»Warum?«

Sie blinzelte ein paarmal verschreckt und sagte dann: »Ich habe einiges zu erledigen.«

»Wirklich?«

»Ich …« Sie schluckte. »Ich muss. Ich kann es nicht … nicht tun.«

Aber was hatte sie denn zu tun, jetzt, da sie nicht mehr nach Thomas suchte? Sie war doch nur seinetwegen nach New York gekommen.

Edward wartete, und es tat ihm im Herzen weh zu sehen, wie sich Bestürzung in ihrem Mienenspiel zeigte, als sie erkannte, dass all die Dinge, die sie unternommen hatte, all die Besorgungen und Aufgaben – dass alles nur dem Ziel gedient hatte, ihren Bruder zu finden.

Und dieses Ziel war nun weggefallen.

Aber, sagte Edward sich, sie hat auch viel Zeit damit zugebracht, sich um mich zu kümmern. Was für Missetaten sie auch begangen hatte, sie hatte ihn treu umsorgt, sowohl ihm Lazarett als auch außerhalb.

Vermutlich verdankte er ihr sein Leben.

Er konnte sie nicht hassen. Er hätte es allerdings gern getan.

Cecilia runzelte die Stirn. »Alles in Ordnung?«

»Warum fragst du?«

»Ich weiß nicht. Dein Gesichtsausdruck war irgendwie seltsam.«

Das bezweifelte er nicht.

Sobald klar war, dass er sich nicht weiter äußern würde, gab Cecilia einen leisen Seufzer von sich. »Ich sollte trotzdem aufstehen. Auch wenn ich nichts zu tun habe.«

Nicht nichts, dachte er.

Sie lagen im Bett. Im Bett konnte man eine ganze Menge tun.

»Ich könnte dich beschäftigen«, murmelte er.

»Was?«

Bevor sie noch ein weiteres Wort herausbringen konnte, beugte er sich über sie und küsste sie.

Er hatte nicht darüber nachgedacht. Wenn er kurz innegehalten und darüber nachgedacht *hätte*, hätte er sich vermutlich entschieden, es nicht zu tun. Dieser Weg konnte nur in den Wahnsinn führen, und im Moment fühlte es sich so an, als wäre seine geistige Gesundheit das Einzige, was ihm geblieben war.

Er küsste sie, weil in diesem Augenblick all seine Sinne danach schrien. Irgendein primitiver Teil seiner selbst glaubte immer noch, dass sie seine Frau war und er sie auf diese Weise berühren durfte.

Sie hatte ihm gesagt, sie seien verheiratet. Sie hatte ihm gesagt, er habe das Ehegelübde abgelegt.

Edward hatte an genug Hochzeiten teilgenommen, um die formelle Vollziehung der Eheschließung auswendig zu kennen. Er wusste, was er gesagt hätte.

Mit meinem Leib will ich dir huldigen.

Er wollte ihr huldigen.

Er wollte ihr so verdammt huldigen.

Er umfasste ihren Hinterkopf und zog sie an sich.

Sie ließ es geschehen. Sie versuchte nicht, sich ihm zu entziehen. Stattdessen legte sie die Arme um ihn und erwiderte den Kuss. Sie weiß, dass wir nicht verheiratet sind, dachte er zornig. Doch sie erwiderte seine Liebkosungen mit derselben Leidenschaft, die er empfand. Ihre Lippen hießen ihn willkommen, und sie stöhnte vor Lust, als sie den Rücken durchbog, um sich noch fester an ihn zu drücken.

Der Funken, der in ihm gezündet hatte, geriet außer Kontrolle. Er schob sich über sie, er übersäte ihren Hals mit unzähligen Küssen, bis er den Ausschnitt ihres grässlichen Nachthemds erreicht hatte.

Am liebsten hätte er ihr das verdammte Ding mit den Zähnen vom Leib gerissen.

»Edward!«, rief sie keuchend, und alles, was er denken konnte, war, dass sie ihm gehörte. Sie hatte es selbst gesagt, und wer war er, es zu leugnen?

Er wollte sie in seiner Gewalt, als Sklavin seiner Leidenschaft.

Er schob den Saum ihres Nachthemds nach oben und knurrte befriedigt, als sie die Beine für ihn spreizte. Er mochte ja brutal sein, aber als sein Mund durch die dünne Baumwolle ihres Nachtgewands ihre Brustspitzen fand, krallte sie sich so hart in seine Schultern, dass er blaue Flecken davontragen würde. Und die Geräusche, die sie von sich gab …

Es waren die Geräusche einer Frau, die mehr wollte.

»Bitte«, flehte sie.

»Was willst du?« Er sah auf. Lächelte ein teuflisches Lächeln.

Sie sah ihn verwirrt an. »Das weißt du doch.«

Langsam schüttelte er den Kopf. »Du musst es sagen.« Er trug noch Unterwäsche, doch als er sich gegen sie drängte, wusste er, dass sie sein Begehren spüren konnte. »Sag es«, verlangte er.

Ihr Gesicht rötete sich, und dies nicht nur vor Leidenschaft, wie er wusste. »Ich will dich«, entgegnete sie eindringlich. »Das weißt du. Du weißt es doch.«

»Nun denn«, meinte er schleppend, »sollst du mich bekommen.«

Er zerrte ihr das Nachthemd über den Kopf, sodass sie nackt im Morgenlicht dalag. Einen Augenblick vergaß er, was geschehen war. Sein Zorn … sein Begehren … das alles schien sich angesichts ihrer Schönheit aufzulösen. Er konnte sie nur ansehen und ihre Vollkommenheit in sich aufsaugen.

»Du bist so schön«, raunte er. Seine Küsse wurden weich – waren immer noch verzweifelt, aber ohne den Zorn, der ihn eben noch befeuert hatte. Er kostete ihre Haut, ihre salzigsüße Essenz, während er sich über ihre Schulter und über ihre Brust nach unten bewegte.

Er wollte sie ganz. Er wollte sich verlieren.

Nein, er wollte, dass sie es tat. Er wollte sie an die Schwelle unerträglicher Lust führen und dann in deren Abgrund stürzen.

Er wollte, dass sie darüber vergaß, wie sie hieß.

Mit der Handfläche strich er ihr über die Brustspitzen, entzückt, als sie sich vor Begierde verhärteten, aber er hörte dort nicht auf. Er ließ seine Lippen weiter abwärtswandern, über ihre Rippen, ihren Bauch und den sanft hervorstehenden Hüftknochen.

»Edward?«

Er ignorierte sie. Er wusste, was er tat. Er wusste, dass es ihr gefallen würde.

Und er wusste, dass er sterben würde, wenn er nicht von ihr kosten würde.

Keuchend, drängend, sagte sie noch einmal seinen Namen. »Was machst du da?«

»Shhh …«, machte er und spreizte ihre Schenkel mit seinen großen Händen noch weiter auseinander. Sie wand sich, schob sich näher an sein Gesicht. Ihr Körper schien zu wissen, was er wollte, selbst wenn sein Vorhaben sie in Aufruhr versetzte.

»Du kannst mich dort nicht ansehen!«, rief sie.

Er küsste sie direkt unter dem Nabel, nur weil er wusste, dass es sie durcheinanderbringen würde. »Du bist schön.«

»Aber doch nicht dort!«

»Da bin ich anderer Ansicht.« Er strich über die seidigen Löckchen, näherte sich ihrer Weiblichkeit, teilte sie, bis sie seinem Blick offen preisgegeben war. Dann blies er sanft über ihre zarte Haut.

Cecilia stieß einen leisen Lustschrei aus.

Er beschrieb mit einem Finger einen Kreis auf ihrer Haut. »Gefällt dir das?«

»Ich weiß nicht.«

»Lass mich noch etwas ausprobieren«, murmelte er, »dann kannst du entscheiden.«

»Ich weiß nicht – oh …«

Er lächelte. Direkt über ihrer kleinen, aber umso empfindlicheren Perle. Dort, wo er sie eben geleckt hatte. »Gefällt dir das?«, fragte er noch einmal.

Er leckte sie noch einmal, diesmal mit breiterem, gierigem Strich. Er grinste vor Befriedigung, als sie sich ihm entgegenbog. »Du musst stillhalten«, sagte er heiser. Er wusste, dass er sie quälte. »Wenn du das hier richtig erleben willst.«

»Ich kann nicht«, erwiderte sie keuchend.

»Ich glaube doch.« Hilfsbereit wie immer, legte er ihr die Hände um die Taille, um den Druck zu erhöhen und sie festzuhalten.

Dann küsste er sie. Er küsste sie, wie er sie auf den Mund küsste, leidenschaftlich und tief. Er saugte sie in sich auf, und er kostete das Zittern und Beben ihres Körpers unter ihm aus. Sie war trunken von Leidenschaft.

Sie war trunken von ihm. Und er liebte es.

»Willst du das?«, raunte er und hob den Kopf, damit er ihr Gesicht sehen konnte. Und damit er sie quälen konnte. Nur ein bisschen.

»Ja!«, rief sie. »Ja! Hör nicht auf.«

Er ließ die Finger an die Stellen seiner Lippen treten, kitzelte sie, während er seine aufreizenden Worte sprach. »Wie sehr willst du es?«

Sie antwortete nicht, aber das war auch nicht nötig. Er sah die Verwirrung in ihrer Miene.

»Wie sehr, Cecilia?«, fragte er. Er küsste sie noch einmal, aber nur flüchtig, nur so lange, dass er einmal über ihre Knospe lecken konnte.

»So sehr!«, schrie sie fast.

Das war schon besser.

Er machte sich wieder an die Arbeit, huldigte ihr mit seinem Mund.

Er huldigte ihr verdammt viel.

Er küsste sie, bis sie unter ihm zerbarst, bis sie sich unter ihm aufbäumte, so heftig, dass sie ihn beinahe zur Seite gestoßen hätte. Wie rasend krallte sie sich in seinen Haaren fest, umklammerte ihn mit den Beinen wie in einem Schraubstock.

Sie hielt ihn fest, bis sie fertig war mit ihm, und er genoss jeden Augenblick. Als sie schließlich erschlaffte, schob er sich auf sie, stützte sich auf die Ellbogen und blickte auf sie hinunter. Sie hatte die Augen geschlossen, und sie zitterte in der Morgenluft.

»Ist dir kalt?«, fragte er leise. Sie nickte kaum merklich, und er bedeckte ihren schweißgebadeten Körper mit dem seinen.

Sie ließ den Kopf nach hinten fallen, als sie ihn auf sich spürte, als ob sein Gewicht der letzte Genuss wäre vor dem Vergessen. Er küsste sie auf den Hals, bewegte sich nach unten zu der Kuhle an ihrem Schlüsselbein. Sie schmeckte nach Begierde.

Ihrer Begierde.

Seiner auch.

Er griff zwischen sie, um sich seiner Unterwäsche zu entledigen. Es kam ihm vor wie ein Sakrileg, etwas zwischen ihnen zu haben, und sei es nur eine dünne Lage Leinen. Innerhalb weniger Augenblicke gesellte sich die Wäsche zu dem Nachthemd auf ihrer Seite des Betts, und danach ließ er sich wieder von ihrem warmen Leib umfangen.

Kurz hielt er inne, wartete ab, und dann glitt er in sie hinein, bis er zu Hause war.

Er vergaß alles um sich. Nichts existierte mehr als dieser Augenblick in diesem Bett. Er bewegte sich, ohne nachzudenken, folgte allein seiner Lust. Cecilia passte sich an seinen

Rhythmus an, ihre Hüften kamen ihm bei jedem Stoß entgegen. Die Lust baute sich auf, heftig und tief, und plötzlich zuckte sie zusammen und sagte aufgewühlt: »Warte!«

Er schreckte zurück, und so etwas wie Furcht durchzuckte ihn. »Habe ich dir wehgetan?«

Sie schüttelte den Kopf. »Nein, aber wir müssen aufhören. Ich ... ich darf nicht schwanger werden.«

Er starrte sie an, versuchte ihre Worte zu begreifen.

»Erinnerst du dich nicht?« Sie schluckte elend. »Wir haben darüber gesprochen.«

Er erinnerte sich. Allerdings hatte es damals eine komplett andere Bedeutung gehabt. Sie hatte gesagt, dass sie auf der Rückreise nach England nicht schwanger sein wolle. Und dass sie in New York kein Kind zur Welt bringen wolle.

In Wirklichkeit jedoch hatte sie gemeint, dass sie kein Baby bekommen *konnte*. Sie durfte sich das nicht erlauben. Nicht ohne Ehering.

Einen Augenblick spielte er mit dem Gedanken, ihre Bitte einfach abzulehnen. Er konnte sich in sie ergießen, versuchen, ein neues Leben zu schaffen.

Das würde diese Ehe real machen.

Aber dann wisperte sie: »Bitte.«

Er zog sich aus ihr zurück. Es widerstrebte ihm zutiefst, aber er tat es. Er rollte sich auf die Seite, fort von ihr, und konzentrierte all seine Energie darauf, einfach zu atmen.

»Edward?« Sie fasste ihn an der Schulter.

Er schüttelte sie ab. »Ich brauche ... ich brauche einen Augenblick.«

»Ja, natürlich.« Sie rückte von ihm ab. Ihre hektischen Bewegungen brachten die Matratze zum Schaukeln, bis er hörte, wie ihre Füße auf dem Boden landeten.

»Kann ich ... kann ich vielleicht irgendetwas tun?«, fragte sie zögernd. Ihr Blick fiel auf seine Männlichkeit, die immer noch unbarmherzig von seinem Körper aufragte. »Um zu helfen?«

Er dachte darüber nach.

»Edward?«

Ihr Atem durchbrach die Stille, und Edward war erstaunt, dass er sie über dem Hämmern seines Herzens überhaupt hatte hören können.

»Tut mir leid«, sagte sie.

»Entschuldige dich nicht«, herrschte er sie an. Er wollte es nicht hören. Er legte sich auf den Rücken und atmete tief durch. Er war so kurz davor gewesen, sich in ihr zu verströmen, und nun ...

Er fluchte.

»Vielleicht sollte ich lieber gehen«, sagte sie hastig.

»Das wäre vermutlich eine gute Idee.« Sein Ton war nicht sehr sanft, aber etwas Besseres brachte er nicht zustande. Möglicherweise würde er die Sache von Hand beenden müssen, und er war sich ziemlich sicher, dass dies ihr Zartgefühl verletzen würde.

Er konnte nicht fassen, dass ihm immer noch an ihrem Zartgefühl gelegen war.

Rasch zog sie sich an und schoss wie eine Pfeil aus dem Zimmer, doch mittlerweile war die Lage nicht mehr ganz so drängend, und es hätte nicht mehr viel gebracht, selbst Hand anzulegen.

Wenn er ehrlich war, hätte es sich vor allem erbärmlich angefühlt.

Er setzte sich auf und schwang die Beine über den Bettrand. Er stützte die Ellbogen auf die Knie und sein Kinn in die Hände. Sein Leben lang hatte er gewusst, was er tun sollte. Er war nicht perfekt, beileibe nicht. Aber Recht und Unrecht hatte er immer klar voneinander unterscheiden können.

Für ihn kam sein Vaterland vor der Familie.

Die Familie kam vor ihm selbst.

Und wohin hatte ihn das geführt? Er war mit einem Trugbild verheiratet.

Mit einem Geist.

Nein, er war *nicht* verheiratet. Er musste sich das merken. Er war nicht mit Cecilia Harcourt verheiratet. Was soeben passiert war …

In einem hatte sie recht. Es durfte nicht noch einmal geschehen. Zumindest nicht, ehe sie wirklich verheiratet waren.

Er *würde* sie heiraten. Dazu war er verpflichtet, wenigstens sagte er sich das. Den Winkel seines Herzens, der sie heiraten *wollte*, wollte er lieber nicht so genau in Augenschein nehmen. Es war derselbe Winkel, der so unglaublich froh gewesen war, mit ihr verheiratet zu *sein*.

Dieser kleine Winkel seines Herzens … Er war leichtgläubig, viel zu vertrauensselig. In seine Urteilskraft hatte er nicht allzu viel Vertrauen, vor allem, da eine andere leise Stimme ihm riet, sich Zeit zu lassen.

Sie ein paar Tage zappeln zu lassen.

Ein gereizter Schrei entrang sich ihm, und er raufte sich die Haare. Dies war keine Glanzstunde für ihn.

Mit einem weiteren Stöhnen wuchtete er sich hoch und stand auf, ging zum Schrank und holte seine Kleider heraus. Im Gegensatz zu Cecilia hatte er an diesem Tag tatsächlich zu tun.

Als Erstes stand auf seiner Liste ein Besuch bei Colonel Stubbs. Edward glaubte zwar nicht, dass er viel über die

Häfen in Connecticut in Erfahrung gebracht hatte, doch er war durch und durch Soldat, und es war seine Pflicht zu berichten, was er wusste. Ganz zu schweigen davon, dass er dem Colonel sagen musste, wo er so lange gesteckt hatte. Gefesselt in einer Scheune mit einer Katze als Gesellschaft war zwar nicht sonderlich heroisch, aber es war auch weit entfernt von Verrat.

Außerdem war da die Sache mit Thomas' Besitztümern. Seine Truhe war zusammen mit Edwards gelagert worden, als sie beide nach Connecticut aufgebrochen waren. Jetzt, da er offiziell für tot erklärt worden war, sollten die Sachen an Cecilia übergeben werden.

Edward fragte sich, ob die Miniatur wohl dabei wäre.

Ihm knurrte der Magen und erinnerte ihn daran, dass er beinahe einen Tag nichts mehr gegessen hatte. Cecilia hatte vermutlich Frühstück bestellt, mit etwas Glück war es noch warm und wartete auf ihn, wenn er nach unten in den Speiseraum ging.

Erst das Essen, dann Colonel Stubbs. Das war gut, dem Tag Struktur zu verleihen. Da er nun wusste, was zu tun war, fühlte er sich wieder etwas mehr wie er selbst.

Zumindest für diesen Tag.

19. KAPITEL

Endlich sehen wir die ersten Anzeichen des Frühlings, und ich bin dankbar. Bitte gib Captain Rokesby einen dieser Krokusse ab. Ich hoffe, dass ich sie richtig gepresst habe. Ich dachte, Ihr beide würdet Euch über ein kleines Stück England freuen.

– CECILIA HARCOURT AN IHREN BRUDER THOMAS

Später an diesem Morgen unternahm Cecilia einen Spaziergang zum Hafen. Edward hatte ihr beim Frühstück gesagt, dass er mit Colonel Stubbs verabredet sei und nicht wisse, wie lange das Treffen dauern werde. Sie war sich selbst überlassen, möglicherweise für den Rest des Tages. Sie war zurück auf ihr Zimmer gegangen in der Absicht, den Gedichtband zu lesen, durch den sie sich die ganze letzte Woche durchgearbeitet hatte.

Das Zimmer fühlte sich zu eng an, die Wände zu nah, und jedes Mal, wenn sie versuchte, sich auf die gedruckten Worte auf der Seite zu konzentrieren, füllten sich ihre Augen mit Tränen.

Sie fühlte sich wund.

Aus so vielen Gründen.

Und so entschied sie, dass jetzt ein Spaziergang angebracht war. Die frische Luft würde ihr guttun, und die Wahrscheinlichkeit, dass sie spontan in Tränen ausbrechen würde, wenn ihr dabei andere Leute zusahen, war deutlich geringer.

Tagesziel: nicht in der Öffentlichkeit weinen.

Das erschien ihr machbar.

Das Wetter war herrlich, nicht zu heiß, vom Wasser kam eine leichte Brise. Die Luft roch nach Salz und Tang, was eine angenehme Überraschung war, wenn man daran dachte, wie oft der Wind den Gestank der Gefängnisschiffe herantrug, die nur ein Stück vor der Küste ankerten.

Cecilia war lang genug in New York, um ein wenig über die Abläufe im Hafen gelernt zu haben. Beinahe täglich trafen Schiffe ein, beförderten jedoch nur sehr selten Zivilpersonen. Es handelte sich größtenteils um Handelsschiffe, die dringend benötigten Nachschub für die britische Armee lieferten. Ein paar von ihnen waren darauf eingerichtet, zahlende Passagiere mitzunehmen: Auf diesem Weg war Cecilia von Liverpool herübergekommen. Der Hauptzweck der Lady Miranda hatte darin bestanden, den in New York stationierten Soldaten Proviant und Waffen zu liefern. Aber das Schiff hatte auch Raum für vierzehn Passagiere geboten. Es verstand sich von selbst, dass Cecilia die meisten auf der fünfwöchigen Überfahrt recht gut kennengelernt hatte. Sie hatten wenig gemeinsam, außer dass sie sich alle auf eine gefährliche Reise über einen launischen Ozean in die umkämpfte Küstenregion eines Kontinents im Krieg begeben hatten.

Mit anderen Worten: Sie waren alle vollkommen verrückt.

Beinahe hätte ihr das ein Lächeln entlockt. Sie konnte immer noch nicht ganz fassen, dass sie den Mumm besessen hatte, die Überfahrt zu machen. Sicher, der Mut der Verzweiflung hatte sie angetrieben, und sie hatte nicht viele Möglichkeiten gehabt, aber trotzdem …

War sie stolz auf sich. Zumindest deswegen.

An diesem Tag lagen mehrere Schiffe im Hafen, auch eines, von dem Cecilia gehört hatte, dass es zur selben Flotte gehörte wie die Lady Miranda. Rhiannon hieß es, und es war von Cork in Irland nach New York gesegelt. Die Frau eines der Offiziere, der im Devil's Head zu Abend aß, hatte damit übergesetzt. Cecilia war ihr noch nicht persönlich begegnet, doch ihre Ankunft in der Stadt hatte Anlass zu viel Klatsch und Fröhlichkeit geboten. Bei all den Geschichten, die jeden Abend im Speiseraum die Runde machten, wäre es schier unmöglich gewesen, es *nicht* mitbekommen zu haben.

Sie ging näher zu den Hafenanlagen, ließ sich dabei von den hohen Masten der Rhiannon leiten. Sie kannte den Weg natürlich, doch es fühlte sich beinahe drollig an, diesem primitiven Navigationssystem zu folgen. Wie lang lag die Rhiannon schon vor New York? Noch keine Woche, wenn sie sich recht entsann, was bedeutete, dass das Schiff sicher noch ein paar Tage vor Anker liegen würde, bevor es sich auf die Rückreise machte. Der Laderaum würde geleert werden müssen und dann mit neuer Fracht beladen. Ganz zu schweigen von den Matrosen, die nach der langen Fahrt sicher ein paar Tage Landgang verdient hatten.

Als Cecilia im Hafen ankam, schien sich die Welt vor ihr wie eine Frühlingsblume zu entfalten. Helles Mittagslicht strömte herab, ohne von den drei- und vierstöckigen Gebäuden daran gehindert zu werden, welche der Sonne sonst den Weg versperrten. Das Wasser hatte etwas an sich, das die Welt endlos wirken ließ, selbst wenn die Hafenanlagen sich nicht direkt am offenen Meer befanden. Brooklyn war in der Ferne deutlich zu erkennen, und Cecilia wusste, wie rasch ein

Schiff durch die Bucht und hinaus aufs offene Meer navigieren konnte.

Der Anblick gefiel ihr, selbst wenn sich das Bild, das sich ihr darbot, zu sehr von ihrem Zuhause unterschied, um sich auf Dauer in ihr Herz zu brennen. Doch sie betrachtete die Szenerie mit einem Lächeln, vor allem die Art, wie das Wasser in schaumgekrönten Wellen heranpreschte und ungeduldig gegen die Hafenmauer klatschte.

Das Meer hier war grau, doch draußen am Horizont zeigte es sich in einem tiefen, endlosen Blau. An manchen Tagen – den stürmischen – wirkte es sogar grün.

Noch eine kleine Tatsache, die sie nicht gewusst hätte, wenn sie nicht aus ihrem sicheren Zuhause in Derbyshire aufgebrochen wäre. Sie war froh, dass sie hergekommen war. Wirklich. Sie würde mit gebrochenem Herzen abreisen – aus mehr als einem Grund –, aber es war die Sache wert gewesen. Sie war ein besserer Mensch – nein, sie war ein *stärkerer* Mensch geworden.

Ein besserer Mensch hätte nicht so lange gelogen.

Trotzdem war es gut gewesen, dass sie hergekommen war. Für sie, vielleicht sogar für Edward. Zwei Tage bevor er erwacht war, war seine Temperatur gefährlich angestiegen. Sie war die ganze Nacht an seiner Seite geblieben und hatte ihn mit feuchten Tüchern gekühlt. Sie würde nie erfahren, ob sie ihm damit tatsächlich das Leben gerettet hatte, aber wenn, dann hätte das alles aufgewogen.

An diese Vorstellung musste sie sich halten. Sie würde ihr für den Rest ihres Lebens Gesellschaft leisten.

In diesem Augenblick erkannte sie, dass sie in Gedanken bereits im Aufbruch begriffen war. Sie blickte auf ihre Taille. Es war möglich, dass sie schwanger war, noch hatte sie keinen Beweis des Gegenteils. Aber es war unwahrscheinlich, und sie wusste, dass sie die Reise jetzt schon vorbereiten musste.

Daher auch der Ausflug zum Hafen. Sie hatte nicht bewusst darüber nachgedacht, warum ihre Schritte sie ans Wasser geführt hatten, aber als sie nun zwei Schauermänner dabei beobachtete, wie sie Kisten in den Frachtraum der Rhiannon luden, wurde ihr klar, dass sie gekommen war, um Erkundigungen einzuziehen.

Was sie allerdings tun würde, wenn sie daheim angekommen war … Nun, in ihrer Schiffskabine würde sie genug Zeit haben, sich darüber Gedanken zu machen.

»Sir!«, rief sie dem Mann zu, der die Ladung dirigierte. »Wann legen Sie ab?«

Der Mann hob die buschigen Brauen, nickte zum Schiff hinüber und antwortete: »Meinen Sie die Rhiannon?«

»Ja. Fahren Sie nach Großbritannien zurück?« Sie wusste, dass viele Schiffe einen Umweg über die Westindischen Inseln machten, allerdings meist auf dem Weg *nach* Nordamerika.

»Nach Irland«, bestätigte er. »Cork. Wir legen Freitagabend ab, wenn sich das Wetter hält.«

»Freitag«, murmelte sie. Bis dahin waren es nur noch wenige Tage. »Nehmen Sie Passagiere mit?«, fragte sie, auch wenn sie wusste, dass sie es auf der Reise gen Westen getan hatten.

»Ja«, entgegnete er mit einem knappen Nicken. »Brauchen Sie einen Platz?«

»Vielleicht.«

Das schien ihn zu amüsieren. »Vielleicht? Sollten Sie das nicht inzwischen wissen?«

Cecilia ließ sich nicht zu einer Antwort herab. Stattdessen setzte sie einen kühlen Blick auf – von der Art, wie sie sie für die Gattin des Sohnes eines Earls einmal für standesgemäß gehalten hatte – und wartete, bis der Mann zu einem anderen Mann weiter oben am Uferdamm hinübernickte. »Fragen Sie Timmins. Er wird wissen, ob wir noch einen Platz frei haben.«

»Danke«, meinte Cecilia und ging zu zwei Männern, die in der Nähe des Schiffsbugs standen. Einer hatte die Hände in die Hüfte gestemmt, während der andere zum Anker deutete. Ihre Haltung deutete nicht darauf hin, dass ihr Gespräch dringend war, und so ging Cecilia auf sie zu und rief: »Bitte um Verzeihung, meine Herren. Ist einer von Ihnen Mr. Timmins?«

Derjenige, der auf den Anker gedeutet hatte, zog den Hut. »Ich bin Mr. Timmins, Madam. Wie kann ich Ihnen helfen?«

»Der Herr dort drüben …«, sie wies zurück zu der Stelle, von der aus das Schiff beladen wurde, »… sagte, dass Sie vielleicht noch Platz für einen Passagier hätten.«

»Weiblich oder männlich?«, fragte er.

»Weiblich.« Sie schluckte. »Für mich.«

Er nickte. Cecilia entschied, dass sie ihn mochte. Seine Augen wirkten ehrlich.

»Wir haben noch Platz für eine Frau«, sagte er zu ihr. »Es wäre in einer Zwei-Bett-Kabine.«

»Natürlich«, erwiderte sie. Vermutlich hätte sie sich eine Einzelkabine ohnehin nicht leisten können. Selbst eine Zweierkabine war bestimmt nicht ganz billig, aber sie hatte sorgfältig darauf geachtet, so viel von ihrem Geld übrig zu behalten, dass sie die Heimreise bezahlen konnte. Das war ihr nicht leichtgefallen; sie hatte kaum genug zum Leben gehabt, bevor

Edward aufgewacht war. So hungrig war sie in ihrem ganzen Leben noch nicht gewesen, aber sie hatte sich mit einer Mahlzeit am Tag begnügt.

»Dürfte ich den Preis erfahren, Sir?«, fragte sie.

Er nannte ihn ihr, und ihr sank der Mut. Oder vielleicht jubelte auch ihr Herz. Denn der Preis für die Überfahrt war beinahe eineinhalb mal so viel wie das, was sie für die Hinreise nach New York bezahlt hatte. Und es war mehr, als sie gespart hatte. Sie wusste nicht, warum es teurer war, nach Osten zu segeln als nach Westen. Wahrscheinlich verlangten die Schiffe mehr, weil sie es konnten. Die Menschen in New York waren königstreu; Cecilia stellte sich vor, dass die Passagiere New York lieber den Rücken kehrten, als dort anzukommen.

Aber es spielte keine Rolle, denn sie hatte nicht genug Geld.

»Möchten Sie die Überfahrt buchen?«, fragte Mr. Timmins.

»Ähm, nein«, antwortete sie. »Jedenfalls noch nicht.«

Aber vielleicht mit dem nächsten Schiff. Wenn sie jedes Mal etwas von dem Geld abzweigte, das Edward ihr zum Einkaufen gab …

Sie seufzte. Eine Lügnerin war sie schon. Dann konnte sie genauso gut auch noch eine Diebin werden.

Thomas' Truhe war schwer, sodass Edward sie von einem Karren zum Devil's Head transportieren ließ. Er wusste, dass im Vorderraum genug Menschen waren, die ihm helfen würden, sie die Treppe hinaufzubekommen.

Als er in Zimmer zwölf ankam, stellte er fest, dass Cecilia nicht da war. Er war nicht direkt überrascht; sie hatte beim Frühstück zwar nicht erwähnt, dass sie vorhabe auszugehen, aber er konnte sich nicht vorstellen, dass sie den ganzen Tag im Zimmer verbringen wollte. Dennoch war es recht enttäuschend für ihn, mit der Truhe ihres Bruders allein im Zimmer zu sitzen. Schließlich hatte er sie nur ihretwegen abgeholt. Er hatte sich so etwas wie eine heroische Rückkunft ausgemalt, während deren er Thomas' Truhe wie eine Siegestrophäe schwenkte.

Stattdessen saß er auf dem Bett und starrte auf das verdammte Ding, das die Hälfte des Fußbodens einnahm.

Edward hatte den Inhalt bereits durchgesehen. Im Büro der Armee hatte Colonel Stubbs den Deckel geöffnet, bevor Edward überhaupt darüber hatte nachdenken können, ob sie damit irgendjemandes Privatsphäre verletzten.

»Wir müssen sichergehen, dass alles da ist«, hatte Stubbs gesagt. »Wissen Sie, was er darin aufbewahrte?«

»Teilweise«, sagte Edward, obwohl er vertrauter war mit dem Inhalt von Thomas' Truhe, als ihm zugestanden hätte. Viel zu oft hatte er sie auf der Suche nach Cecilias Briefen durchwühlt, damit er sie sich noch einmal lesen konnte.

Manchmal hatte er nicht einmal das getan. Manchmal hatte er nur auf die Handschrift geblickt.

Manchmal hatte er nicht mehr gebraucht.

Gott, was für ein Narr er doch war.

Ein Narr? Viel schlimmer.

Denn als Stubbs die Truhe geöffnet und Edward gebeten hatte, den Inhalt zu inspizieren, war sein Blick zuallererst auf Cecilias Miniatur gefallen. Die, von der er jetzt wusste, dass sie ihr nicht ähnlich sah. Oder vielleicht doch, wenn man Cecilia nicht richtig kannte. Sie hatte ihr Lächeln nicht einfangen können oder die außergewöhnliche Farbe ihrer Augen.

Er war sich nicht sicher, ob es in der Palette eines Malers überhaupt eine Farbe geben konnte, die der ihrer Augen entsprach.

Der Colonel war an seinen Schreibtisch zurückgekehrt, und als Edward aufsah, war klar, dass seine Aufmerksamkeit den Dokumenten vor ihm galt und nicht der Truhe auf der anderen Seite des Zimmers.

Edward ließ die Miniatur in seine Tasche gleiten.

Und dort blieb sie auch, auch als Cecilia von ihrem Spaziergang zurückkam. In der Tasche seines Rocks, der säuberlich im Schrank hing.

Nun war Edward ein Narr und ein Dieb. Aber auch wenn er sich wie ein Esel vorkam, konnte er nicht bedauern, was er getan hatte.

»Du hast Thomas' Truhe geholt!«, rief Cecilia leise aus, als sie das Zimmer betrat. Ihr Haar war ein wenig windzerzaust, und er war vorübergehend wie gebannt von einer dünnen Strähne, die sich über ihre Wange zu einer sanften blonden Welle ringelte. Sie war viel lockiger, als wenn sie das Haar insgesamt offen trug.

Wie nett, der Schwerkraft zu trotzen.

Und was für ein merkwürdiger, unsinniger Gedanke.

Er stand auf und räusperte sich, während er sich zur Aufmerksamkeit mahnte. »Colonel Stubbs war in der Lage, sie schnell holen zu lassen.«

Zögerlich ging sie zur Truhe. Dort streckte sie die Hand aus, hielt aber noch einmal inne, bevor sie sie öffnete. »Hast du hineingesehen?«

»Ja«, erwiderte er und nickte. »Colonel Stubbs hat mich darum gebeten, um sicherzugehen, dass alles in Ordnung ist.«

»Und, war es das?«

Wie sollte er eine solche Frage beantworten? Wenn alles in Ordnung gewesen wäre, so war es das jetzt zumindest nicht mehr, nicht, da die Miniatur in seiner Tasche lag.

»Soweit ich es beurteilen konnte«, erklärte er schließlich.

Sie schluckte, eine Regung, die von Aufregung, Trauer und Sehnsucht zugleich zeugte.

Er hätte sie gern in die Arme genommen. Beinahe hätte er es getan, er war schon einen Schritt vorgetreten, ehe er bemerkte, was er da vorhatte, und innehielt.

Er konnte nicht vergessen, was sie getan hatte.

Nein, er konnte sich nicht *erlauben*, es zu vergessen.

Das war nicht dasselbe.

Und doch, als er sie ansah, wie sie mit hoffnungslos traurigen Augen vor der Truhe ihres verstorbenen Bruders stand, streckte er den Arm aus und ergriff ihre Hand.

»Du solltest sie öffnen«, sagte er. »Ich glaube, dass es dir helfen wird.«

Sie nickte dankbar und entzog sich seinem Griff, damit sie den Truhendeckel mit beiden Händen anheben konnte. »Seine Kleider«, murmelte sie und berührte das weiße Hemd, das sauber zusammengefaltet obenauflag. »Was soll ich nur damit machen?«

Edward wusste es nicht.

»Dir werden sie nicht passen«, überlegte sie laut. »Er hatte nicht so breite Schultern wie du. Deine Hemden sind ohnehin besser geschneidert.«

»Sicher finden wir einen Bedürftigen, der sie brauchen kann«, meinte Edward.

»Ja, das ist eine gute Idee. Das hätte ihm gefallen.« Dann stieß sie ein leises Lachen aus und schüttelte den Kopf, während sie sich die rebellische Locke aus den Augen strich. »Was sage ich da? Es wäre ihm egal gewesen.«

Edward blinzelte überrascht.

»Ich liebe meinen …« Sie räusperte sich. »Ich *habe* meinen

Bruder geliebt, aber um die Not der Armen hat er sich wenig gekümmert. Er hat nicht schlecht von ihnen gedacht«, fügte sie hastig hinzu. »Ich glaube aber, dass er überhaupt nicht an sie gedacht hat.«

Edward nickte, hauptsächlich, weil er nicht wusste, wie er sonst hätte reagieren sollen. Vermutlich hatte er sich der Sünde der Gleichgültigkeit ebenfalls schuldig gemacht. Das galt für die meisten Männer.

»Aber *ich* werde mich besser fühlen, wenn wir ein neues Zuhause für seine Hemden finden«, erklärte Cecilia entschieden.

»Das hätte ihm gefallen«, wiederholte Edward und erläuterte dann: »Dich glücklich zu machen.«

Sie schenkte ihm beinahe so etwas wie ein Lächeln und wandte sich dann wieder der Truhe zu. »Für seine Uniform werden wir wohl auch einen Abnehmer suchen müssen. Irgendwer kann sie bestimmt brauchen.« Sie strich über Thomas' Rock, ihre blassen Finger hoben sich deutlich von dem scharlachroten Tuch ab. »Als ich bei dir im Krankenhaus war, lagen da auch andere Soldaten. Ich …«, sie senkte den Blick, fast als zollte sie ihnen Respekt. »Manchmal habe ich ihnen geholfen. Sicher nicht so viel, wie ich ihnen hätte helfen sollen, aber ich wollte dich nicht unbeaufsichtigt lassen.«

Edward wollte ihr danken, doch bevor er etwas sagen konnte, hatte sie schon die Schultern gestrafft und fuhr energischer fort: »Ich habe ihre Uniformen gesehen. Manche waren nicht mehr zu retten. Von daher glaube ich wirklich, dass irgendwer sie gut gebrauchen kann.«

In ihren Worten klang eine Frage mit, daher nickte Edward. Man erwartete von Soldaten, dass sie ihre Uniform in makellosem Zustand hielten, was keine einfache Aufgabe war, wenn man überlegte, wie lang sie durch matschiges Gelände marschierten.

Und wie oft man auf sie schoss.

Kugellöcher waren schwer zu flicken, doch Bajonettverletzungen waren noch teuflischer. Was sicher auch für die Haut galt, doch er konzentrierte sich lieber auf den Stoff, da dies die einzige Methode war, nicht den Verstand zu verlieren.

Es war freundlich von ihr, Thomas' Uniform einem anderen Soldaten zu geben. Angehörige wollten sie oft behalten, da sie ein greifbarer Beweis für Heldenmut und Pflichterfüllung war.

Edward schluckte und trat zurück. Plötzlich brauchte er ein wenig Abstand zwischen ihnen. Er verstand sie nicht. Und er hasste es, dass er seinen Zorn nicht aufrechterhalten konnte. Es war nur ein Tag vergangen. Vierundzwanzig Stunden, seit seine Erinnerungen in einem Rausch von Farben, Licht, Worten, Orten wiedergekehrt waren – und keine hatte Cecilia Harcourt eingeschlossen.

Sie war nicht seine Frau. Und er sollte wütend sein. Er hatte jedes Recht, wütend zu sein.

Doch seine Fragen – die Fragen, die in seinem Geist eine gnadenlose Parade abhielten – diese Fragen konnte er jetzt nicht stellen. Nicht, da sie die Truhe ihres Bruders gerade so liebevoll auspackte. Nicht, da sie das Gesicht abwandte und versuchte, ihn nicht sehen zu lassen, wie sie sich die Tränen abwischte.

Sie legte Thomas' Rock beiseite und drang weiter vor. »Meinst du, er hat meine Briefe aufbewahrt?«

»Ich weiß, dass er das hat.«

Sie sah kurz auf. »Oh, natürlich. Du hast dir die Truhe ja schon angesehen.«

Daher wusste er es nicht, aber das brauchte sie ja nicht zu erfahren.

Edward lehnte sich an das Bett und sah zu, wie sie sich durch Thomas' Habseligkeiten arbeitete. Irgendwann kniete sie sich hin, um leichter an die Sachen zu gelangen, und nun ging sie alles mit einem Lächeln durch, von dem er nicht geglaubt hatte, dass er es noch einmal zu Gesicht bekommen würde.

Oder vielleicht hatte er auch nur nicht gedacht, dass er es je wieder so dringend würde sehen wollen.

Er war immer noch in sie verliebt.

Gegen jedes bessere Wissen, gegen jede Vernunft war er immer noch in sie verliebt.

Er seufzte.

Sie sah auf.

»Ist irgendetwas?«

Ja.

»Nein.«

Doch sie war schon wieder mit der Truhe beschäftigt, noch bevor er geantwortet hatte. Er fragte sich … wenn sie es nicht getan hätte, wenn sie ihn angesehen hätte …

Hätte sie ihm die Wahrheit am Gesicht ablesen können?

Beinahe hätte er noch einmal geseufzt.

Sie stieß ein nachdenkliches *hmmmm* aus, und er beugte sich vor, um besser sehen zu können, was sie gerade tat. »Was ist denn?«

Sie runzelte die Stirn. »Ich kann die Miniatur nicht finden.«

Edward öffnete den Mund, doch er sagte nichts. Er wollte etwas sagen. Er hatte gedacht, er würde es tun, doch er konnte die Worte nicht aussprechen.

Er wollte dieses verdammte Bildnis besitzen. Sollte man ihn doch einen Despoten, einen Dieb schimpfen. Er wollte es für sich haben.

»Vielleicht hat er es nach Connecticut mitgenommen«, meinte Cecilia. »Daran ist ja dann auch etwas Nettes.«

»Er hat immer an dich gedacht.« Edward brachte ein aufmunterndes Lächeln zustande.

Sie sah auf. »Wie lieb von dir, das zu sagen.«

»Es ist die Wahrheit. Er hat so viel von dir gesprochen, dass ich das Gefühl hatte, dich zu kennen.«

Etwas in ihrem Blick wurde warm, auch wenn sie in die Ferne starrte. »Ist das nicht komisch«, sagte sie leise. »Genau dasselbe Gefühl hatte ich auch bei dir.«

Er fragte sich, ob er ihr erzählen sollte, dass er das Gedächtnis wiedererlangt hatte. Es wäre das Richtige gewesen; bei allem, was ihn als Gentleman auszeichnete, wusste er, dass dies die Wahrheit war.

»Oh!«, rief sie mitten in seine Gedanken hinein und sprang auf. »Ich hätte es beinahe vergessen. Ich habe dir nie meine Miniatur von Thomas gezeigt, oder?«

Edward brauchte nicht zu antworten, da sie schon dabei war, ihre Tasche zu durchwühlen. Sie war zwar groß, trotzdem war Edward erstaunt, dass sie die Reise nach New York mit so wenig Gepäck angetreten hatte.

»Hier ist es«, sagte sie und zog die Miniatur hervor. Mit einem wehmütigen Lächeln betrachtete Cecilia sie und reichte sie ihm dann. »Was hältst du davon?«

»Ich kann erkennen, dass das Bild vom selben Maler stammt«, sagte er, ohne nachzudenken.

Überrascht senkte sie den Kopf. »Du kannst dich an das andere so gut erinnern?«

»Thomas hat es gern herumgezeigt.« Das war nicht gelogen, Thomas hatte seinen Freunden Cecilias Miniatur immer wieder gezeigt. Aber das war nicht der Grund, warum Edward sich so gut daran erinnerte.

»Wirklich?« Ihre Augen strahlten vor Glück. »Das ist sehr … ich weiß nicht, was es ist. Lieb, nehme ich an. Es ist schön zu wissen, dass er mich vermisst hat.«

Edward nickte – nicht dass sie ihn angesehen hätte. Sie hatte sich wieder ihrer Aufgabe zugewandt und ging den Nachlass ihres Bruders sorgfältig durch. Edward fühlte sich sehr merkwürdig und unbehaglich dabei, wie ein Unbeteiligter.

Es gefiel ihm nicht.

»Hmmm, was ist denn das?«, murmelte sie.

Er beugte sich vor, um besser sehen zu können.

Sie zog eine kleine Börse hervor und drehte sich zu Edward um. »Hätte er denn Geld in seiner Truhe aufbewahrt?«

Edward hatte keine Ahnung. »Schau doch hinein.«

Sie tat es, und zu ihrer offensichtlichen Überraschung fielen mehrere Goldmünzen aus der Börse. »Ach, du liebe Güte!«, rief sie aus und sah auf den Geldregen in ihrer Handfläche.

Es war nicht viel, zumindest nicht für Edwards Verhältnisse, doch er hatte nicht vergessen, in welchen Geldnöten sie gesteckt hatte, als er aufgewacht war. Sie hatte versucht, das Ausmaß ihrer Armut zu verbergen, doch sie war keine gute Lügnerin – zumindest war er damals dieser Ansicht gewesen. Sie hatte kleine Details fallen lassen, zum Beispiel, dass sie sich nicht mehr als eine Mahlzeit am Tag gönnte. Und er erinnerte sich an das Wohnheim, in dem sie ein Zimmer gemietet hatte, was kaum besser war, als auf der Straße zu schlafen. Ihn schauderte, wenn er sich vorstellte, was aus ihr geworden wäre, wenn sie ihn nicht im Lazarett gefunden hätte.

Vielleicht hatten sie sich gegenseitig gerettet.

Cecilia war merkwürdig still. Sie blickte immer noch auf die Goldmünzen in ihrer Hand, als wären sie ein Mysterium.

Verblüffend.

»Es gehört dir«, sagte er. Vermutlich überlegte sie, was sie damit anfangen sollte.

Sie nickte abwesend und betrachtete die Münzen mit einem höchst merkwürdigen Ausdruck.

»Leg es zu deinem restlichen Geld«, schlug er vor. Er wusste, dass sie ein bisschen Geld besaß, das sie sorgfältig in ihrem Geldbeutel aufhob. Er hatte zweimal beobachtet, wie sie es zählte, und beide Male hatte sie verlegen aufgesehen, als sie seinen Blick gespürt hatte.

»Ja, natürlich«, murmelte sie und erhob sich ungeschickt. Sie öffnete den Schrank und griff in ihre Tasche. Er nahm an, dass sie ihren Geldbeutel herausnahm, aber da sie ihm den Rücken zukehrte, konnte er nicht sehen, was sie tat.

»Geht es dir gut?«, fragte er.

»Ja«, entgegnete sie, vielleicht eine Spur zu schnell. »Es ist nur ...« Sie wandte sich halb zu ihm um. »Ich habe nicht erwartet, dass Thomas Geld in seiner Truhe haben würde. Es bedeutet, dass ich ...«

Edward wartete, doch sie beendete den Satz nicht. »Was bedeutet es für dich?«, fragte er schließlich nach.

Sie blinzelte ihn an, und nach einer merkwürdigen kleinen Pause antwortete sie: »Ach, nichts. Ich habe nur mehr, als ich dachte.«

Die Antwort kam Edward merkwürdig vor – war es doch nur allzu offenkundig, dass sie gerade einen unerwarteten Geldsegen erhalten hatte.

»Ich glaube …«

Er schwieg abwartend, doch ihre Stimme verklang, als sie sich umdrehte und zu der offenen Truhe blickte. Ein paar Hemden lagen auf dem Boden daneben, Thomas' roter Rock war über die Seite geworfen, doch davon abgesehen, war alles an Ort und Stelle.

»Ich bin müde«, sagte sie abrupt. »Ich glaube … Würde es dir etwas ausmachen, wenn ich mich hinlege?«

Er stand auf. »Natürlich nicht.«

Sie blickte zu Boden, doch er entdeckte in ihrem Gesicht einen Ausdruck unerträglicher Trauer. Sie ging an ihm vorbei, legte sich mit dem Rücken zu ihm ins Bett, rollte sich sichelförmig zusammen und winkelte die Knie an.

Er starrte auf ihre Schultern. Er wusste nicht warum, vielleicht weil sie ganz offensichtlich steif waren vor Kummer. Sie weinte nicht, zumindest glaubte er das nicht, aber ihr Atem ging stoßweise, als kostete es sie Mühe, sich unter Kontrolle zu halten.

Er streckte die Hand aus, auch wenn er zu weit von ihr entfernt war, um sie zu berühren. Doch er konnte nicht anders, so sehr zog ihn alles zu ihr hin. Sein Herz schlug, seine Lungen schöpften Atem, und wenn diese Frau Schmerzen litt, dann streckte er die Hand nach ihr aus, um sie zu trösten.

Den letzten Schritt tat er jedoch nicht. Seine Hand sank zurück an seine Seite, und er stand starr wie eine Statue, hilflos angesichts seines eigenen inneren Aufruhrs.

Von dem Moment an, da er sie zum ersten Mal gesehen hatte, hatte er sie beschützen wollen. Auch als er selbst noch so schwach gewesen war, dass er kaum ohne Hilfe hatte laufen können, hatte er ihr Fels in der Brandung sein wollen. Aber jetzt, da sie ihn schließlich brauchte, hatte er schreckliche Angst.

Denn wenn er sich erlaubte, stark für sie zu sein, ihre Bürden zu schultern, wie er es sich so verzweifelt wünschte, wäre er verloren. Welcher Faden in ihm auch noch gespannt war, der ihn davon abhielt, ihr ganz zu verfallen, er würde zerreißen.

Und dann würde es ihm das Herz brechen.

Er flüsterte ihren Namen, leise, fast als wollte er ihr Gehör herausfordern.

»Ich glaube, ich sollte jetzt allein sein«, sagte sie, ohne sich zu ihm umzudrehen.

»Nein, das glaube ich nicht«, widersprach er rau, legte sich hinter sie und nahm sie fest in die Arme.

20. KAPITEL

Vater war in letzter Zeit besonders reizbar. Ich allerdings
auch. Der Monat März war schon immer besonders kalt
und feucht, aber dieses Jahr ist es schlimmer als sonst.
Er hält jeden Nachmittag ein Schläfchen. Ich glaube, ich
mache das auch.
– CECILIA HARCOURT AN IHREN BRUDER
THOMAS (BRIEF NIE ERHALTEN)

Zwei Tage später begann Cecilia zu bluten.

Sie hatte es kommen gespürt. Ihr monatliches Unwohlsein
kündigte sich immer mit einem Tag der Lethargie an, Bauch-
krämpfen und dem Gefühl, zu viel Salz gegessen zu haben.

Und doch sagte sie sich, dass sie die Zeichen vielleicht
falsch deutete. Vielleicht fühlte sie sich müde, weil sie müde
war. Sie schlief nicht gut. Wie sollte sie sich richtig ausruhen,
wenn Edward auf der anderen Seite des Bettes lag?

Und was die Krämpfe anging, so hatten sie im Devil's
Head die ganze letzte Woche gedeckten Kuchen serviert.
Es hieß, dass in der Füllung keinerlei Erdbeeren enthalten
seien, aber konnte sie dem sechzehnjährigen Schankmädchen
wirklich trauen, das den Blick nicht von den leuchtend bunt
gekleideten Soldaten wenden konnte? Vielleicht war doch
eine Erdbeere in der Füllung gewesen. Schon ein winziges
Stückchen hätte Cecilias Unbehagen erklärt.

Was das Salz anging, so hatte sie keinerlei Ahnung. Sie hielt sich in der Nähe des Meeres auf. Vielleicht atmete sie das Zeug ja ein.

Aber dann begann sie zu bluten. Und während sie die Binden sorgfältig auswusch, versuchte sie den winzigen Funken Schmerz beiseitezuschieben, der mit der Erkenntnis einherging, dass sie nicht schwanger war.

Sie war erleichtert. Natürlich war sie erleichtert. Ein Kind hätte bedeutet, dass sie Edward zur Ehe hätte verleiten müssen. Und während sie niemals aufhören würde, von einem Häuschen in Kent mit bezaubernden blauäugigen Kindern zu träumen, kam sie allmählich zu der Erkenntnis, dass dieser Traum sogar noch weniger in der Wirklichkeit verankert war, als sie gedacht hatte.

Es war schwer vorstellbar, dass zu einer Pseudohochzeit Flitterwochen gehörten, doch seit sie von Thomas' Tod gehört hatte, war alles anders geworden. Cecilia war kein Dummkopf; sie wusste, dass sie beide trauerten, aber sie verstand nicht, wie das allein verantwortlich sein sollte für die tiefe Schlucht, die unter ihren Füßen im Boden klaffte.

Die Sache mit Edward war, es hatte alles so *einfach* gewirkt. Als hätte sie ihr ganzes Leben darauf gewartet zu erkennen, wer sie wirklich war, und dann, als er die Augen öffnete – nein, es war später, bei ihrem ersten echten Gespräch –, da wusste sie es. Es war bizarr, nachdem ihre gesamte gemeinsame Zeit auf einer Lüge gründete, aber in seiner Gesellschaft hatte sie sich wahrhaftig mehr wie sie selbst gefühlt als zu irgendeiner anderen Zeit in ihrem Leben.

Dergleichen empfand man oft nicht sofort. Vielleicht sogar erst dann, wenn man es verloren hatte.

Und sie hatte es verloren. Selbst als er versucht hatte, sie zu trösten, nachdem sie Thomas' Truhe ausgepackt hatte, war irgendetwas nicht ganz in Ordnung gewesen. Sie hatte sich in seinen Armen nicht entspannen können, vermutlich weil sie wusste, dass auch das eine Lüge war. Er hatte geglaubt, dass sie um ihren Bruder trauerte, doch was ihr wirklich das Herz zerrissen hatte, war die Erkenntnis, dass sie nun genug Geld hatte für die Überfahrt auf der Rhiannon.

Und jetzt, da sie wusste, dass sie nicht schwanger war ...

Cecilia ging zum Fenster und lehnte sich mit der Hüfte ans Sims. Draußen herrschte eine leise Brise, ein segensreicher Ausgleich zu der Feuchtigkeit, die sich über dem Gebiet festgesetzt hatte. Sie beobachtete, wie sich das Laub im Wind bewegte. Viele Bäume waren allerdings nicht mehr übrig, da dieser Teil New Yorks ziemlich stark bebaut war. Es gefiel ihr, dass eine Seite der Blätter dunkler war als die andere, sie fand es schön, wie sich die Farben hin und her bewegten, von Hell zu Dunkel, von Grün zu Grün.

Es war Freitag. Der Himmel wölbte sich in unendlichem Blau über ihnen, was hieß, dass die Rhiannon an diesem Abend auslaufen würde.

Und sie sollte an Bord sein.

Sie hatte in New York nichts mehr verloren. Ihr Bruder war tot, begraben in den Wäldern von Westchester. Sie konnte das Grab nicht einmal besuchen. Es war nicht sicher, außerdem war es laut Colonel Stubbs nicht durch einen Grabstein gekennzeichnet – nichts, worauf Thomas' Name und Alter gestanden hätte, nichts, was ihn als einen geliebten Bruder oder pflichtbewussten Sohn identifiziert hätte.

Sie dachte an jenen schrecklichen Tag zurück, an dem sie General Garth' Brief erhalten hatte. Der, wie sich später herausstellte, eigentlich von Colonel Stubbs stammte, aber das spielte kaum eine Rolle. Sie hatte gerade ihren Vater verloren und hatte furchtbare Angst empfunden, als sie sich anschickte, das Schreiben zu öffnen. Sie wusste noch genau, was sie gedacht hatte – wenn Thomas tot war, gäbe es niemanden auf der Welt mehr, den sie liebte.

Nun war Thomas tatsächlich tot, und es gab niemanden sonst auf der Welt, den sie lieben durfte.

Irgendwann würde Edward sein Gedächtnis wiedererlangen. Dessen war sie sich gewiss. Einzelne Bruchstücke kamen hin und wieder schon zum Vorschein. Und wenn dann die gesamte Erinnerung wiederkehrte …

Es war besser, sie sagte ihm die Wahrheit, bevor er sie selbst entdeckte.

Er hatte ein Leben in England, eines, das sie nicht mit einschloss. Er hatte eine Familie, die ihn liebte, und ein Mädchen, das er heiraten sollte. Ein Mädchen, das wie er durch und durch aristokratisch war. Sicher würde ihm dann auch wieder einfallen, warum er und die einzigartige Billie Bridgerton so gut zusammenpassten.

Cecilia stieß sich vom Fenstersims ab, griff sich ihre Börse und verließ das Zimmer. Wenn sie an diesem Abend aufbrechen wollte, hatte sie noch eine Menge zu erledigen, und das alles, bevor Edward vom Hauptquartier der Armee zurückkehrte.

Zuallererst musste sie die Passage buchen. Dann musste sie packen, nicht dass dies sonderlich lange dauern würde. Und schließlich musste sie Edward einen Brief schreiben.

Sie musste ihn wissen lassen, dass er frei war.

Sie würde gehen, und er konnte sein Leben weiterleben, und zwar so, wie es für ihn vorgesehen war. Das Leben, das er führen wollte. Noch war es ihm vielleicht nicht klar, aber irgendwann einmal würde es ihm klar werden, und sie wollte nicht in der Nähe sein, wenn das passierte. Ihr Herz hatte schon so viel durchgemacht. Sollte sie auch noch sein Gesicht sehen müssen, wenn er begriff, dass er zu einer anderen gehörte?

Das würde sie vollständig zerstören.

Sie sah auf die Taschenuhr, die Edward als ihre Uhr auf den Tisch gelegt hatte. Ihr blieb immer noch genug Zeit. Er war am Vormittag ausgegangen – ein Treffen mit Colonel Stubbs, hatte er gesagt, das vermutlich den ganzen Tag dauern würde.

Das ist gut, sagte sie sich, als sie die Treppe hinabeilte. Es war richtig. Sie hatte das Geld aufgetrieben, und sie war nicht schwanger. Offensichtlich waren sie nicht füreinander bestimmt.

Tagesziel: ans Schicksal glauben.

Doch als sie im Vorderraum des Gasthofs ankam, hörte sie, wie jemand drängend ihren Namen rief.

»Mrs. Rokesby!«

Sie wandte sich um. Das Schicksal, so hatte es den Anschein, hatte große Ähnlichkeit mit dem Gastwirt des Devil's Head.

Er war hinter seinem Tresen hervorgekommen und ging mit angespannter Miene auf sie zu. Hinter ihm folgte eine elegant gekleidete Dame.

Der Wirt trat beiseite. »Diese Dame hoffte, Captain Rokesby anzutreffen.«

Cecilia legte den Kopf schief, um bessere Sicht auf die Frau zu erhalten, die immer noch halb verborgen war von der beleibten Gestalt des Gastwirts. »Kann ich Ihnen helfen, Madam?«, sagte sie und knickste höflich. »Ich bin Captain Rokesbys Frau.«

Merkwürdig, wie leicht ihr diese Lüge immer noch über die Lippen kam.

»Ja«, sagte die Frau energisch und winkte dem Wirt, sich zu entfernen.

Der Wirt trat eilig den Rückzug an.

»Ich bin Mrs. Tryon«, sagte die Dame. »Captain Rokesbys Patentante.«

Als Cecilia zwölf gewesen war, hatte man sie dazu verurteilt, im Krippenspiel ihrer Kirche den Part der Maria zu übernehmen. Sie war gezwungen, vor sämtlichen Freunden und Nachbarn zwanzig Zeilen Text zu rezitieren, die ihr die Pfarrersfrau gewissenhaft eingetrichtert hatte. Doch als der Moment kam, in dem sie den Mund aufmachen und verkünden musste, dass sie nicht verheiratet sei und nicht verstehen könne, wieso sie schwanger sei, erstarrte sie. Ihr Mund öffnete sich, doch ihre Kehle war wie zugeschnürt, egal wie oft ihr die arme Mrs. Pentwhistle den Text von ihrem Platz hinter den Kulissen zuzischte. Cecilia hatte die Worte einfach nicht von den Ohren in den Kopf und von dort in den Mund befördern können.

Diese Erinnerung geisterte ihr durch den Kopf, als sie ins Gesicht der achtbaren Margaret Tryon starrte, der Gattin des Gouverneurs von New York und Patin des Mannes, mit dem Cecilia vorgab, verheiratet zu sein.

Dies war noch schlimmer.

»Mrs. Tryon«, brachte Cecilia schließlich krächzend hervor. Sie knickste. (Besonders tief.)

»Sie müssen Cecilia sein«, sagte Mrs. Tryon.

»Ja. Ich … ah …« Hilflos sah Cecilia sich in dem halb gefüllten Speiseraum um. Dies war nicht ihr Zuhause, daher war sie auch nicht die Gastgeberin, aber sie hatte dennoch den Eindruck, etwas anbieten zu müssen. Schließlich rang sie sich ein so strahlendes Lächeln ab, wie sie konnte, und sagte: »Möchten Sie sich nicht setzen?«

Mrs. Tryons Miene wechselte von Ablehnung zu Resignation, und sie bedeutete Cecilia mit einem kleinen Nicken, sich mit ihr an einen Tisch am anderen Ende des Raums zu setzen.

»Ich bin gekommen, um Edward zu sehen«, erklärte Mrs. Tryon, sobald sie saßen.

»Ja«, erwiderte Cecilia vorsichtig. »Das hat der Gastwirt gesagt.«

»Er war krank«, stellte Mrs. Tryon fest.

»Ja. Allerdings eher verletzt als krank.«

»Hat er das Gedächtnis wiedererlangt?«

»Nein.«

Mrs. Tryons Blick wurde schmal. »Sie nutzen ihn aber nicht aus, oder?«

»Nein!«, rief Cecilia, denn das tat sie nicht. Beziehungsweise würde sie es bald nicht mehr tun. Und weil der Gedanke, Edwards Großzügigkeit und Ehrenhaftigkeit auszunutzen, sie innerlich beinahe auffraß.

»Mein Patensohn liegt mir sehr am Herzen.«

»Mir auch«, sagte Cecilia leise.

»Ja, das kann ich mir vorstellen.«

Cecilia hatte keine Ahnung, wie sie das zu verstehen hatte.

Mrs. Tryon zog sich mit militärischer Präzision die Handschuhe aus und hielt nur kurz inne, um zu sagen: »War Ihnen bewusst, dass er mit einer jungen Dame in Kent ein Arrangement getroffen hatte?«

Cecilia schluckte. »Meinen Sie Miss Bridgerton?«

Mrs. Tryon sah auf. Ein Ausdruck widerstrebender Bewunderung huschte über ihr Gesicht, möglicherweise für Cecilias Ehrlichkeit. »Ja«, sagte sie. »Es war keine formelle Verlobung, aber es wurde allgemein erwartet.«

»Ich bin mir dessen bewusst«, entgegnete Cecilia. Besser, sie war ehrlich.

»Es wäre eine hervorragende Partie gewesen«, fuhr Mrs. Tryon fort. Ihr Ton wurde beinahe umgänglich. Aber nur beinahe. In ihren Worten lag eine Spur Hochnäsigkeit, ein leicht gelangweiltes Zeichen der Warnung, als wollte sie sagen: *Ich habe hier die Kontrolle, und ich werde sie nicht aus der Hand geben.*

Cecilia glaubte ihr das sofort.

»Die Bridgertons und die Rokesbys sind seit Generationen Freunde und gute Nachbarn«, sagte Mrs. Tryon. »Edwards Mutter hat mir immer wieder gesagt, es sei ihr sehnlichster Wunsch, dass sich die Familien vereinten.«

Cecilia hielt den Mund. Es gab nichts, was sie hätte sagen können, das sie nicht in ein schlechtes Licht gerückt hätte.

Mrs. Tryon war mit ihrem zweiten Handschuh fertig und stieß ein leises Geräusch aus – nicht direkt einen Seufzer, eher ein Leider-muss-ich-nun-das-Thema-wechseln-Geräusch. »Aber traurigerweise hat es nicht sollen sein.«

Cecilia wartete einen langen Augenblick, doch Mrs. Tryon schwieg. Schließlich zwang sie sich zu fragen: »Könnte ich Ihnen vielleicht irgendwie behilflich sein?«

»Nein.«

Wieder Schweigen. Mrs. Tryon, so erkannte sie, führte es wie eine Waffe.

»Ich …« Hilflos wies Cecilia auf die Tür. Diese Frau hatte etwas an sich, das in ihr ein Gefühl vollkommener Unzulänglichkeit hervorrief. »Ich habe noch Verschiedenes zu erledigen«, meinte sie schließlich.

»Ich ebenfalls.« Mrs. Tryons Worte waren energisch, ebenso ihre Bewegungen, als sie sich von ihrem Stuhl erhob.

Cecilia folgte ihr zur Tür, doch bevor sie ihr Lebewohl sagen konnte, wandte sich Mrs. Tryon noch einmal an sie.

»Cecilia – ich darf Sie doch Cecilia nennen, nicht wahr?«

Cecilia blinzelte in die Sonne. »Natürlich.«

»Nachdem uns das Schicksal heute Nachmittag zusammengeführt hat, empfinde ich in meiner Eigenschaft als Patentante Ihres Gatten es als meine Pflicht, Ihnen einen guten Rat zu geben.«

Ihre Blicke begegneten sich.

»Verletzen Sie ihn nicht.« Die Worte waren schlicht und eindringlich.

»Das würde ich nie wollen«, erwiderte Cecilia. Es war die Wahrheit.

»Nein, das nehme ich auch nicht an. Aber Sie dürfen nie vergessen, dass er ursprünglich für eine andere bestimmt war.«

Es war eine grausame Aussage, aber sie war nicht grausam gemeint. Cecilia wusste nicht, warum sie sich da so sicher war. Vielleicht lag es am dünnen Tränenfilm in Mrs. Tryons Augen, vielleicht war es nur ihr Gespür.

Vielleicht bildete sie es sich aber auch nur ein.

Doch es war eine Mahnung. Sie tat das Richtige.

Das Treffen im Hauptquartier der Britischen Armee war erst am Nachmittag zu Ende. Gouverneur Tryon hatte einen ganz genauen Bericht von Edwards Aufenthalt in Connecticut gefordert, und der schriftliche Bericht, den er Colonel Stubbs am Tag davor geliefert hatte, war als unzulänglich eingestuft worden. Und so saß er beim Gouverneur und erzählte ihm all das, was er schon drei Mal erzählt hatte. Vermutlich hatte es irgendeinen Nutzen, da Tryon in wenigen Wochen ein paar Angriffe gegen die Küste Connecticuts führen wollte.

Die große Überraschung kam jedoch erst, als Edward schon im Gehen begriffen war. Colonel Stubbs fing ihn an der Tür ab und reichte ihm einen Brief, geschrieben auf hochwertigem Papier, gefaltet und mit Wachs versiegelt.

»Das hier ist von Captain Harcourt«, sagte Stubbs rau. »Er hat es bei mir hinterlegt für den Fall, dass er nicht wiederkehrt.«

Edward starrte auf den Brief. »Für mich?«, fragte er wie benommen.

»Ich habe ihn gefragt, ob wir auch etwas an seinen Vater schicken sollen, aber er hat Nein gesagt. Es spielt ohnehin keine Rolle, nehme ich an, da der Vater noch vor seinem Sohn gestorben ist.« Stubbs stieß einen erschöpften Seufzer aus und kratzte sich am Kopf. »Eigentlich weiß ich nicht, wer von beiden zuerst gestorben ist, aber es macht wohl keinen Unterschied.«

»Nein.« Edward nickte. Er sah immer noch auf den Brief hinunter, auf dem vorn in Thomas' unordentlicher Schrift sein Name stand. Die Männer schrieben derartige Briefe andauernd, aber üblicherweise waren sie an die Familie gerichtet.

»Wenn Sie ungestört sein wollen, um den Brief zu lesen, können Sie das Büro gegenüber benutzen«, bot Stubbs an. »Greene ist heute unterwegs, Montby ebenfalls, Sie sollten also nicht behelligt werden.«

»Danke«, sagte Edward gedankenverloren. Er wollte tatsächlich ungestört sein, um den Brief seines Freundes zu lesen. Man bekam nicht jeden Tag eine Botschaft aus dem Totenreich, und er hatte keine Ahnung, wie er reagieren würde.

Stubbs führte ihn in ein kleines Büro, ging sogar so weit, das Fenster zu öffnen, um die stickige Luft hinauszulassen. Im Hinausgehen sagte er noch etwas, doch Edward nahm keine

Notiz davon. Er starrte immer noch auf den Brief. Schließlich atmete er einmal tief durch und schob den Finger unter das Wachssiegel, um ihn zu öffnen.

Lieber Edward,
wenn Du dies liest, bin ich sicher tot. Es ist wirklich seltsam, diese Worte niederzuschreiben. Ich habe nie an Geister geglaubt, aber jetzt im Moment ist die Vorstellung tröstlich. Ich würde wohl gern wiederkehren und bei Dir ein wenig spuken. Nach der Sache in Rhode Island mit dem Bauern und den Eiern hättest Du das wirklich verdient.

Edward lächelte, als er sich die Episode ins Gedächtnis rief. Es war ein langer, langweiliger Tag gewesen, und ihre Suche nach einem Omelett hatte damit geendet, dass sie von einem dicken Bauern mit Eiern beworfen wurden, der sie lautstark auf Deutsch beschimpfte. Eigentlich hätte es eine Tragödie sein sollen – sie hatten seit Tagen nur langweiliges, fades Zeug zu essen bekommen –, aber Edward konnte sich nicht erinnern, je so heftig gelacht zu haben. Thomas hatte den ganzen Tag gebraucht, um das Eigelb von seinem Rock zu entfernen, und Edward hatte sich noch die ganze Nacht Eierschalen aus den Haaren geklaubt.

Aber ich werde es Dir schon noch zeigen, denn ich werde furchtbar gefühlsduselig und sentimental werden, vielleicht bringe ich Dich sogar dazu, ein paar Tränen um mich zu verdrücken. Das würde mich zum Lachen bringen, weißt du. Du warst immer so gleichmütig. Einzig Dein Sinn für Humor hat Dich erträglich gemacht.

Aber Du warst erträglich, und ich möchte Dir dafür danken, dass Du mir Deine Freundschaft geschenkt hast. Du warst mir ein wahrer Freund, ohne Hintergedanken, Deine Freundschaft kam einfach aus Deinem Herzen. Ich schäme mich nicht zu sagen, dass mir die halbe Zeit, die ich hier in den Kolonien verbracht habe, vor Angst die Knie geschlottert haben. Hier stirbt es sich viel zu leicht. Ich kann gar nicht sagen, wie tröstlich für mich das Wissen war, dass ich immer mit Deiner Unterstützung rechnen konnte.

Edward sog die Luft ein und bemerkte erst in diesem Augenblick, wie nahe er den Tränen war. Dieselben Worte hätte er auch an Thomas schreiben können. Die Freundschaft war es, was den Krieg erträglich machte, und das Wissen, dass es zumindest einen Menschen gab, dem sein Leben genauso am Herzen lag wie ihm selbst.

Und nun muss ich diese Freundschaft ein letztes Mal in Anspruch nehmen. Bitte nimm Dich Cecilias an. Sie ist jetzt ganz allein. Unser Vater zählt schon gar nicht mehr richtig. Schreib ihr, wenn Du so gut sein willst. Erzähl ihr, was mir zugestoßen ist, damit sie nicht nur von der Armee hört. Und falls Du die Möglichkeit bekommen solltest, besuche sie. Überzeuge Dich, dass es ihr gut geht. Vielleicht könntest Du sie Deiner Schwester vorstellen. Das würde Cecilia bestimmt gefallen. Mich jedenfalls würde es beruhigen, wenn ich wüsste, dass sie Gelegenheit bekommt, freundliche Menschen kennenzulernen und sich ein Leben außerhalb von Matlock Bath aufzubauen. Sobald unser Vater stirbt, wird es dort für

sie nichts mehr geben. Unser Vetter wird Marswell er-
ben, und der war schon immer ein schmieriger Bursche.
Ich würde nie wollen, dass Cecilia von seiner Großzü-
gigkeit und seinem guten Willen abhängig ist.

Edward auch nicht. Cecilia hatte ihm alles über ihn erzählt.
Schmierig war genau das richtige Wort für ihn.

Ich weiß, dass ich ganz schön viel von Dir verlange. Der-
byshire ist nicht ganz das Ende der Welt – ich glaube, wir
beide wissen, dass das gleich hier in New York liegt –,
aber ich könnte mir denken, dass Du wirklich keine
große Lust haben wirst, nach Norden zu reisen, wenn
Du nach England zurückkehrst.

Nein, aber das brauchte er ja auch nicht. Thomas wäre
wirklich verblüfft gewesen, wenn er gewusst hätte, dass
Cecilia nur eine Viertelmeile entfernt zu finden war, in Zimmer zwölf im Devil's Head. Was sie getan hatte, war wirklich
bemerkenswert – den Ozean zu überqueren, um ihren Bruder
zu finden. Irgendwie glaubte Edward, dass selbst Thomas ihr
das nicht zugetraut hätte.

Dann heißt es jetzt, Abschied zu nehmen. Ich danke
Dir. Es gibt keinen, dem ich das Wohlergehen meiner
Schwester lieber ans Herz legen würde, als Dir. Und
vielleicht macht Dir diese Aufgabe ja gar nicht so viel
aus. Ich weiß, dass Du ihre Briefe gelesen hast, wenn ich
nicht da war. Ehrlich, hast Du etwa geglaubt, ich würde
das nicht merken?

Edward lachte. Er konnte es nicht fassen, dass Thomas die ganze Zeit Bescheid gewusst hatte.

Ich vermache Dir die Miniatur, die ich von ihr habe. Ich glaube, sie würde wollen, dass Du sie bekommst. Ich jedenfalls will das.
Gott behüte Dich, mein Freund.
In größter Verbundenheit,
Thomas Harcourt

Edward starrte so lange auf den Brief, bis ihm die Buchstaben vor den Augen verschwammen. Thomas hatte nie durchblicken lassen, dass er von Edwards Schwärmerei für seine Schwester wusste. Der Gedanke war beinahe demütigend. Aber offensichtlich hatte es ihn ja amüsiert. Amüsiert und vielleicht …

Hoffen lassen?

War Thomas im Grunde seines Herzens ein Ehestifter? In seinem Brief hatte es jedenfalls so geklungen. Wenn er gewollt hätte, dass er Cecilia heiratete …

Hatte Thomas ihr vielleicht davon geschrieben? Sie hatte gesagt, dass er die Hochzeit arrangiert habe. Was, wenn …

Edward spürte, wie ihm alles Blut aus dem Gesicht wich. Was, wenn Cecilia glaubte, sie wären *wirklich* verheiratet? Was, wenn sie gar nicht die ganze Zeit gelogen hatte?

Voll bangem Gefühl überflog Edward den Brief, suchte vergebens nach einem Datum. Wann hatte Thomas das geschrieben? Hatte er Cecilia vielleicht geschrieben, sie solle Vorkehrungen für eine Trauung per Stellvertreter treffen, war dann aber gestorben, bevor er Edward um dasselbe bitten konnte?

Er stand auf. Er musste zurück in den Gasthof. Das alles war zwar weit hergeholt, aber es würde so vieles erklären. Außerdem wurde es jetzt höchste Zeit, ihr zu erzählen, dass er sein Gedächtnis wiedererlangt hatte. Er musste aufhören, in seinem Elend zu schmoren, und sie einfach fragen, was eigentlich los war.

Er rannte zwar nicht zum Devil's Head zurück, aber er ging verdammt schnell.

»Cecilia!«

Edward riss die Tür zu ihrem Zimmer weitaus heftiger auf, als nötig gewesen wäre. Doch als er den ersten Stock des Gasthauses erreicht hatte, rauschte ihm das Blut dermaßen in den Ohren, dass er beinahe aus der Haut gefahren wäre. Er hatte einen Kopf voller Fragen und ein Herz voller Leidenschaft. Irgendwann hatte er beschlossen, dass ihm egal war, was sie getan hatte. Wenn sie ihn getäuscht hatte, musste sie dafür einen Grund haben. Er kannte sie. Er *kannte* sie. Sie war einer der feinsten, besten Menschen, die je das Licht dieser Welt erblickt hatten, und auch wenn sie die Worte nicht ausgesprochen hatte, wusste er doch, dass sie ihn liebte.

Beinahe so sehr, wie er sie liebte.

»Cecilia?«

Er sagte ihren Namen noch einmal, obwohl sie ganz offensichtlich nicht im Zimmer war. Verdammt. Nun würde er warten müssen. Sie konnte überall sein. Sie ging oft aus, machte Besorgungen oder machte einen Spaziergang. Nicht mehr so oft, seit die Suche nach ihrem Bruder abgeschlossen war, aber auch jetzt blieb sie nicht gern den ganzen Tag im Zimmer eingepfercht.

Vielleicht hatte sie ihm eine Nachricht hinterlassen. Manchmal tat sie das.

Er sah sich um, ließ den Blick langsam über die verschiedenen Tische gleiten. Da war etwas. Ein dreimal gefaltetes Papier, das halb unter die Waschschüssel gesteckt war, damit es nicht davonflog.

Cecilia ließ gern das Fenster offen.

Edward entfaltete das Papier, und einen Augenblick war er verblüfft ob der schieren Anzahl von Worten auf der Seite, weitaus mehr, als vonnöten gewesen wären, um ihm mitzuteilen, wann sie wiederkommen würde.

Dann begann er zu lesen.

Lieber Edward,
ich bin ein Feigling, ein schrecklicher Feigling. Ich weiß,
dass ich Dir das alles persönlich hätte sagen sollen, aber
ich kann nicht. Ich glaube nicht, dass ich die kleine An-
sprache schaffen könnte, und außerdem glaube ich auch
nicht, dass ich genügend Zeit hätte.
Ich habe Dir so viel zu gestehen, ich weiß kaum, wo ich
anfangen soll. Am besten wohl mit der wichtigsten Tat-
sache. Wir sind nicht verheiratet.
Es lag nicht in meiner Absicht, eine solche Lüge zu le-
ben. Ich verspreche Dir, angefangen hat es aus einem
ganz selbstlosen Grund. Als ich hörte, dass Du im La-
zarett liegst, wusste ich, dass ich hingehen und mich um
Dich kümmern müsste, doch ich wurde abgewiesen.
Aufgrund Deines Rangs und Deiner Stellung seien bei
Dir nur Familienmitglieder zugelassen. Ich weiß nicht
recht, was dann über mich kam – ich hätte nicht ge-
dacht, dass ich so ungestüm bin, andererseits habe ich

alle Vorsicht fahren lassen und bin nach New York ge-
kommen. Ich war so zornig. Ich wollte doch nur helfen.
Jedenfalls, bevor ich mich noch besinnen konnte, schrie
ich schon, dass ich Deine Ehefrau sei. Bis zu diesem Tag
weiß ich nicht recht, wieso mir überhaupt irgendwer ge-
glaubt hat.

Ich habe mir eingeredet, dass ich Dir die Wahrheit sagen
würde, sobald Du aufgewacht sein würdest. Aber dann
ging alles schief. Nein, nicht schief, es wurde nur alles
sehr seltsam. Du bist aufgewacht und konntest Dich an
nichts erinnern. Noch merkwürdiger war, dass Du zu
wissen schientest, wer ich bin. Ich kann mir immer noch
nicht erklären, warum Du mich erkannt hast. Wenn Du
Dein Gedächtnis wiedererlangst – und ich weiß, dass
das der Fall sein wird, nur Mut –, wirst Du wissen, dass
wir uns gar nicht kannten. Zumindest nicht persönlich.
Ich weiß, dass Thomas Dir meine Miniatur gezeigt hat,
aber das Bildnis sieht mir wirklich nicht sehr ähnlich.
Das kann also nicht der Grund sein, warum Du mich
erkannt hast, als Du die Augen öffnetest.

Vor dem Arzt und Colonel Stubbs wollte ich Dir die
Wahrheit aber auch nicht sagen. Ich dachte nicht, dass
sie mir erlauben würden zu bleiben, und ich hatte das
Gefühl, dass Du meine Fürsorge nötig hattest. Später
an diesem Abend wurde etwas sehr deutlich. Die Armee
war weitaus interessierter daran, Mrs. Rokesby bei der
Suche nach ihrem Bruder zu helfen, als Miss Harcourt.
Ich habe Dich benutzt. Ich habe Deinen Namen benutzt.
Dafür möchte ich mich entschuldigen. Aber ich gestehe,
dass ich, auch wenn ich diese Schuld bis ans Ende meiner
Tage mit mir herumtragen werde, nicht bedauern kann,

was ich getan habe. Ich musste Thomas finden. Er war alles, was ich noch hatte.

Aber jetzt ist er nicht mehr, und daher gibt es für mich auch keinen Grund mehr, in New York zu bleiben. Da wir nicht verheiratet sind, halte ich es für das Beste und Passendste, dass ich nach Derbyshire zurückkehre. Ich werde Horace nicht heiraten, nichts wird mich je veranlassen, so tief zu sinken, das kann ich Dir versichern. Ich habe im Garten vor meinem Aufbruch etwas Silber vergraben, es hat meiner Mutter gehört und fällt demnach nicht unter den Fideikommiss. Ich werde einen Käufer finden. Du brauchst Dir meinetwegen keine Sorgen zu machen.

Edward, Du bist so ein Gentleman – der ehrenhafteste Mann, den ich je kennengelernt habe. Wenn ich in New York bliebe, würdest Du darauf bestehen, dass Du mich kompromittiert hast und mich daher heiraten musst. Aber das kann ich nicht von Dir verlangen. Nichts von alledem war Deine Schuld. Du dachtest, wir wären verheiratet, und hast Dich benommen, wie es ein Ehemann eben tut. Du solltest meine Tricksereien nicht ausbaden müssen. Auf Dich wartet in England Dein Leben, ein Leben, das mich nicht mit einschließt.

Alles, worum ich bitte, ist, dass Du niemandem von dieser Zeit erzählst. Wenn ich eines Tages heiraten sollte, werde ich meinem Zukünftigen beichten, was hier passiert ist. Andernfalls könnte ich mir nicht mehr ins Gesicht blicken. Aber bis dahin halte ich es für das Beste, wenn die Welt mich einfach weiter betrachtet als
Deine Freundin,
Cecilia Harcourt

P.S.: Du brauchst Dir keine Sorgen darüber zu machen, dass unsere gemeinsame Nacht Folgen tragen könnte.

Wie erstarrt stand Edward in der Mitte des Zimmers. Was zum Teufel war das? Was meinte sie damit …

Er suchte nach einer bestimmten Passage. Ach ja, hier war sie. Sie glaubte nicht, dass sie genügend Zeit haben würde, es ihm persönlich mitzuteilen.

Das Blut wich ihm aus dem Gesicht.

Die Rhiannon. Sie lag im Hafen. Heute Abend sollte sie auslaufen.

Cecilia hatte eine Überfahrt gebucht. Dessen war er sich sicher.

Er sah auf die Taschenuhr, die ihnen als Uhr diente. Er hatte noch Zeit. Nicht viel, aber genug.

Es würde reichen müssen. Sein Lebensglück hing davon ab.

21. KAPITEL

Ich habe so lang nichts von Dir gehört, Thomas. Ich weiß, ich sollte mir keine Sorgen machen, es gibt Dutzende von Gründen, aus denen sich Dein Brief verspätet haben könnte, aber ich kann mir einfach nicht helfen. Wusstest Du, dass ich mir Notizen in einem Kalender mache, um Überblick über unsere Korrespondenz zu behalten? Eine Woche, bis mein Brief aufs Schiff kommt, fünf Wochen über den Atlantik, noch eine Woche, bis Du ihn hast. Dann wieder eine Woche, bis Dein Brief an Bord ist, drei Wochen über den Atlantik (siehst Du? Ich hab aufgepasst, als Du mir gesagt hast, dass die Reise nach Osten schneller geht), dann eine Woche, bis ich ihn habe. Das sind drei Monate für eine Antwort auf eine schlichte Frage!
Andererseits gibt es vielleicht keine schlichten Fragen. Oder wenn doch, dann keine einfachen Antworten.
– CECILIA HARCOURT AN IHREN BRUDER THOMAS (BRIEF NIE ERHALTEN)

Die Rhiannon war der Lady Miranda bemerkenswert ähnlich, sodass Cecilia keine Schwierigkeiten hatte, ihre Kabine zu finden. Als sie vor ein paar Stunden die Überfahrt gebucht hatte, hatte man ihr gesagt, dass sie ihre Kabine mit einer gewissen Miss Aletha Finch teilen würde, die einer prominenten

366

New Yorker Familie als Gouvernante gedient hatte und nun nach Hause zurückkehren würde. Es war keine Seltenheit, dass sich zwei vollkommen Fremde auf solchen Fahrten die Unterkunft teilten. Cecilia hatte es auf dem Herweg getan; sie war mit ihrer Mitreisenden sehr gut ausgekommen und hatte sich mit Bedauern nach ihrer Ankunft in New York von ihr verabschiedet.

Cecilia fragte sich, ob Miss Finch Irin war oder einfach nur wie sie mit dem erstbesten Schiff Richtung Großbritannien segeln wollte und sich nicht daran störte, auf dem Weg nach England einen Zwischenstopp einzulegen. Cecilia war sich selbst nicht sicher, wie sie von Cork aus nach Hause kommen sollte, aber diese Hürde erschien ihr winzig im Vergleich zu der Herausforderung, den Atlantik zu überqueren. Vermutlich gab es Schiffe, die von Cork nach Liverpool fuhren, oder wenn nicht, dann würde sie nach Dublin reisen und von dort aus übersetzen.

Himmel, sie war von Derbyshire nach New York gelangt. Wenn sie das geschafft hatte, dann konnte sie alles schaffen. Sie war stark. Sie war mutig.

Und sie weinte.

Verdammt, sie musste aufhören zu weinen.

In dem engen Korridor vor ihrer Kabine blieb sie stehen und atmete tief durch. Wenigstens schluchzte sie nicht. Noch konnte sie sich in der Öffentlichkeit bewegen, ohne allzu viel Aufsehen zu erregen. Aber jedes Mal, wenn sie glaubte, ihre Gefühle unter Kontrolle zu haben, schien ein Ruck durch ihre Lungen zu gehen, und sie atmete unerwartet ein, aber es klang erstickt, und dann begann ihr der Blick zu verschwimmen, und dann …

Halt. Sie musste aufhören, darüber nachzudenken.

Tagesziel: nicht in der Öffentlichkeit weinen.

Sie seufzte. Sie wollte ein neues Ziel.

Es wurde Zeit, dass sie sich ein Herz fasste. Sie holte noch einmal tief Luft, wischte sich mit der Hand über die Augen und drückte die Klinke der Kabinentür herunter.

Die Tür war verschlossen.

Cecilia blinzelte perplex. Dann klopfte sie. Vermutlich war ihre Mitreisende vor ihr eingetroffen. Für eine allein reisende Frau war es klug, die Tür abzuschließen. Sie hätte dasselbe getan.

Sie wartete einen Augenblick und klopfte noch einmal. Endlich ging die Tür auf, aber nur einen Spaltbreit. Eine dünne Frau mittleren Alters linste heraus. Sie füllte den Großteil des schmalen Spalts aus, sodass Cecilia nicht viel von der Kabine dahinter sehen konnte. Es schien zwei Betten zu geben, eines oben, eines unten, und auf dem Boden stand eine offene Truhe. Auf dem Tisch stand eine brennende Laterne. Offenbar war Miss Finch gerade dabei auszupacken. »Kann ich Ihnen helfen?«, fragte Miss Finch.

Cecilia setzte eine freundliche Miene auf und sagte: »Ich glaube, dass wir uns eine Kabine teilen.«

Miss Finch betrachtete sie mit säuerlicher Miene und sagte: »Sie täuschen sich.«

Nun, mit dieser Antwort hatte Cecilia nicht gerechnet. Sie sah auf die Tür, die durch Miss Finchs Hüfte offen gehalten wurde. Eine Acht aus stumpfem Messing war an das Holz genagelt.

»Kabine acht«, sagte Cecilia. »Sie müssen Miss Finch sein. Wir sollen uns die Kabine teilen.« Es fiel ihr schwer, sich umgänglich zu zeigen, aber sie wusste, dass sie es zumindest versuchen musste, und so fügte sie hinzu: »Ich bin Miss Cecilia Harcourt. Freut mich, Sie kennenzulernen.«

Die ältere Frau presste die Lippen zusammen. »Man hat mir den Eindruck vermittelt, dass ich diese Kabine mit niemandem teilen würde.«

Cecilia blickte erst auf die eine Koje, dann auf die andere. Die Kabine war eindeutig für zwei gedacht. »Haben Sie eine Einzelkabine gebucht?«, fragte sie. Sie hatte gehört, dass die Leute das manchmal taten, auch wenn sie dann den doppelten Preis zahlen mussten.

»Man hat mir *gesagt*, dass es keine Mitreisende gebe.«

Was keine Antwort auf Cecilias Frage war. Aber obwohl ihre eigene Laune inzwischen alles andere als heiter war, hielt sie ihren Unmut im Zaum. Sie würde sich die winzige Kabine mit dieser Frau mindestens drei Wochen lang teilen müssen. Und so setzte sie ihr bestes künstliches Lächeln auf und sagte: »Ich habe die Überfahrt erst heute Nachmittag gebucht.«

Miss Finch wich missbilligend zurück. »Was ist das für eine seltsame Person, die eine Atlantiküberfahrt erst am Tag der Abreise bucht?«

Cecilia biss die Zähne zusammen. »Eine Person wie ich. Meine Pläne haben sich recht plötzlich geändert, und ich hatte das Glück, ein Schiff zu finden, das bald in See sticht.«

Miss Finch schnupfte auf. Cecilia war sich nicht sicher, wie sie das zu interpretieren hatte, abgesehen von der offensichtlichen Tatsache, dass es nicht schmeichelhaft gemeint war. Doch Miss Finch trat endlich beiseite und ließ Cecilia in die winzige Kabine.

»Wie Sie sehen«, sagte Miss Finch, »habe ich meine Sachen auf der unteren Koje ausgepackt.«

»Ich bin gern bereit, oben zu schlafen.«

Miss Finch schnupfte noch einmal auf, diesmal ein wenig lauter. »Wenn Sie seekrank werden, müssen Sie die Kabine verlassen. Diesen Geruch dulde ich hier nicht.«

Cecilia merkte, wie ihre Entschlossenheit, höflich zu bleiben, ins Wanken geriet. »Einverstanden. Solange Sie dasselbe tun.«

»Hoffentlich schnarchen Sie nicht.«

»Wenn ja, so hat mich noch niemand darüber in Kenntnis gesetzt.«

Miss Finch öffnete den Mund, doch Cecilia unterbrach sie mit einem: »Bestimmt werden *Sie* es mir sagen, falls ich es doch tue.«

Miss Finch machte noch einmal den Mund auf, aber Cecilia sprach schon weiter: »Und ich wäre Ihnen äußerst dankbar dafür. Das gehört doch zu den Dingen, die man von sich wissen sollte, finden Sie nicht auch?«

Miss Finch richtete sich auf. »Sie sind äußerst impertinent.«

»Und Sie stehen mir im Weg.« Cecilia hatte die Kabine noch nicht einmal richtig betreten, da das beinahe unmöglich war, solange die Truhe der anderen Frau aufgeklappt auf dem Boden stand.

»Es ist meine Kabine«, erklärte Miss Finch.

»Es ist *unsere* Kabine«, gab Cecilia beinahe knurrend zurück, »und ich wäre Ihnen dankbar, wenn Sie Ihre Truhe aus dem Weg räumen würden, damit ich eintreten kann.«

»Also!« Miss Finch schlug ihre Truhe zu und schob sie unter das Bett. »Ich weiß nicht, wo Sie Ihre Truhe unterbringen wollen, aber glauben Sie bloß nicht, Sie können sie einfach mitten auf den Boden stellen, wenn ich das nicht kann.«

Cecilia hatte keine Truhe, nur ihre große Reisetasche, doch es kam ihr wenig zielführend vor, darauf hinzuweisen.

»Ist das alles, was Sie haben?«

Zumal Miss Finch erpicht darauf zu sein schien, an ihrer Stelle darauf hinzuweisen.

Cecilia versuchte es mit einem tiefen Atemzug. »Wie ich schon sagte, musste ich plötzlich aufbrechen. Es war keine Zeit, eine ganze Truhe zu packen.«

Miss Finch sah sie von oben herab an und ließ ein weiteres Aufschnupfen hören. Cecilia beschloss, so viel Zeit wie möglich an Deck zu verbringen.

Am Fußende des Bettes stand ein kleines Tischchen, gerade groß genug, dass Cecilia ihre Tasche darunter platzieren konnte. Sie nahm die wenigen Dinge heraus, von denen sie dachte, dass sie sie gern in ihrer Koje haben würde, und quetschte sich an Miss Finch vorbei, um hinaufzuklettern und sich ihren Schlafplatz einmal anzusehen.

»Steigen Sie nicht auf mein Bett bei Ihrem Weg nach oben.«

Cecilia hielt inne, zählte innerlich bis drei und sagte dann: »Ich werde mich hüten, Ihre Koje auch nur mit dem kleinen Zeh zu streifen.«

»Ich werde mich beim Kapitän über Sie beschweren.«

»Bitte sehr, tun Sie sich keinen Zwang an«, entgegnete Cecilia mit großartiger Geste. Sie stieg noch eine Sprosse höher und sah sich um. Ihre Koje war sauber und ordentlich, und selbst wenn nach oben nicht mehr viel Platz war, musste sie wenigstens nicht Miss Finch ansehen.

»Sind Sie eine Dirne?«

Cecilia hätte beinahe den Halt auf der Leiter verloren. »Was haben Sie da gerade gefragt?«

»Sind Sie eine Dirne?«, wiederholte Miss Finch und unterstrich jedes Wort mit einer dramatischen Pause. »Ich kann mir keinen anderen Grund denken ...«

»Nein, ich bin keine Dirne«, fuhr Cecilia sie an, wobei sie sich durchaus bewusst war, dass diese ekelhafte Frau sicher anderer Meinung gewesen wäre, wenn sie wüsste, was sich im letzten Monat zugetragen hatte.

»Weil ich meine Kabine nämlich nicht mit einer Hure teilen würde.«

Cecilia drehte durch. Sie drehte einfach durch. Sie hatte die Haltung bewahrt, als sie vom Tod ihres Bruders erfahren hatte und als sich herausgestellt hatte, dass Colonel Stubbs sie, wohl wissend um ihren Kummer und ihre Sorgen, dennoch belogen hatte. Es war ihr sogar gelungen, nicht die Fassung zu verlieren, als sie den einzigen Mann verlassen hatte, den sie je lieben würde: Und jetzt schickte sie sich an, den Ozean zu überqueren, und er würde sie hassen, und diese schreckliche, furchtbare Frau nannte sie eine Hure?

Sie sprang von der Leiter, baute sich vor Miss Finch auf und packte sie am Kragen.

»Ich weiß nicht, was für ein Gift Sie heute Morgen zu sich genommen haben«, schäumte sie, »aber mir reicht es jetzt. Ich habe für meine Hälfte der Kabine gutes Geld gezahlt, und ich erwarte im Gegenzug ein Mindestmaß an Höflichkeit und guter Kinderstube.«

»Guter Kinderstube! Und das von einer Frau, die nicht mal eine Truhe besitzt!«

»Was zum Teufel soll das heißen?«

Miss Finch warf die Arme in die Luft und kreischte wie von Sinnen. »Und jetzt gebrauchen Sie auch noch den Namen Satans!«

Lieber Gott. Sie war in die Hölle geraten. Dessen war Cecilia sich sicher. Vielleicht war das die Strafe dafür, dass sie Edward belogen hatte. Drei Wochen ... vielleicht sogar einen vollen Monat mit diesem Drachen.

»Ich weigere mich, die Kabine mit Ihnen zu teilen!«, rief Miss Finch.

»Ich versichere Ihnen, dass ich Ihnen den Gefallen liebend gern täte, aber ...«

Jemand klopfte an die Tür.

»Hoffentlich ist das der Kapitän«, sagte Miss Finch. »Wahrscheinlich hat er Sie herumschreien hören.«

Cecilia bedachte sie mit einem angeekelten Blick. »Warum um alles in der Welt sollte der Kapitän herkommen?« Sie hatten zwar kein Bullauge in der Kabine, doch das Schiff hatte inzwischen Fahrt aufgenommen, und sie vermutete, dass sie den Hafen bereits verlassen hatten. Der Kapitän hatte jetzt sicher Besseres zu tun, als einen Streit zu schlichten.

Statt energisch mit den Fingerknöcheln wurde draußen inzwischen mit der Faust gegen die Tür getrommelt, gefolgt von einem gebrüllten: »Mach die Tür auf!«

Die Stimme war Cecilia nur allzu vertraut.

Sie wurde blass. Sie spürte förmlich, wie ihr alles Blut aus dem Gesicht wich. Gleichzeitig blieb ihr vor Schreck der Mund offen stehen. Sie wandte sich um zu dem erzitternden Türblatt.

»Mach die verdammte Tür auf, Cecilia!«

Miss Finch keuchte auf und wirbelte zu ihr herum. »Das ist nicht der Kapitän.«

»Nein ...«

»Wer ist es dann? Wissen Sie, wer es ist? Er könnte uns überfallen wollen. Oh lieber Gott, oh lieber Himmel ...«

Überraschend behände hüpfte Miss Finch hinter Cecilia, um sich hinter ihr vor dem Ungeheuer zu verschanzen, das da jeden Moment durch die Tür brechen mochte.

»Er wird uns nicht überfallen«, sagte Cecilia benommen. Sie wusste, dass sie etwas tun musste – Miss Finch abschütteln, zur Tür gehen –, doch sie war wie erstarrt, während sie versuchte, sich zu erklären, was eigentlich unmöglich war.

Edward war hier. Auf dem Schiff. Auf dem Schiff, das den Hafen verlassen hatte.

»Oh Gott«, keuchte sie.

»Ach, jetzt machen Sie sich Sorgen«, schnauzte Miss Finch sie an.

Das Schiff hatte abgelegt. Es hatte *abgelegt*. Als sie über das Deck gelaufen war, hatte sie gesehen, wie die Mannschaft die dicken Leinen von den Pollern löste. Sie hatte gespürt, wie sie sich von der Hafenmauer abstießen, hatte das vertraute Schlingern und Mahlen erkannt, als sie über die Bucht Kurs einschlugen auf den Atlantik.

Edward war an Bord. Und da er wohl kaum ans Ufer zurückschwimmen würde, hieß das, dass er seinen Posten verlassen hatte, und ...

Es wurde noch mehr gehämmert, noch lauter.

»Mach sofort die Tür auf, sonst schwöre ich, ich schlage sie ein!«

Miss Finch wimmerte irgendetwas über ihre Tugend.

Und Cecilia flüsterte endlich Edwards Namen.

»Sie kennen ihn?«, fragte Miss Finch anklagend.

»Ja, er ist mein ...« Was war er denn? Ihr Ehemann jedenfalls nicht.

»Na, dann machen Sie die Tür doch auf.« Miss Finch versetzte ihr einen heftigen Stoß, der Cecilia so unvorbereitet traf, dass sie gegen die Wand taumelte. »Aber lassen Sie ihn nicht herein«, blaffte sie. »Ich will hier keinen Mann haben. Gehen Sie mit ihm hinaus, und erledigen Sie Ihre … Ihre …« Angewidert schnippte sie ihr mit den Fingern vor dem Gesicht herum. »Ihre *Geschäfte*«, schloss sie endlich. »Machen Sie das anderswo.«

»Cecilia!«, brüllte Edward.

»Er bricht die Tür auf!«, kreischte Miss Finch. »Schnell!«

»Ich mache ja schnell!« Die Kabine war nur acht Fuß lang – Schnelligkeit spielte bei der Entfernung kaum eine Rolle –, doch Cecilia eilte trotzdem zur Tür und legte die Finger an den Riegel.

Und erstarrte.

»Worauf warten Sie noch?«, fragte Miss Finch.

»Ich weiß nicht«, wisperte Cecilia.

Edward war hier. Er war ihr gefolgt. Was hatte das zu *bedeuten*?

»CECILIA!«

Sie öffnete die Tür, und für einen seligen Augenblick blieb die Zeit stehen. Sie nahm seinen Anblick in sich auf, wie er da vor ihr stand, die Faust noch hoch erhoben, um gegen die Tür zu hämmern. Er trug keinen Hut, und sein Haar war wirr und zerzaust.

Er sah … wild aus.

»Du trägst deine Uniform«, sagte sie töricht.

»Du«, sagte er und deutete mit ausgestrecktem Finger auf sie, »steckst in höllischen Schwierigkeiten.«

Miss Finch lachte hämisch auf. »Verhaften Sie sie jetzt?«

Edward wandte sich nur so lang von Cecilia ab, um ein ungläubiges »Was?« auszustoßen.

»Verhaften Sie sie?« Miss Finch huschte herbei, bis sie hinter Cecilia stand. »Ich glaube, sie ist eine ...«

Cecilia versetzte ihr einen Rippenstoß. Zu ihrem eigenen Besten. Man konnte unmöglich wissen, wie Edward reagieren würde, wenn Miss Finch sie direkt vor ihm als Hure bezeichnete.

Edward warf Miss Finch einen ungeduldigen Blick zu. »Wer ist das?«, fragte er.

»Wer sind *Sie*?«, schoss Miss Finch zurück.

Edward nickte zu Cecilia. »Ihr Ehemann.«

Cecilia versuchte zu widersprechen. »Nein, du bist ...«

»Ich werde es sein«, unterbrach er sie gereizt.

»Das ist höchst sonderbar«, erklärte Miss Finch mit einem Aufschnupfen.

Cecilia wirbelte herum. »Würden Sie freundlicherweise einen Schritt zurücktreten?«, herrschte sie sie an.

»Also so was!« Miss Finch schnaubte und wich die drei Schritte bis zu ihrer Koje theatralisch zurück.

Edward nickte zu der älteren Dame hinüber. »Deine Freundin?«

»Nein«, antwortete Cecilia nachdrücklich.

»Gewiss nicht«, bekräftigte Miss Finch.

Cecilia warf ihr einen verärgerten Blick zu, ehe sie Edward wieder ansah. »Hast du meinen Brief denn nicht bekommen?«

»Natürlich habe ich ihn bekommen. Warum zum Teufel sollte ich denn sonst hier sein?«

»Ich habe nicht gesagt, auf welchem Schiff ...«

»Das war nicht schwer herauszubekommen.«

»Aber du ... dein Dienst ...« Cecilia rang nach Worten. Er war Offizier in der Armee Seiner Majestät. Er konnte nicht einfach gehen. Ihm drohte ein Kriegsgericht. Lieber Gott, würden sie ihn aufhängen? Wegen Fahnenflucht wurde ein Offizier doch nicht gehängt, oder? Vor allem nicht, wenn er aus einer Familie wie der der Rokesbys stammte, oder?

»Ich hatte genügend Zeit, alles mit Colonel Stubbs zu regeln«, erwiderte Edward knapp. »Gerade einmal so.«

»Ich ... ich weiß nicht, was ich sagen soll.«

Er umfasste ihren Oberarm. »Verrat mir eines«, sagte er mit sehr leiser Stimme.

Sie hielt den Atem an.

Und dann blickte er über ihre Schulter zu Miss Finch, welche die Vorgänge mit *brennendem* Interesse verfolgte. »Wären Sie so freundlich, uns ein wenig Privatsphäre zu gönnen?«, fragte er betont höflich.

»Das ist meine Kabine«, entgegnete sie. »Wenn Sie unter sich sein wollen, müssen Sie sich einen anderen Ort suchen.«

»Ach, zum Kuckuck!«, platzte Cecilia heraus und drehte sich um, um dieser abscheulichen Frau ins Gesicht zu sehen. »Können Sie nicht ein wenig Freundlichkeit in Ihrem kalten Herzen zusammenkratzen und mir einen Augenblick mit ...«, sie schluckte, ihre Kehle war wie zugeschnürt, »... mit ihm gönnen«, sagte sie schließlich und nickte zu Edward.

»Sind Sie verheiratet?«, fragte Miss Finch prüde.

»Nein«, gab Cecilia zurück, was allerdings nicht sehr überzeugend war, da Edward im selben Augenblick Ja sagte.

Funkelnden Auges sah Miss Finch zwischen den beiden hin und her. Sie presste die Lippen zusammen, und ihre Brauen wölbten sich zu zwei unschönen Bögen. »Ich hole den Kapitän«, verkündete sie.

»Bitte sehr«, sagte Edward und schob sie praktisch zur Tür hinaus.

Miss Finch taumelte kreischend auf den Gang hinaus. Wenn sie noch irgendetwas hätte sagen wollen, so hinderte Edward sie daran, indem er ihr die Tür vor der Nase zuschlug. Und abschloss.

22. KAPITEL

Ich komme rüber, um nach Dir zu suchen.
– CECILIA HARCOURT AN IHREN BRUDER
THOMAS (BRIEF NIE ABGESCHICKT)

Edward war schlechter Stimmung.

Normalerweise brauchte man mehr als drei Stunden, um sein Leben auf den Kopf zu stellen und zu einem anderen Kontinent aufzubrechen. Edward jedoch hatte kaum Zeit gehabt, seine Truhe zu packen und die Genehmigung einzuholen, New York zu verlassen.

Als er am Hafen ankam, bereitete sich die Mannschaft der Rhiannon auf das Auslaufen vor. Edward musste praktisch an Bord springen, und man hätte ihn gewaltsam entfernt, wenn er dem Stellvertreter des Kapitäns nicht den hastig verfassten Befehl des Colonels unter die Nase gehalten hätte, der ihm dann eine Koje sicherte.

Oder vielleicht auch nur einen Platz an Deck. Der Vertreter des Kapitäns war sich nicht einmal sicher, ob sie eine extra Hängematte für ihn hatten.

Egal. Edward brauchte nicht viel Platz. Alles, was er dabeihatte, waren die Kleider an seinem Leib, ein paar Pfund in der Tasche …

Und ein großes schwarzes Loch, wo früher einmal seine Geduld gewesen war.

Als sich dann die Tür zur Kabine auftat ...

Hätte man annehmen können, dass er froh gewesen wäre, Cecilia zu sehen. Und dass er – angesichts seiner tiefen Gefühle und der Angst, die ihn den ganzen Nachmittag umgetrieben hatte – beim Anblick ihrer wunderschönen gischtgrünen Augen, die ihn so verwundert anblickten, vor Erleichterung in die Knie gegangen wäre.

Aber nein.

Stattdessen konnte er sich gerade noch davon abhalten, sie zu erwürgen.

»Warum bist du hier?«, flüsterte sie, nachdem er die abscheuliche Miss Finch endlich aus dem Raum bekommen hatte.

Einen Augenblick lang konnte er sie nur anstarren. »Das fragst du mich jetzt doch nicht allen Ernstes.«

»Ich ...«

»Du hast mich verlassen.«

Sie schüttelte den Kopf. »Ich habe dich freigegeben.«

Das entlockte ihm nur ein Schnauben. »Du hast mich über ein Jahr gefangen gehalten.«

»Was?« Ihre Antwort war mehr als Bewegung denn als Laut zu hören, doch Edward hatte keine Lust, es zu erklären. Er wandte sich ab, raufte sich schwer atmend die Haare. Verflucht, er hatte nicht mal seinen Hut auf. Hatte er vergessen, ihn aufzusetzen? War er ihm davongeflogen, als er zum Schiff rannte?

Diese verflixte Frau machte ihn vollkommen kopflos. Er war sich nicht einmal sicher, ob seine Truhe an Bord gebracht worden war. Soweit er wusste, war er zu einer einmonatigen Reise ohne einen Satz Unterkleidung zum Wechseln aufgebrochen.

»Edward?«, ertönte ihre Stimme hinter ihm. Sie klang leise und zögernd.

»Bist du schwanger?«, fragte er.

»Was?«

Er drehte sich um und wiederholte es mit größter Präzision. »Bist – du – schwanger?«

»Nein!« Beinahe ängstlich schüttelte sie den Kopf. »Das habe ich dir doch geschrieben.«

»Ich wusste nicht, ob …« Er unterbrach sich.

»Was wusstest du nicht?«

Er wusste nicht, ob er ihr trauen konnte. Das war es, was er beinahe gesagt hätte. Nur dass es nicht stimmte. Er vertraute ihr. Zumindest in diesem Punkt. Nein, vor allem in diesem Punkt. Und sein erster Impuls – der ihn dazu geführt hatte, ihr Wort in Zweifel zu ziehen – war nichts als der Teufel, der ihm im Nacken saß und auf sie eindreschen wollte. Der verletzen wollte.

Denn sie hatte *ihm* wehgetan. Nicht weil sie gelogen hatte – er konnte sogar verstehen, wie das alles hatte passieren können. Aber dass sie kein Vertrauen zu ihm gehabt hatte. Dass sie nicht an ihn geglaubt hatte. Wie konnte sie nur gedacht haben, wegzulaufen wäre die richtige Lösung? Wie konnte sie geglaubt haben, dass er sich nichts aus ihr *machte*?

»Ich bin nicht schwanger«, sagte sie leise. »Wirklich nicht. Bei so etwas würde ich niemals lügen.«

»Nein?« Der Teufel in seinem Nacken weigerte sich anscheinend, klein beizugeben.

»Wirklich nicht«, sagte sie noch einmal. »Das würde ich dir nicht antun.«

»Aber *das* hier konntest du mir schon antun?«

»Das hier?«, wiederholte sie.

Er tat einen Schritt auf sie zu, immer noch vor Wut schäumend. »Du hast mich verlassen. Ohne ein Wort.«

»Ich habe dir einen Brief geschrieben!«

»Und dann den *Kontinent* verlassen.«

»Aber ich ...«

»*Du bist weggelaufen!*«

»Nein!«, rief sie. »Bin ich nicht. Ich ...«

»Du bist auf einem Schiff«, platzte er heraus. »Das ist der Inbegriff von Weglaufen!«

»Ich habe es deinetwegen getan!«

Sie war so laut geworden, so wehklagend, dass es ihm für den Moment die Sprache verschlug. Sie wirkte beinahe zerbrechlich, ihre Arme hingen wie Stecken an ihr herab, ihre Hände waren zu verzweifelten kleinen Fäusten geballt.

»Ich habe es deinetwegen getan«, sagte sie noch einmal leiser.

Er schüttelte den Kopf. »Dann hättest du mich verdammt noch mal fragen sollen, ob ich das auch will.«

»Wenn ich geblieben wäre«, sprach sie in dem langsamen, deutlichen Tonfall von jemandem weiter, der verzweifelt versucht, seinem Gegenüber etwas begreiflich zu machen, »hättest du darauf bestanden, mich zu heiraten.«

»Allerdings.«

»Glaubst du, dass ich das wollte?« Sie schrie beinahe. »Glaubst du, es hat mir *gefallen*, mich davonzuschleichen, während du weg warst? Ich habe dich davor bewahrt, das Richtige tun zu müssen!«

»Jetzt hör dir bloß mal zu«, stieß er hervor. »Mich davor bewahrt, das Richtige zu tun? Wie kommst du darauf, dass ich überhaupt etwas anderes hätte tun wollen? Kennst du mich denn gar nicht?«

»Edward, ich ...«

»Wenn es das Richtige ist«, unterbrach er sie gereizt, »dann sollte ich es auch tun.«

»Edward, bitte, du musst mir glauben. Wenn du dein Gedächtnis wiedererlangst, wirst du verstehen ...«

»Mein Gedächtnis ist schon vor Tagen zurückgekommen«, warf er ein.

Sie erstarrte.

Er war nicht so edelmütig, als dass ihn das nicht wenigstens ein bisschen mit Befriedigung erfüllt hätte.

»*Was?*«, sagte sie schließlich.

»Ich habe mein ...«

»Du hast mir das nicht gesagt?« Ihre Stimme war gefährlich ruhig.

»Wir hatten gerade das mit Thomas erfahren.«

»Du hast es mir nicht *gesagt*?«

»Du hast getrauert ...«

Sie versetzte ihm einen Schlag gegen die Schulter. »Wie konntest du mir das nur vorenthalten?«

»Ich war wütend!«, brüllte er. »Hatte ich nicht das Recht, dir *auch* etwas vorzuenthalten?«

Sie prallte zurück, schlang sich die Arme um den Körper. Ihr Schmerz war offensichtlich, doch er ging trotzdem mit drohend ausgestrecktem Zeigefinger auf sie zu. »Ich war so verdammt wütend auf dich, dass ich kaum noch geradeaus denken konnte. Und apropos das Richtige tun: Ich dachte, es wäre netter, wenn ich dich nicht gleich damit konfrontieren würde, sondern ein paar Tage abwarte, damit du um deinen Bruder trauern kannst.«

Ihre Augen wurden immer größer, ihre Lippen begannen zu zittern, und ihre Haltung – irgendwie gleichzeitig angespannt und zusammengesunken – erinnerte Edward an einen Hirsch, den er vor einigen Jahren beinahe erlegt hätte, als er mit seinem Vater auf der Jagd gewesen war. Einer von ihnen war auf einen Zweig getreten, und die großen Ohren des Tieres hatten sich aufgerichtet und gedreht. Es bewegte sich jedoch nicht, stand nur eine halbe Ewigkeit dort, und Edward hatte den bizarren Eindruck, dass es über sein Leben nachsann.

Er hatte nicht geschossen. Er hatte es einfach nicht übers Herz gebracht.

Und jetzt …

Der Teufel in seinem Nacken schlich sich davon.

»Du hättest bleiben sollen«, meinte er ruhig. »Du hättest mir die Wahrheit sagen sollen.«

»Ich hatte Angst.«

Er war sprachlos. »Vor mir?«

»Nein!« Sie senkte den Blick, doch er hörte sie flüstern: »Vor mir selbst.«

Moment … *was?*

Er brauchte einen Augenblick, um sich darüber klar zu werden, dass er es nicht laut gesagt hatte. War sie verrückt geworden? »Wovon redest du?«

»Billie Bridgerton. Eigentlich solltest du doch sie heiraten. Ich glaube nicht, dass du dich daran erinnerst, aber …«

»Ich bin nicht in Billie verliebt«, unterbrach er sie wieder. Er strich sich durch die Haare, wandte sich zur Wand und stieß einen unwirschen Laut aus. Lieber Himmel, worum *ging* es hier eigentlich? Um seine Nachbarin in England?

Und dann fragte Cecilia – fragte *tatsächlich*: »Bist du dir sicher?«

»Natürlich bin ich mir sicher«, erwiderte er. »Ich werde sie auf keinen Fall heiraten.«

»Doch, ich glaube schon. Ich glaube, du hast dein Gedächtnis noch nicht vollständig wiedererlangt, in deinen Briefen hast du es jedenfalls so gut wie ausgesprochen. Das heißt, Thomas hat es geschrieben, und dann hat deine Patentante ...«

»Was?« Er fuhr herum. »Wann hast du denn mit Tante Margaret gesprochen?«

»Heute erst. Aber ich ...«

»Hat sie dich aufgesucht?« Denn bei Gott, wenn seine Patentante Cecilia in irgendeiner Weise beleidigt hatte ...

»Nein. Es war reiner Zufall. Sie wollte zu dir, und da ich gerade auf dem Weg war, meine Fahrkarte zu kaufen ...«

Er gab ein Knurren von sich.

Sie wich einen Schritt zurück. Beziehungsweise versuchte es. Offenbar hatte sie vergessen, dass sie schon mit dem Rücken zur Koje stand.

»Ich dachte, es wäre unhöflich, mich nicht kurz mit ihr hinzusetzen«, erklärte sie. »Obwohl ich sagen muss, es war sehr unangenehm, in einem Gasthaus die Gastgeberin zu spielen.«

Edward schwieg kurz, und dann stellte er zu seinem Erstaunen fest, dass sich seine Lippen zu einem Lächeln verzogen. »Gott, das hätte ich wirklich gern gesehen.«

Cecilia warf ihm einen Seitenblick zu. »Im Nachhinein ist es weitaus amüsanter.«

»Kann ich mir vorstellen.«

»Sie kann einen in Angst und Schrecken versetzen.«

»Allerdings.«

»Meine Patentante war ein schrulliges altes Mütterchen aus unserer Gemeinde«, sagte Cecilia, »das mir zu jedem Geburtstag Strümpfe gestrickt hat.«

Er überlegte. »Ich bin mir ziemlich sicher, dass Margaret Tryon in ihrem ganzen Leben noch kein Paar Strümpfe gestrickt hat.«

In Cecilias Kehle bildete sich ein leise grummelndes Geräusch, bevor sie erwiderte: »Wenn sie es versuchte, wäre sie vermutlich auch darin unglaublich kompetent.«

Edward nickte. Das Lächeln hatte inzwischen seine Augen erreicht. »Vermutlich.« Er schob sie ein wenig in die Seite, sodass sie sich aufs Bett setzte, und setzte sich neben sie. »Du weißt, dass ich dich heiraten werde«, sagte er. »Ich kann gar nicht fassen, dass du geglaubt hast, ich würde etwas anderes tun!«

»Natürlich dachte ich, du würdest darauf bestehen, mich zu heiraten«, gab sie zurück. »Deswegen bin ich ja gegangen. Damit du es eben nicht tun musst.«

»Das ist ja wohl das Lächerli…«

Sie legte ihm eine Hand auf die Schulter, um ihn zum Schweigen zu bringen. »Du wärst nie mit mir ins Bett gegangen, wenn du gewusst hättest, dass wir nicht verheiratet sind.«

Er widersprach nicht.

Traurig schüttelte sie den Kopf. »Du hast mit mir unter Vorspiegelung falscher Tatsachen geschlafen.«

Er bemühte sich, nicht zu lachen, bemühte sich redlich, doch im nächsten Augenblick erzitterte das Bett unter seinem Gelächter.

»Du lachst?« Entgeistert starrte sie ihn an.

Er nickte und hielt sich dabei den Bauch, da ihre Frage neuerliche Lachsalven hervorgerufen hatte. »Unter Vorspiegelung falscher Tatsachen mit dir geschlafen«, gluckste er.

Cecilia runzelte verärgert die Stirn. »Hast du doch auch.«

»Vielleicht, aber wen interessiert das schon?« Er versetzte ihr einen freundschaftlichen Rippenstoß. »Wir heiraten.«

»Aber Billie ...«

Er packte sie bei den Schultern. »Zum letzten Mal, ich will Billie nicht heiraten. Ich will *dich* heiraten.«

»Aber ...«

»Ich liebe dich, du Dummkopf. Ich liebe dich schon seit Jahren.«

Vielleicht war er ein bisschen zu sehr von sich eingenommen, aber er hätte schwören können, dass er hörte, wie ihr Herz einen Schlag aussetzte. »Aber du kanntest mich doch gar nicht«, flüsterte sie.

»Ich kannte dich«, widersprach er. Er nahm ihre Hand und führte sie sich an die Lippen. »Ich kannte dich besser als ...« Er hielt einen Augenblick inne, da er Zeit brauchte, um sich zu sammeln. »Hast du auch nur eine Vorstellung davon, wie oft ich deine Briefe gelesen habe?«

Sie schüttelte den Kopf.

»Jeden Brief ... mein Gott, Cecilia, du hast keine Ahnung, was sie mir bedeutet haben. Sie waren nicht einmal an mich gerichtet ...«

»Doch«, sagte sie leise.

Er wurde ganz still, doch sein Blick ließ ihren nicht los, als er nach der Bedeutung ihrer Worte fragte.

»Jedes Mal, wenn ich an Thomas schrieb, habe ich dabei an dich gedacht. Ich ...« Sie schluckte, und obwohl es zu dunkel war, um zu sehen, ob sie errötete, wusste er irgendwie, dass ihr Gesicht rosa angelaufen war. »Ich habe mich jedes Mal dafür gescholten.«

Er berührte ihre Wange. »Warum lächelst du?«

»Tue ich doch nicht. Ich ... also, vielleicht doch, aber nur, weil ich mich schäme. Ich kam mir so albern vor, mich nach einem Mann zu sehnen, den ich noch nicht mal gesehen hatte.«

»Nicht alberner als ich«, sagte er. Er griff in seine Rocktasche. »Ich muss dir etwas gestehen.«

Cecilia sah zu, wie er die Hand öffnete. Eine Miniatur – *ihre* Miniatur lag in seiner Hand. Sie keuchte auf, und ihr Blick suchte den seinen. »Aber ... wie?«

»Ich habe sie gestohlen«, bekannte er schlicht, »als Colonel Stubbs mich bat, Thomas' Truhe zu inspizieren.« Später würde er ihr auch verraten, dass Thomas sie ihm hinterlassen hatte. Es spielte ohnehin keine Rolle, denn als er sie eingesteckt hatte, hatte er das ja noch nicht gewusst.

Ihr Blick wanderte von dem winzigen Gemälde zu seinem Gesicht und dann wieder zurück.

Edward hob ihr Kinn an, damit sie ihm in die Augen sah. »Ich habe noch nie etwas gestohlen, weißt du.«

»Nein«, murmelte sie erstaunt. »Das hätte ich auch nicht gedacht.«

»Aber auf das hier ...« Er drückte ihr die Miniatur in die Hand. »Auf das hier konnte ich nicht verzichten.«

»Es ist nur ein Porträt.«

»Von der Frau, die ich liebe.«

»Du liebst mich«, flüsterte sie, und er fragte sich, wie oft er das wohl noch würde sagen müssen, bis sie es glaubte. »Du *liebst* mich.«

»Wie verrückt«, gab er zu.

Sie sah auf das Gemälde in ihrer Hand. »Es sieht mir nicht ähnlich.«

»Ich weiß.« Er streckte die Hand aus und steckte ihr eine Haarlocke hinter das Ohr. »Du bist so viel schöner«, raunte er und legte ihr seine Hand an die Wange.

»Ich habe dich angelogen.«

»Ist mir egal.«

»Das glaube ich nicht.«

»Hast du es in der Absicht getan, mich zu verletzen?«

»Nein, natürlich nicht. Ich wollte nur ...«

»Oder wolltest du mich übervorteilen ...«

»Nein!«

Er zuckte mit den Schultern. »Wie gesagt, es ist mir egal.«

Einen Augenblick sah es so aus, als würde sie aufhören, Einwände zu erheben. Doch dann öffnete sie den Mund, schöpfte kurz Atem, und Edward wusste, dass es Zeit wurde, diesem Unsinn ein Ende zu bereiten.

Und so küsste er sie.

Aber nicht sehr lange. So gern er sie auf der Stelle mit ins Bett genommen hätte, im Augenblick galt es andere, wichtigere Dinge zu klären. »Du könntest es auch zu mir sagen, weißt du«, erklärte er.

Sie lächelte. Nein, strahlte. »Ich liebe dich auch.«

Einfach so formten sich die Bruchstücke seines Herzens wieder zu einem Ganzen. »Willst du mich heiraten? Diesmal wirklich?«

Sie nickte. Dann nickte sie noch einmal, vehementer diesmal. »Ja!«, rief sie. »Ja, oh ja!«

Und weil Edward ein Mann der Tat war, stand er auf, nahm ihre Hand und zog Cecilia hoch. »Gut, dass wir auf einem Schiff sind.«

Sie gab einen undeutlichen Laut der Verwirrung von sich, wurde jedoch alsbald von einem leider nur zu bekannten Gekreisch übertönt.

»Deine Freundin?«, fragte Edward und zog amüsiert die Brauen hoch.

»Meine Freundin ist das bestimmt nicht«, erwiderte Cecilia sofort.

»Sie sind gleich dort drin«, war Miss Finchs grelle Stimme zu hören. »In Kabine acht.«

Jemand klopfte energisch an die Tür, kurz darauf ertönte eine tiefe männliche Stimme. »Hier ist Kapitän Wolverton. Ist irgendetwas nicht in Ordnung?«

Edward öffnete die Tür. »Ich bitte um Entschuldigung, Sir.«

Das Gesicht des Kapitäns hellte sich erfreut auf. »Captain Rokesby!«, rief er aus. »Was für eine Überraschung!«

Miss Finch riss den Mund auf. »Sie kennen ihn?«

»Wir waren zusammen in Eton«, erklärte der Kapitän.

»Natürlich, was auch sonst«, murmelte Cecilia.

»Er hat sie angegriffen!«, sagte Miss Finch und deutete in Cecilias Richtung.

»Captain Rokesby?«, fragte der Kapitän ungläubig.

»Nun, mich hätte er beinahe angegriffen«, schniefte Miss Finch.

»Also bitte«, spottete Cecilia.

»Schön, dich zu sehen, Kenneth«, sagte Edward, ergriff die Hand des Kapitäns und schüttelte sie herzhaft. »Dürfte ich dir eine Trauung aufbürden?«

Captain Wolverton grinste. »Jetzt?«

»Sobald du kannst.«

»Ist das überhaupt legal?«, fragte Cecilia.

Er bedachte sie mit einem ungläubigen Blick. »Ach, jetzt fängst du damit an?«

»Es ist legal, solange Sie auf meinem Schiff sind«, erklärte Captain Wolverton. »Ich empfehle allerdings, es auf festem Boden nachzuholen.«

»Miss Finch kann unsere Trauzeugin sein«, sagte Cecilia und presste die Lippen zusammen, um nicht zu lachen.

»Na, also …« Miss Finch blinzelte ungefähr sieben Mal binnen einer Sekunde. »Nun, ich schätze, es ist mir eine Ehre.«

»Der Steuermann kann der zweite Trauzeuge sein«, meinte Captain Wolverton. »Der macht so etwas unheimlich gern.« Dann betrachtete er Edward mit einem entschieden brüderlichen Blick. »Ihr nehmt natürlich meine Kabine«, sagte er. »Ich kann mich anderswo einquartieren.«

Edward dankte ihm wortreich, und dann verließen sie alle zusammen die Kabine und gingen an Deck, das, wie der Kapitän betonte, für eine Trauung doch einen sehr viel passenderen Rahmen abgab.

Doch als sie unter dem Mast standen, umringt von der Mannschaft, die mit ihnen feiern wollte, wandte Edward sich an den Kapitän und sagte: »Eine Frage noch, bevor wir anfangen …«

Captain Wolverton bedeutete ihm amüsiert, seine Frage zu stellen.

»Darf ich die Braut *zuerst* küssen?«

EPILOG

Cecilia Rokesby war aufgeregt.

Berichtigung, sie war *wirklich* aufgeregt.

In ungefähr fünf Minuten sollte sie die Familie ihres Ehemanns kennenlernen.

Seine sehr aristokratische Familie.

Die nicht wusste, dass er sie geheiratet hatte.

Und jetzt war wirklich alles legal. Wie sich herausstellte, betrieb der Bischof von Cork und Ross einen schwunghaften Handel mit Ehelizenzen – ihre war nicht die erste Trauung an Bord eines Schiffs, die nach einer rechtskräftigeren Zeremonie verlangte. Der Bischof hatte einen Stapel Lizenzen vor sich, die nur noch ausgefüllt werden mussten, und sie wurden auf der Stelle getraut, wobei Captain Wolverton und der Hilfspfarrer als Trauzeugen fungierten.

Danach hatten sie und Edward beschlossen, direkt nach Kent zu reisen. Seine Familie konnte es kaum erwarten, ihn wiederzusehen, und Cecilia hatte niemanden mehr, der in Derbyshire auf sie wartete. Es war immer noch Zeit genug, nach Marswell zurückzukehren und ihre Sachen zu packen, bevor sie Horace das Haus überließ. Ohne die Bestätigung, dass Thomas gestorben war, konnte ihr Vetter nichts unternehmen, und da Cecilia und Edward in England die Einzigen waren, die diese Bestätigung geben konnten ...

Horace würde die hohe Kunst der Geduld erlernen müssen.

Aber nun waren sie hier, fuhren die Auffahrt zu Crake House hinauf, dem Familiensitz der Rokesbys. Edward hatte ihr das Haus ganz genau beschrieben, sie wusste, dass es groß war, doch als sie um die Kurve fuhren, raubte der Anblick ihr den Atem.

Edward drückte ihr die Hand.

»Das ist ja riesig!«, rief sie.

Er lächelte abwesend. Seine Aufmerksamkeit galt ganz seinem Zuhause, das mit jeder Umdrehung der Wagenräder größer wurde.

Auch er ist aufgeregt, dachte Cecilia. Sie sah es daran, wie er sich mit den Fingern auf den Oberschenkel trommelte und an dem Aufblitzen seiner Zähne, wenn er sich auf die Unterlippe biss.

Ihr großer, starker, kompetenter Ehemann war aufgeregt.

Darauf liebte sie ihn nur noch mehr.

Die Kutsche kam zum Stehen, und Edward sprang heraus, bevor noch irgendwer kommen und ihm herunterhelfen konnte. Sobald Cecilia sicher neben ihm auf dem Boden stand, nahm er sie beim Arm und führte sie zum Haus.

»Ich bin überrascht, dass noch keiner rausgekommen ist«, murmelte er.

»Vielleicht hat keiner auf die Auffahrt gesehen?«

Edward schüttelte den Kopf. »Es ist immer jemand …«

Die Tür schwang auf, und ein Lakai trat heraus.

»Sir?«, fragte der Lakai, und Cecilia erkannte, dass er neu sein musste, weil er keine Ahnung hatte, wer Edward war.

»Ist die Familie zu Hause?«, fragte Edward.

»Jawohl, Sir. Wen darf ich melden?«

»Edward. Sagen Sie ihnen, dass Edward wieder da ist.«

Der Lakai machte große Augen. Offenbar arbeitete er schon lang genug für Rokesbys, um zu wissen, was *das* zu bedeuten hatte, und er rannte praktisch ins Haus zurück. Cecilia unterdrückte ein Grinsen. Sie war immer noch aufgeregt. Berichtigung, sie war immer noch *sehr* aufgeregt, aber das Ganze hatte auch etwas sehr Amüsantes an sich, etwas, bei dem ihr fast ein wenig schwindelig wurde.

»Sollen wir im Haus warten?«, fragte sie.

Er nickte, und sie betraten die große Eingangshalle. Sie war leer, bis auf einen einzelnen Diener, bis …

»Edward!«

Es war ein Kreischen, ein lautes, weibliches Kreischen, passend zu jemandem, der so glücklich war, dass er jeden Augenblick in Tränen ausbrechen konnte.

»Edward, Edward, Edward! Oh Gott, ich kann nicht glauben, dass du es wirklich bist!«

Cecilia hob die Brauen, als eine dunkelhaarige Frau die Treppe förmlich hinunter*geflogen* kam. Das letzte halbe Dutzend Stufen nahm sie in einem Sprung, und erst in diesem Augenblick sah Cecilia, dass sie Männerbreeches trug.

»Edward!« Mit einem letzten Schrei warf sich die Frau in Edwards Arme und drückte ihn so heftig, so liebevoll an sich, dass Cecilia die Tränen in die Augen stiegen.

»Oh, Edward«, sagte sie noch einmal und berührte seine Wangen, wie um sich zu vergewissern, dass er es wirklich war, »wir waren schon so verzweifelt.«

»Billie?«, sagte Edward.

Billie? Billie Bridgerton? Cecilia sank der Mut. Ach du lieber Himmel. Das hier würde einfach schrecklich werden. Vermutlich glaubte sie immer noch, dass Edward sie heiraten würde. Er hatte zwar gesagt, dass sie niemals offiziell verlobt waren und dass Billie ihn ebenso wenig heiraten wollte wie er sie, doch Cecilia hegte den Verdacht, dass da der begriffsstutzige Mann aus ihm sprach. Wie könnte eine Frau ihn nicht heiraten wollen, vor allem eine, der man seit ihrer Geburt erzählt hatte, er sei für sie bestimmt?

»Wie schön, dich zu sehen«, meinte Edward und küsste sie brüderlich auf die Wange, »aber was machst du hier?«

Das brachte Billie zum Lachen. Es war ein wässriges Lachen, durch Tränen hindurch, doch ihre Freude war in jedem Ton zu hören. »Du weißt es nicht«, sagte sie. »Natürlich weißt du es nicht.«

»Was weiß ich nicht?«

Und dann ließ sich eine andere Stimme hören. Eine männliche Stimme.

»Ich habe sie geheiratet.«

Edward wirbelte herum. »George?«

Sein Bruder. Es musste sein Bruder sein. Sein Haar hatte nicht denselben Braunton, doch diese Augen, diese strahlend blauen Augen … Er musste ein Rokesby sein.

»Du hast Billie geheiratet?« Edward sah immer noch … ehrlich, *wie vom Donner gerührt* traf es noch nicht einmal annähernd.

»Ja.« George sah auch noch aus, als wäre er stolz darauf, obwohl Cecilia nur einen Augenblick Zeit hatte, das zu beurteilen, denn gleich darauf hatte er Edward in die Arme geschlossen.

»Aber … aber …«

Cecilia sah interessiert zu. Es war unmöglich, nicht zu lächeln. Hier gab es eine Geschichte zu erzählen. Und sie konnte nicht anders, sie war auch ein wenig erleichtert, dass

Billie Bridgerton ganz offensichtlich in einen anderen verliebt war.

»Aber ihr könnt euch doch nicht ausstehen!«, protestierte Edward.

»Weitaus weniger, als wir uns lieben«, erklärte Billie.

»Lieber Himmel. Du und Billie?« Edward sah von einem zum anderen und wieder zurück. »Bist du sicher?«

»Ich kann mich noch ziemlich genau an die Zeremonie erinnern«, sagte George trocken. Er nickte zu Cecilia hinüber. »Willst du uns nicht vorstellen?«

Edward zog Cecilia an sich. »Meine Frau«, sagte er mit offensichtlichem Stolz. »Cecilia Rokesby.«

»Geborene Harcourt?«, fragte Billie. »Dann waren Sie es, die uns geschrieben hat. Oh, *danke*. Danke!«

Sie schlang die Arme um Cecilia und drückte sie so fest, dass Cecilia jedes Stocken ihrer Stimme mitbekam, als sie sagte: »Vielen, vielen Dank. Sie haben keine Ahnung, wie viel uns das bedeutet hat.«

»Mutter und Vater sind im Dorf«, sagte George. »Sie sollten innerhalb der nächsten Stunde zurück sein.«

Edward lächelte breit. »Hervorragend. Und die anderen?«

»Nicholas ist im Internat«, entgegnete Billie, »und Mary lebt jetzt natürlich in ihrem eigenen Haus.«

»Und Andrew?«

Andrew. Der dritte Bruder. Edward hatte Cecilia erzählt, dass er in der Marine diente.

»Ist er da?«, fragte Edward.

George stieß ein Geräusch aus, das Cecilia nicht zu deuten wusste. Man hätte es vielleicht ein leises Lachen nennen können ... wenn es nicht von etwas durchdrungen gewesen wäre, das man vielleicht besser als verlegene Resignation beschreiben hätte können.

»Sagst du es ihm, oder soll ich es tun?«

George atmete tief durch. »Also, *das* ist wirklich eine unglaubliche Geschichte ...«

JULIA QUINN

Bridgerton –
Der Duke und ich

Roman

Aus dem amerikanischen Englisch von
Suzanna Shabani

10,00 € (D)
ISBN: 978-3-7499-0408-2

1. KAPITEL

„Oh!" Violet Viscountess Bridgerton knüllte das Nachrichtenblatt zu einer Kugel zusammen und schleuderte es durch den eleganten Salon.

Ihre Tochter Daphne enthielt sich klugerweise eines Kommentars und gab vor, ganz in ihre Stickerei vertieft zu sein.

„Hast du gelesen, was sie geschrieben hat?", fragte Violet heftig. „Hast du das?"

Daphne betrachtete das zerknüllte Papier, das nun unter einem Beistelltischchen aus Mahagoni ruhte. „Ich hatte keine Gelegenheit, es zu lesen, bevor du … es dir vorgenommen hast."

„Dann lies es jetzt", fuhr Violet auf und ließ einen Arm dramatisch durch die Luft kreisen. „Lies, wie *diese Frau* uns verleumdet."

Gelassen legte Daphne ihre Stickerei beiseite und griff unter den Beistelltisch. Sie strich die Seiten auf dem Schoß glatt und las den Abschnitt über ihre Familie. Verwundert blickte sie auf. „Aber das ist doch gar nicht so schlimm, Mutter. Verglichen mit dem, was sie letzte Woche über die Featheringtons geschrieben hat, ist das hier ja fast eine Lobeshymne."

„Wie soll ich nur einen Ehemann für dich finden, wenn *diese Frau* deinen Namen in den Schmutz zieht?"

Daphne zwang sich, langsam auszuatmen. Ihre zweite Saison in London war inzwischen fast vorüber, und bei der bloßen Erwähnung des Wortes *Ehemann* bekam sie Kopfschmerzen. Sie hatte durchaus die Absicht zu heiraten, die hatte sie wirklich, und sie hatte sich nicht einmal auf eine echte Liebesheirat versteift. Aber durfte sie denn nicht auf einen Mann hoffen, für den sie zumindest eine gewisse Zuneigung hegte?

Bisher hatten vier junge Herren um ihre Hand angehalten, doch wann immer Daphne sich vorzustellen versuchte, den Rest ihrer Tage mit einem von ihnen zu verbringen, konnte sie einfach nicht einwilligen.

Gewiss, es gab eine Reihe von Gentlemen, die ihrer Meinung nach akzeptable Ehemänner abgegeben hätten, nur das Problem war – von denen interessierte sich keiner für sie. Oh, alle *mochten* sie. Einfach jeder hatte sie gern.

Sie galt überall als amüsant, freundlich und schlagfertig, und keiner fand sie auch nur im Mindesten unattraktiv. Allerdings war auch keiner geblendet von ihrer Schönheit oder überwältigt von ihrer Gegenwart.

Männer, so dachte sie voller Abscheu, interessieren sich nur für die Frauen, die ihnen Angst einjagen. Niemand schien geneigt zu sein, einer Frau wie ihr den Hof zu machen. Alle beteten sie an oder behaupteten das zumindest, weil man sich so gut mit ihr unterhalten konnte und weil sie offenbar immer verstand, was in einem Mann gerade vorging. Einer von den Gentlemen, die Daphnes Meinung nach ganz akzeptabel waren, hatte einmal gesagt: „Ach Daphne, du bist einfach nicht wie andere Frauen. Du bist so natürlich, kein bisschen affektiert."

Was sie als Kompliment hätte auffassen können, wenn er nicht gleich darauf der momentan begehrtesten blonden, äußerst gezierten Schönheit gefolgt wäre.

Daphne blickte hinunter und bemerkte, dass sie die Hand

zur Faust geballt hatte. Dann schaute sie auf und sah den fragenden Blick ihrer Mutter, die offenbar eine Antwort erwartete. Da Daphne bereits tief ausgeatmet hatte, räusperte sie sich nun und sagte: „Ich bin überzeugt, dass Lady Whistledowns kleine Kolumne meine Aussichten auf einen Ehemann nicht schmälern wird."

„Daphne, es sind nun schon zwei Jahre!"

„Und Lady Whistledowns Blättchen erscheint erst seit drei Monaten, also ist mir nicht ganz klar, wie wir ihr die Schuld geben können."

„Du hast ja keine Ahnung", entgegnete Violet ungeduldig.

Daphnes Fingernägel bohrten sich in ihre Handflächen, während sie sich zwang, darauf nichts zu erwidern. Sie wusste, dass ihre Mutter nur das Beste für sie wollte, und sie wusste, dass ihre Mutter sie liebte. Und sie liebte ihre Mutter ebenso. Bis Daphne das heiratsfähige Alter erreicht hatte, war Violet sogar die beste Mutter gewesen, die man sich vorstellen konnte. Das war sie auch jetzt noch, wenn sie nicht gerade daran verzweifelte, dass sie nach Daphne noch drei weitere Töchter würde verheiraten müssen.

Violet legte sich die zarte Hand auf die Brust. „Sie stellt deine legitime Abstammung infrage."

„Nein", sagte Daphne langsam. Wenn man ihrer Mutter widersprach, war stets Vorsicht geboten. „Eigentlich hat sie geschrieben, dass es an unser aller legitimer Abstammung keinen Zweifel gibt. Und das ist mehr, als man von den meisten Familien der oberen Gesellschaftsklasse sagen kann."

„Sie hätte das Thema gar nicht erwähnen dürfen", meinte Violet mit gerümpfter Nase.

„Mutter, sie verfasst ein Skandalblättchen. Da ist es ihre Aufgabe, Derartiges zur Sprache zu bringen."

„Sie ist noch nicht einmal eine echte Persönlichkeit", fügte Violet ärgerlich hinzu. Sie stemmte die Hände in die schlanken Hüften, überlegte es sich dann anders und wedelte mit dem Zeigefinger herum. „Whistledown, ha! Von einer Familie dieses Namens habe ich noch nie gehört. Wer immer diese Person sein mag, ich kann mir nicht vorstellen, dass sie eine von *uns* ist. Als könnte ein wohlerzogener Mensch jemals so bösartige Lügen verbreiten."

„Natürlich ist sie eine von uns", sagte Daphne, und ihre braunen Augen blitzten vergnügt. „Wenn sie nicht zur feinen Gesellschaft gehören würde, käme sie nie an die besonderen Neuigkeiten, über die sie berichtet. Dachtest du denn, sie sei eine Hochstaplerin, die heimlich durch Fenster schaut und an Türen lauscht?"

„Dein Ton gefällt mir nicht, Daphne Bridgerton", tadelte Violet sie verärgert.

Daphne verkniff sich ein Lächeln. „Dein Ton gefällt mir nicht" war immer Violets Antwort, wenn eines ihrer Kinder in einer Diskussion zu siegen drohte.

Aber es machte zu viel Spaß, ihre Mutter zu necken. „Es würde mich nicht überraschen", sagte sie und neigte den Kopf ein wenig zur Seite, „wenn Lady Whistledown eine deiner Freundinnen wäre."

„Hüte deine Zunge, Daphne. Keine meiner Freundinnen würde jemals so tief sinken."

„Na schön", räumte Daphne ein, „wahrscheinlich ist es keine deiner Freundinnen. Aber ich bin sicher, es ist jemand, den wir kennen. Kein Fremder käme jemals an solche Informationen."

Violet verschränkte die Arme. „Ich würde sie am liebsten ein für alle Male aus dem Verkehr ziehen."

„Wenn du sie aus dem Verkehr ziehen möchtest …", Daphne konnte einfach nicht widerstehen, „… solltest du sie nicht dadurch fördern, dass du ihre Zeitung kaufst."

„Und was würde das nützen?", fragte Violet. „Alle anderen lesen sie auch. Mein jämmerlicher Boykott würde nur dazu führen, dass ich als Ignorantin dastehe, wenn die anderen Leute sich über den neuesten Tratsch amüsieren."

Das ist jedenfalls richtig, stimmte Daphne ihr im Stillen zu. Die gute Londoner Gesellschaft war geradezu süchtig nach „Lady Whistledowns Gesellschafts-Journal". Es hatte eines Morgens vor drei Monaten auf der Treppe jedes vornehmen Londoner Haushalts gelegen.

Zwei Wochen lang wurde es jeden Montag, Mittwoch und Freitag geliefert. Und dann, am dritten Montag, warteten Londons Butler vergeblich auf die Horde von Zeitungsjungen, die „Whistledown" üblicherweise austrugen. Kurz darauf stellten sie fest, dass die Jungen das Klatschblättchen nicht mehr einfach verteilten, sondern nun zum unerhörten Preis von fünf Pennys pro Stück verkauften.

Daphne konnte nicht umhin, die fiktive Lady Whistledown für ihren klugen Kopf zu bewundern. Bis sie die Leute zwang, für ihren Klatsch zu bezahlen, war der gesamte *ton* süchtig danach. Jeder rückte die fünf Pennys heraus, und irgendwo in London verdiente eine unerhört neugierige Frau ein Vermögen.

Sichtlich erregt ging Violet im Zimmer auf und ab und empörte sich über diese „schändliche Kränkung" ihrer Familie. Daphne sah zu ihrer Mutter auf, um sicherzugehen, dass diese sie nicht beachtete. Dann senkte sie den Blick wieder und überflog die restlichen Seiten des Skandalblatts.

„Whistledown" – so nannte es sich nun – bestand aus einer eigenartigen Mischung von Kommentaren, Neuigkeiten aus der Gesellschaft, vernichtender Kritik und ab und zu aus anerkennenden Worten. Es unterschied sich von allen früheren Gesellschafts-Journalen in einem wesentlichen Punkt: Nichts wurde hinter Abkürzungen wie Lord S. oder Lady G. verborgen. Wenn Lady Whistledown über jemand schreiben wollte, gebrauchte sie den vollen Namen. Die Gesellschaft war erklärtermaßen schockiert, insgeheim jedoch fasziniert.

Diese jüngste Ausgabe war typisch für „Whistledown". Neben dem kurzen Artikel über die Bridgertons – eigentlich kaum mehr als eine Beschreibung der Familie – berichtete Lady Whistledown über die Ereignisse des gestrigen Balles.

Daphne war nicht dort gewesen, denn eine ihrer kleinen Schwestern hatte Geburtstag gehabt, und bei den Bridgertons waren Geburtstage immer eine große Angelegenheit. Bei acht Kindern gab es schließlich auch viele Geburtstage zu feiern.

„Du liest ja diesen Unrat", rief Violet vorwurfsvoll.

Daphne blickte auf und fühlte sich nicht im Geringsten schuldig. „Die Kolumne ist heute recht gut. Anscheinend hat Cecil Tumbley gestern Abend ein ganzes Tablett gefüllter Champagnergläser umgestoßen."

„Tatsächlich?", fragte Violet und bemühte sich, gleichgültig zu klingen.

„Ja", erwiderte Daphne. „Ihr Bericht über den Ball der Middlethorpes ist auch nicht schlecht. Hier steht, wer sich mit wem unterhalten hat, wer was getragen hat ..."

„Und ich nehme an, dazu musste sie unbedingt ihr Urteil abgeben", fiel Violet ihr ins Wort.

Daphne lächelte boshaft. „Ach, ich bitte dich, Mutter. Du weißt doch, dass Mrs. Featherington in Purpurrot immer furchtbar aussieht."

Violet verkniff sich ein Lächeln. Daphne sah ihre Mundwinkel zucken, während sie versuchte, jene Haltung zu bewahren, die ihrer Meinung nach einer Viscountess und Mutter anstand.

Kurz darauf jedoch schmunzelte sie und nahm neben ihrer Tochter auf dem Sofa Platz. „Zeig mal her", sagte sie und griff nach dem Blatt. „Was ist sonst noch passiert? Haben wir etwas Wichtiges versäumt?"

„Also wirklich, Mutter, mit Lady Whistledown als Berichterstatterin ist es gar nicht mehr nötig, irgendwelche Empfänge selbst zu besuchen", sagte Daphne. Sie deutete auf das Journal. „Das hier ist fast so gut, wie tatsächlich dort zu sein. Ich bin sicher, dass wir gestern Abend besser gegessen haben als die Gäste auf dem Ball. Und jetzt gib mir das Blatt zurück." Ein wenig zu heftig nahm sie es ihrer Mutter aus der Hand, in der nur eine abgerissene Ecke zurückblieb.

„Daphne!"

Sie gab sich empört. „Ich las doch gerade."

„Na, und wenn schon!"

„Hör dir das an."

Violet beugte sich über die Zeitung.

Daphne las vor: „Der Bonvivant, der früher unter dem Namen Earl of Clyvedon bekannt war, hat sich endlich dazu herabgelassen, London mit seiner Gegenwart zu beehren. Zwar ist er bisher noch nicht bei einem respektablen abendlichen Ereignis erschienen, doch hat man den neuen Duke of Hastings mehrere Male bei ‚White's' und einmal bei ‚Tattersall's' gesehen."

Sie machte eine Atempause. „Seine Gnaden hat die letzten sechs Jahre im Ausland verbracht. Kann es da ein Zufall sein, dass seine Rückkehr erst nach dem Tod des alten Duke erfolgte?"

Daphne blickte auf. „Du meine Güte, die nimmt aber wirklich kein Blatt vor den Mund. Ist Clyvedon nicht ein Freund von Anthony?"

„Er ist jetzt Hastings", korrigierte Violet, „und ja, ich glaube, er und Anthony waren in Oxford befreundet. Und in Eton auch, denke ich." Nachdenklich kniff sie die blauen Augen zusammen. „Er muss ein ziemlicher Hitzkopf gewesen sein. Und mit seinem Vater hat er sich nie verstanden. Aber er war bekannt für seine hervorragenden Leistungen. Ich bin beinahe sicher, dass Anthony einen erstklassigen Abschluss in Mathematik erwähnte. Und etwas Derartiges", sagte sie und verdrehte die Augen, „kann ich von keinem meiner Kinder behaupten."

„Nicht doch, Mutter", neckte Daphne sie. „Ich bin sicher, dass ich ebenso hervorragend abschneiden würde, wenn Oxford sich endlich dazu durchringen könnte, Frauen aufzunehmen."

Violet stieß einen verächtlichen Laut aus. „Ich habe alle deine Rechenübungen korrigiert, als deine Erzieherin krank war, Daphne."

„Nun, dann vielleicht in Geschichte", sagte Daphne lächelnd. Sie sah wieder auf das Skandalblatt in ihrer Hand, und ihr Blick glitt zum Namen des Duke. „Klingt, als wäre er ganz interessant", meinte sie.

Violet musterte sie scharf. „Unpassend für eine junge Dame deines Alters, das ist er."

„Merkwürdig, wie wechselhaft mein sogenanntes ‚Alter' doch ist. Einmal bin ich noch so jung, dass ich nicht einmal Anthonys Freunde kennenlernen darf, und dann bin ich wieder so alt, dass du schon die Hoffnung aufgibst, ich könnte noch eine gute Partie machen."

„Daphne Bridgerton, dein Ton ..."

„... gefällt dir nicht, ich weiß." Daphne schmunzelte. „Aber du liebst mich trotzdem."

Violet lächelte herzlich und legte Daphne einen Arm um die Schultern. „O ja, das tue ich."

Daphne gab ihrer Mutter einen Kuss auf die Wange. „Das ist der Fluch der Mutterschaft. Du musst uns einfach lieben, und wenn wir dich noch so sehr ärgern."

Violet seufzte. „Hoffentlich hast du eines Tages Kinder ..."

„... die genauso sind wie ich, ich weiß." Daphne lächelte wehmütig und legte den Kopf an Violets Schulter. Ihre Mutter war äußerst neugierig, und ihr Vater hatte sich immer mehr für die Jagd und seine Hunde interessiert als für gesellschaftliche Angelegenheiten. Dennoch hatten sie eine glückliche Ehe geführt, erfüllt von Liebe, Lachen und Kindern. „Ich könnte es viel schlechter treffen, als deinem Beispiel zu folgen, Mutter", bemerkte sie.

„Ach, Daphne", sagte Violet, der die Tränen in die Augen stiegen. „Wie lieb von dir, das zu sagen."

Daphne wickelte sich eine kastanienbraune Locke um den Finger und lächelte, sodass die momentane Melancholie einer heiteren Stimmung wich. „Ich trete gern in deine Fußstapfen, Mutter, was Ehe und Kinder betrifft, solange ich nur nicht *acht* davon bekommen muss!"

In demselben Augenblick saß Simon Basset, der neue Duke of Hastings, bei „White's". Anthony Bridgerton, Daphnes ältester Bruder, leistete ihm Gesellschaft. Die zwei Freunde boten einen prächtigen Anblick, beide groß und athletisch, mit dichtem dunklen Haar. Aber während Anthonys Augen ebenso braun waren wie die seiner Schwester, verband sich mit Simons eisblauen Augen ein eigenartig durchdringender Blick.

Diese Augen waren nicht unwesentlich daran beteiligt, dass er sich den Ruf eines Mannes erworben hatte, der nicht einmal den Teufel fürchtete. Wenn er jemand mit klarem Blick unverwandt ansah, wurde es Männern unbehaglich. Frauen erbebten förmlich.

Nicht jedoch Anthony. Die beiden kannten einander seit Jahren, und Anthony lachte nur, wenn Simon die Brauen hochzog und ihn mit seinen blauen Augen musterte. „Du vergisst, dass ich einmal gesehen habe, wie dein Kopf in einen Nachttopf gesteckt wurde", hatte Anthony ihm einmal erklärt. „Seither fällt es mir schwer, dich so richtig ernst zu nehmen."

Worauf Simon geantwortet hatte: „Ja, aber wenn ich mich recht erinnere, warst du derjenige, der mich über jenes duftende Gefäß gehalten hat."

„Einer der stolzesten Augenblicke meines Lebens. Allerdings hast du dich in der Nacht gerächt – in Form von einem Dutzend Aale in meinem Bett."

Simon gestattete sich ein Lächeln, als er sich an dieses Abenteuer und das darauf folgende Gespräch erinnerte. Anthony war ein guter Freund, jemand, den er in einer schwierigen Situation an seiner Seite haben wollte. Ihn hatte er sofort nach seiner Rückkehr aufgesucht.

„Es ist verdammt schön, dich wieder zu sehen, Simon", sagte Anthony, nachdem sie bei „White's" an ihrem Tisch Platz genommen hatten. „Oh, aber du bestehst sicher darauf, dass ich dich nun Hastings nenne."

„Nein", wehrte Simon heftig ab. „Hastings wird immer mein Vater sein. Er hat nie auf einen anderen Namen gehört."

Simon schwieg einen Moment lang. „Ich übernehme seinen Titel, wenn es denn sein muss, doch ich will nicht bei seinem Namen genannt werden."

„Wenn es denn sein muss." Anthony blickte Simon erstaunt an. „Die meisten Männer wären über einen solchen Titel äußerst erfreut."

Simon fuhr sich mit der Hand durch das dunkle Haar. Er wusste, dass er sein Geburtsrecht hoch schätzen und auf die glanzvolle Geschichte der Familie Basset ungeheuer stolz sein sollte, aber in Wahrheit wurde ihm von all dem nur übel. Er hatte sich sein ganzes Leben lang bemüht, die Erwartungen seines Vaters nicht zu erfüllen, da kam es ihm lächerlich vor, nun seinem Namen Ehre machen zu wollen. „Eine verdammte Last ist es, weiter nichts", erklärte er schließlich.

„Du solltest dich lieber daran gewöhnen", riet Anthony, der es von der praktischen Seite sah, „denn alle werden dich so nennen."

Simon wusste das, aber er bezweifelte, dass er den Titel jemals als den seinen empfinden würde.

„Nun, wie auch immer", fügte Anthony hinzu, der ein für Simon offensichtlich unangenehmes Thema nicht weiterverfolgen wollte, „es freut mich sehr, dass du wieder hier bist. Vielleicht habe ich jetzt endlich mal etwas Ruhe, wenn ich meine Schwester zu einem Ball begleite."

Simon lehnte sich zurück und schlug die langen muskulösen Beine an den Knöcheln übereinander. „Eine interessante Bemerkung."

Anthony zog die Brauen hoch. „Nun ja, du erwartest sicher, dass ich sie dir erkläre."

„Selbstverständlich."

„Ich sollte es dich selbst herausfinden lassen, aber Grausamkeit war noch nie meine hervorstechendste Eigenschaft."

Simon schmunzelte. „Und das sagt ein Mann, der meinen Kopf einmal in einen Nachttopf gesteckt hat?"

Anthony machte eine wegwerfende Geste. „Ich war damals noch sehr jung."

„Und jetzt bist du die Verkörperung von Reife, Anstand und Ehrbarkeit?"

Anthony grinste. „So ist es."

„Also, erzähl schon", forderte Simon ihn auf, „wie wird durch meine Gegenwart dein Leben so viel angenehmer?"

„Ich gehe davon aus, dass du vorhast, deinen Platz in der Gesellschaft einzunehmen?"

„Da irrst du dich."

„Du *wirst* doch diese Woche zu Lady Danburys Ball gehen", sagte Anthony.

„Nur, weil ich eine unerklärliche Zuneigung zu dieser Frau hege. Sie sagt, was sie denkt, und ..." Simons Gesicht nahm einen verschlossenen Ausdruck an.

„Und?", bohrte Anthony nach.

Simon schüttelte leicht den Kopf. „Nichts. Sie war nur sehr gütig zu mir, als ich noch ein Kind war. Ich habe einige Male die Schulferien bei ihr verbracht, mit Riverdale. Das ist ihr Neffe."

Anthony nickte. „Verstehe. Du hast also nicht vor, dich viel in der Gesellschaft zu bewegen. Deine Entschlossenheit beeindruckt mich. Allerdings muss ich dich warnen – selbst wenn du dich von allen Empfängen fernhältst, *sie* werden dich finden."

Simon, der ausgerechnet in diesem Moment an seinem Kognak nippte, verschluckte sich fast beim Anblick von

Anthonys Gesicht, als dieser „sie" sagte. Nachdem er eine kleine Weile gehustet und geprustet hatte, brachte er schließlich hervor: „Wer, bitte sehr, sind denn ,sie'?"

Anthony schauderte. „Mütter."

„Da ich selbst keine habe, verstehe ich nicht ganz, was du meinst."

„Diese Feuer speienden Drachen mit Töchtern im heiratsfähigen Alter. Bei denen gibt es kein Entrinnen. Und ich sollte dich warnen, meine eigene Mutter ist die Schlimmste von allen."

„Gütiger Gott. Und ich dachte immer, Afrika sei gefährlich."

Anthony warf seinem Freund einen mitleidigen Blick zu. „Sie werden dich finden, wo immer du dich versteckst. Und dann wirst du in eine Konversation mit einer blassen jungen Dame in Weiß verstrickt sein, die sich über nichts anderes unterhalten kann als über das Wetter und Haarbänder oder darüber, wer eine Eintrittskarte zum ,Almack's' ergattern konnte."

Auf Simons Gesicht erschien ein amüsierter Ausdruck. „Darf ich daraus schließen, dass du, während ich nicht im Lande war, zu einem begehrten jungen Gentleman geworden bist?"

„Nicht aufgrund von Bestrebungen meinerseits, das kann ich dir versichern. Wenn ich das zu entscheiden hätte, würde ich alle gesellschaftlichen Empfänge meiden wie die Pest. Aber meine Schwester wurde letztes Jahr eingeführt, und ab und zu bin ich gezwungen, sie zu begleiten."

„Du meinst Daphne?"

Erstaunt sah Anthony ihn an. „Habt ihr beide euch denn je kennengelernt?"

„Nein", gestand Simon, „doch ich erinnere mich an die Briefe, die sie dir geschrieben hat, und daran, dass sie die Vierte in der Familie ist, also musste ihr Name mit D anfangen, und ..."

„Ach ja", sagte Anthony und verdrehte die Augen, „die Bridgerton'sche Methode der Namensgebung. Eine Garantie dafür, dass nie jemand vergisst, wer man ist."

Simon lachte. „Es hat doch funktioniert, oder nicht?"

„Hör mal, Simon", sagte Anthony unvermittelt und beugte sich vor, „ich habe meiner Mutter versprochen, diese Woche mit der ganzen Familie zum Dinner in Bridgerton House zu erscheinen. Komm doch auch mit."

Simon zog die dunklen Brauen hoch. „Hast du mich nicht gerade erst vor den Müttern und deren Töchtern gewarnt?"

Anthony lachte. „Ich werde meine Mutter vorher an ihre Manieren erinnern, und wegen Daphne brauchst du dir keine Sorgen zu machen. Sie ist die Ausnahme, die die Regel bestätigt. Gewiss gefällt sie dir."

Simon kniff die Augen zusammen. Versuchte Anthony, ihn zu verkuppeln? Er war sich nicht sicher.

Als hätte Anthony seine Gedanken erraten, lachte er auf. „Gütiger Himmel, du denkst doch nicht etwa, ich versuche, dich mit Daphne zusammenzubringen, oder?"

Simon sagte nichts.

„Du passt nicht zu ihr, denn du bist ein wenig zu grüblerisch für ihren Geschmack."

Simon fand diese Bemerkung eigenartig, fragte aber nur: „Hat sie denn schon Anträge bekommen?"

„Einige." Anthony stürzte den Rest seines Kognaks hinunter und seufzte dann zufrieden. „Ich habe ihr erlaubt, sie alle abzulehnen."

„Das war sehr freundlich von dir."

Anthony zuckte die Schultern. „Heutzutage kann man vermutlich nicht mehr hoffen, aus Liebe zu heiraten, aber ich sehe keinen Grund, weshalb sie nicht mit ihrem Mann glücklich werden sollte. Wir hatten Anträge von einem Gentleman, der alt genug war, ihr Vater zu sein, und von einem, der der etwas jüngere Bruder des Ersten hätte sein können. Außerdem von einem, der für unsere oft reichlich ausgelassene Sippe viel zu blasiert war, und dann diese Woche ... Meine Güte, das war der Gipfel!"

„Was ist passiert?", fragte Simon neugierig.

Müde rieb Anthony sich die Schläfen. „Der Letzte war sehr nett, aber er wirkte etwas dümmlich. Man möchte meinen, dass ich nach unseren ausschweifenden Jahren kein Fünkchen Gefühl mehr habe ..."

„Tatsächlich?", fragte Simon mit einem diabolischen Grinsen. „Möchte man das meinen?"

Anthony warf ihm einen finsteren Blick zu. „Es hat mir nicht gerade Spaß gemacht, diesem Narren das Herz zu brechen."

„War es nicht Daphne, die ihm das Herz gebrochen hat?"

„Ja, aber ich musste es ihm *sagen*."

„Nicht viele Brüder würden ihrer Schwester solche Freiheiten in der Auswahl ihrer Bewerber lassen", bemerkte Simon ruhig.

Anthony zuckte wieder die Schultern, als könnte er sich gar nicht vorstellen, mit seiner Schwester irgendwie anders umzugehen. „Sie ist mir stets eine gute Schwester gewesen. Das ist das Mindeste, was ich tun kann."

„Selbst wenn das bedeutet, sie zu ‚Almack's' zu begleiten?", fragte Simon boshaft.

Anthony stöhnte. „Selbst dann.“

„Ich würde dich ja gern damit trösten, dass all das bald vorüber sein wird, aber da warten ja noch drei weitere Schwestern.“

Anthony sank ermattet auf seinem Stuhl zusammen. „Eloise wird in zwei Jahren debütieren, und Francesca im Jahr darauf, doch danach kann ich mich etwas erholen, bis Hyacinth das kritische Alter erreicht hat.“

Simon lachte leise. „Ich beneide dich keineswegs um diese Pflichten.“ Aber noch während er das sagte, spürte er eine eigenartige Sehnsucht, und er fragte sich, wie es wohl wäre, nicht ganz so allein auf der Welt zu sein. Er hatte nicht vor, eine Familie zu gründen, doch wenn er als Kind eine gehabt hätte, wäre sein Leben wohl anders verlaufen.

„Du kommst also zum Essen?“ Anthony erhob sich. „Ganz ungezwungen. Wir veranstalten nie ein förmliches Dinner, wenn nur die Familie dabei ist.“

Simon hatte in den nächsten Tagen sehr viel zu erledigen, aber bevor er sich selbst ermahnen konnte, dass er so einiges zu regeln hatte, hörte er sich sagen: „Ich komme gern.“

„Sehr schön. Vorher sehen wir uns ja noch auf dem Empfang der Danburys, oder?“

Simon schauderte. „Nicht, wenn ich es verhindern kann. Ich habe vor, meinen Besuch in höchstens dreißig Minuten hinter mich zu bringen.“

„Du glaubst doch nicht im Ernst“, sagte Anthony mit zweifelnd hochgezogenen Brauen, „dass du es schaffen wirst, zu dem Fest zu erscheinen, Lady Danbury deine Aufwartung zu machen und dann wieder zu verschwinden?“

Simon nickte heftig.

Aber Anthonys Lachen war nicht unbedingt ermutigend.